Kinderen van de Jacarandaboom

Sahar Delijani

Kinderen
van de
Jacaranda
boom

the house of books

Oorspronkelijke titel
Children of the Jacaranda Tree
Uitgave
Weidenfeld & Nicolson, London, an imprint of the Orion Publishing Group,
London
Copyright © 2013 by Sahar Delijani
Copyright voor het Nederlandse taalgebied © 2013 by The House of Books,
Vianen/Antwerpen

Vertaling
Monique de Vré
Omslagontwerp en artwork
Wil Immink Design
Auteursfoto
Alison Rosa
Opmaak binnenwerk
ZetSpiegel, Best

ISBN 978 90 443 4159 1
ISBN 978 90 443 4160 7 (e-book)
D/2013/8899/128
NUR 302

www.thehouseofbooks.com
www.sahardelijani.com

Voor mijn ouders

1983

De Evin-gevangenis, Teheran

Azar zat op de geribbelde metalen vloer van een busje, ineengedoken tegen de wand. De kronkelende straat deed het voertuig heen en weer schommelen, zodat ze nu de ene kant, dan weer de andere kant op zwaaide. Met haar vrije hand omklemde ze iets wat als een stang voelde. De andere lag op haar harde, uitpuilende buik die samentrok en zich spande en haar ademhaling ondiep en onregelmatig maakte. Ergens in haar ruggengraat kwam een hete pijngolf omhoog die zich door haar hele lichaam verspreidde. Azar hapte naar adem en pakte de chador beet waarin ze gehuld was; ze greep hem zo stevig vast dat haar knokkels wit werden. Bij iedere bocht werd ze tegen de wanden gesmeten. Bij iedere hobbel en ieder gat vloog haar lichaam naar het plafond en verstarde het kind in haar buik, ineenkrimpend. De blinddoek voor haar ogen was vochtig van het zweet.

Ze tilde haar hand op en veegde het vocht uit haar ogen. Ze durfde de blinddoek niet weg te halen, hoewel er verder niemand achter in het busje zat. Maar ze wist dat er een raampje achter haar was. Ze had het glas gevoeld toen ze instapte. Zuster zou zich om kunnen draaien en haar door dit raampje zien, of ze zouden zo abrupt kunnen stoppen dat Azar geen tijd zou hebben om de blinddoek weer om te doen.

Ze wist niet wat er met haar zou gebeuren als ze haar met open ogen zouden aantreffen en ze wilde het ook niet weten. Af en toe probeerde ze zichzelf ervan te overtuigen dat de angst die bij haar naar binnen was geslopen en zich aan haar gehecht had, niet gerechtvaardigd was; tot nu toe had niemand een hand tegen haar opgeheven, haar geduwd of bedreigd. Ze had geen reden om doodsbang voor hen te zijn, voor de Zusters en Broeders, geen aanwijsbare reden. Maar ze hoorde nog de kreten waar de gevangenis van op zijn grondvesten schudde; die snelden door de lege gangen, maakten de gevangenen 's nachts wakker, deden de gesprekken tijdens het verdelen van het middageten verstommen, deden hen allemaal, met strakke kaken en verstijfd, de hele avond zwijgen. Niemand wist waar het geschreeuw vandaan kwam. Niemand durfde het te vragen. Kreten van pijn waren het, zoveel wisten ze wel. Want gebrul van pijn kon je niet verwarren met ander geschreeuw; het waren kreten van een lichaam dat zelfloos was, verlaten, gereduceerd tot een vormloos hoopje, dat alleen maar bewees dat het bestond door met grote kracht de stilte binnen de gevangenismuren uiteen te rijten. Geen van hen wist wanneer zij aan de beurt was, wanneer zij de gang in zou verdwijnen en tot gebrul gereduceerd zou worden. En zo leefden en wachtten ze en volgden ze bevelen op, terwijl boven hun hoofd de donkere wolk hing van een dreiging waaraan niemand, zo wisten ze allemaal, voorgoed kon ontsnappen.

Door een kleine opening ergens boven Azars hoofd drong het gedempte lawaai van de ontwakende stad binnen: rolluiken werden opengedaan, auto's toeterden, kinderen lachten en straatverkopers onderhandelden. Door het raam hoorde ze ook het ononderbroken geluid van gepraat en gelach uit de cabine komen, hoewel de woorden niet te verstaan waren. Ze hoorde alleen Zuster gieren van het lachen om iets wat een van de Broeders zojuist had verteld. Azar probeerde de stemmen in het busje niet bij zich binnen te laten komen door zich op het geroezemoes buiten het busje te concentreren – van Teheran, haar geliefde stad, waar ze al maanden niets van gezien of gehoord had. Ze vroeg zich af hoe de stad veranderd zou zijn nu de oorlog met Irak zich al ruim twee jaar voortsleepte. Had het vuur van de strijd Teheran al bereikt? Verlieten de mensen de stad? Aan de geluiden buiten te horen ging alles door zoals altijd, dezelfde chaos, dezelfde herrie van de strijd om het dagelijks bestaan. Ze vroeg zich af wat haar ouders op dit moment deden. Haar moeder stond waarschijnlijk bij de bakker in de rij en haar vader stapte op zijn motor en ging naar zijn werk. Nu ze aan hen dacht voelde het alsof Azar bij de keel werd gegrepen. Ze hief haar hoofd op, deed haar mond wijd open en probeerde het beetje lucht dat door een smalle opening het busje binnenkwam, in zich op te nemen.

Met haar hoofd achterover ademde ze zwaar in en uit, zo zwaar dat haar keel brandde en ze begon te hoesten. Ze maakte de stevige knoop in de hoofddoek onder haar kin los en liet de chador van haar hoofd glijden. Ze hield de stang stevig vast en bleef stijf zitten in een poging het zwaaien en slingeren van het busje te verdragen, toen er weer een pijnvlaag als de vurige punt van een kogel door haar heen schoot. Azar probeerde rechtop te gaan zitten; de schrik sloeg haar om het hart bij de gedachte dat ze hier haar kind zou moeten baren, op de metalen vloer van een busje, in deze hobbelige straten, met het schrille gelach van Zuster in haar oren. Ze verstevigde haar greep op de reling, haalde diep adem en probeerde zich af te sluiten voor de drang die diep in haar opwelde. Ze was vastbesloten het kind binnen te houden tótdat ze bij het ziekenhuis waren.

Precies op dat moment voelde Azar plotseling vocht tussen

haar benen gutsen; ze hield haar adem in terwijl het vocht on-
beheersbaar over haar dij liep. Ze schoof de chador opzij. Ze
werd bevangen door paniek toen ze voorzichtig met haar vingertoppen aan haar broek voelde. Ze wist dat bij een zwangere
vrouw op een bepaald moment de vliezen braken, maar niet
wat er daarna gebeurde. Betekende dit dat de geboorte op-
handen was? Was het gevaarlijk? Azar was net aan boeken
over de zwangerschap begonnen toen ze bij haar voor de deur
stonden. Ze was net bij het hoofdstuk over het breken van de
vliezen, de weeën en wat ze in de tas voor het ziekenhuis moest
stoppen, toen ze heel hard aanklopten, alsof ze de voordeur
wilden slopen. Toen ze haar wegsleepten begon haar buikje al
zichtbaar te worden.

Ze klemde haar kaken op elkaar terwijl haar hart hevig
bonsde. Ze wou dat haar moeder er was, zodat zij kon uitleg-
gen wat er aan de hand was. Haar moeder met haar warme
stem en zachte gezicht. Azar wou dat ze iets van haar moeder
had wat ze bij zich kon houden, een kledingstuk, of haar
hoofddoek. Het zou geholpen hebben.

Ze wou dat Ismaël er was, zodat hij haar hand kon vasthouden en tegen haar kon zeggen dat alles goed zou komen.
Hij zou bang zijn geweest, wist ze, als hij haar in deze om-
standigheden had gezien, diepbezorgd. Hij zou haar met zijn
levendige bruine ogen aangestaard hebben alsof hij haar pijn
wilde verslinden, hem tot de zijne wilde maken. Er was niets
wat hij zo erg vond als haar pijn te zien hebben. Die keer dat
ze van de stoel was gevallen waar ze op was geklommen om
druiven van de wijnstok te plukken, was hij zo geschokt toen
hij haar op de grond zag liggen kronkelen dat hij bijna was
gaan huilen en haar in zijn armen had genomen. 'Ik dacht dat
je je rug had gebroken,' zei hij later tegen haar. 'Ik zou doodgaan als jou iets overkwam.' Zijn liefde gaf haar het gevoel

een berg te zijn – onwankelbaar, onsterfelijk. Ze had die alles-omvattende liefde nodig, die bezorgde blik, ze had het nodig dat ze door hem gerust te willen stellen, hem te willen kal-meren, er altijd in slaagde zichzelf ook gerust te stellen.

Ze wou dat haar vader er was, zodat hij haar naar zijn auto kon dragen om haar in vliegende vaart naar het ziekenhuis te brengen.

Het busje kwam tot stilstand en Azar, opgeschrikt uit haar gedachten, draaide zich met een ruk om, alsof ze iets kon zien. Alhoewel de motor niet meer ronkte, ging er nog geen deur open. Haar handen gingen langzaam naar haar hoofd-doek en trokken de knoop aan, waarna ze de chador snel om haar hoofd sloeg. Het uitbundige gelach van Zuster was weer te horen. Algauw werd het duidelijk dat ze wachtten tot de Broeder zijn verhaal af had. Azar wachtte op hen, haar han-den trillend op de gladde rand van haar chador.

Even later hoorde ze deuren opengaan en dichtzwaaien. Iemand morrelde aan het slot aan de achterkant van het busje. Haar hand om de stang klemmend sleepte Azar haar lichaam naar voren. Ze bereikte het achterste deel van het busje toen de deuren opengingen.

'Uitstappen,' zei Zuster, terwijl ze handboeien om Azars pol-sen sloot.

Azar kon nauwelijks op haar benen staan. Ze liep moei-zaam naast Zuster voort, gehuld in het duister dat haar ogen omsloot en met een broek die aan haar dijen plakte. Algauw voelde ze een stel handen achter haar hoofd de blinddoek los-maken en zag ze dat ze in een zwak verlichte gang stond, met links en rechts lange rijen gesloten deuren. Er stonden een paar plastic stoelen tegen de muren, die vol hingen met posters van kinderen met blijde gezichten en de ingelijste foto van een ver-pleegster met een vinger tegen haar lippen om aan te geven dat stilte gewenst was. Azar voelde haar hart lichter worden toen ze besefte dat ze eindelijk in het gevangenishospitaal waren aangekomen.

Er liepen gehaast een paar jonge verpleegsters langs. Azar keek hen na terwijl ze de gang in liepen. Het had iets moois dat haar ogen onbedekt waren en haar blik sprong gehaast, vrij, van de groene muren naar de deuren, naar de zwakke neonlampen die in het plafond waren ingebouwd, naar de verpleegsters met hun witte uniformen en witte schoenen, die voortdurend in beweging waren en deuren open- en dichtdeden, terwijl hun gezichten rood waren van de inspanning van het werk. Azar voelde zich minder kwetsbaar nu ze om zich heen kon kijken, en op de een of andere manier gelijkwaardig met ieder ander. Achter de blinddoek had ze zich niet compleet gevoeld, verminkt, vastzittend in een instabiele wereld van lichamelijke kwetsbaarheid, waar van alles kon gebeuren en ze zich niet kon verdedigen. Nu voelde het alsof ze door te kijken de verlammende angst kon afleggen die op haar inhakte, die haar het gevoel gaf dat ze niet heel was, geen persoon. Met open ogen, in de schemerige gang, omringd door de bedrijvigheid van leven en geboorte, begon Azar het gevoel te krijgen dat ze weer mens werd.

Achter enkele deuren hoorde ze het gesmoorde gehuil van baby's. Azar luisterde aandachtig, alsof er in hun eindeloze, hongerige kreten een boodschap voor haar school, een boodschap van de andere kant van de tijd, van ergens buiten haar lichaam en vlees.

Er stond een verpleegster voor hen stil. Het was een stevige vrouw met levendige, hazelnootkleurige ogen. Ze nam Azar van top tot teen op en wendde zich toen tot Zuster.

'Het is een drukke dag. We proberen ons door de drukte van Eid-Ghorban heen te werken en ik weet niet of er een kamer beschikbaar is. Maar ga even mee naar boven. We zullen in elk geval de dokter naar haar laten kijken.'

De verpleegster ging hen voor naar een trap, die Azar met moeite beklom. Om de paar stappen moest ze stilstaan om op adem te komen. De verpleegster liep voor hen uit, alsof ze hen meed, deze gevangene met haar baby, haar pijn en haar broodmagere gezicht waar het zweet op glinsterde.

Ze gingen van verdieping naar verdieping en Azar sleepte haar lichaam gang in, gang uit, van gesloten deur naar gesloten deur. Ten slotte gaf de dokter in een van de kamers aan dat ze binnen konden komen. Azar ging snel liggen en onderwierp zich aan de efficiënte, onpersoonlijke handen van de arts.

De baby in haar voelde zo strak als een knoop.

'Zoals ik al eerder zei kunnen we haar hier niet houden,' zei de verpleegster zodra de dokter weg was gegaan, de deur zacht achter zich dichttrekkend. 'Ze hoort niet bij deze gevangenis. U moet haar ergens anders heen brengen.'

Zuster gaf Azar een teken dat ze op moest staan. Terwijl ze naar beneden liepen, de ene trap na de andere, de ene verdieping na de andere, omklemde Azar zwaar hijgend de trapleuning. De pijn zette nu een tandje bij. Hij boorde zich in haar rug en vervolgens in haar buik. Ze snakte naar adem, had het gevoel dat het kind door reusachtige handen uit haar werd gewrongen. Even welden, tot haar diepe vernedering, de tranen op. Ze klemde haar tanden op elkaar en slikte moeizaam. Dit was geen plek voor tranen, niet op deze trap, niet in deze lange gang.

Voordat ze het hospitaal verlieten vergewiste Zuster zich ervan dat de blinddoek hermetisch over de bloeddoorlopen ogen van de gevangene was geknoopt.

Toen ze weer op de geribbelde metalen vloer zat, sloegen de deuren dicht. Het busje rook naar hitte en groot leed. Zodra de motor startte, ging het geklets voorin verder waar het gebleven was. Zuster klonk opgewonden. Haar stem en haar hoge lach hadden een flirterige klank.

Toen ze daar weer zo zat, zakte Azar vermoeid een beetje onderuit. Terwijl het busje zigzaggend door het chaotische verkeer reed, dacht ze terug aan de eerste keer dat ze Ismaël mee naar huis nam. Het was een hete dag geweest, zo'n beetje als vandaag. Hij rook lekker, naar zeep en geluk, zoals hij daar naast haar door de smalle straat liep. Ze wilde hem laten zien waar ze vandaan kwam, had ze gezegd, het huis waarin ze woonde, met zijn lage bakstenen muren, blauwe fontein en de jacarandaboom die alles overheerste. Hij had getwijfeld: als haar ouders nu eens terugkwamen en hem daar zagen? Maar hij ging toch mee. 'Alleen maar even rondkijken,' had Azar lachend beloofd, terwijl ze zijn hand pakte. Ze renden van de ene kamer naar de andere, het moment, elkaar en de bloemengeur die hen omgaf koesterend.

Ze vroeg zich af waar Ismaël nu was en hoe hij het maakte. Het was maanden geleden dat ze iets van hem had gehoord, maanden waarin ze niet eens wist of hij nog leefde. Nee, nee, nee. Ze schudde herhaaldelijk haar hoofd. Daar moest ze niet aan denken. Niet nu. Ze had van een paar nieuwe gevangenen gehoord dat de mannen ook naar de Evin-gevangenis waren overgebracht. De meeste mannen. Als ze de Evin-gevangenis hadden gehaald, betekende dit dat ze door de verhoren en al het andere in detentiecentrum Komiteh Moshtarak, waar ze niet eens aan durfde te denken, heen waren gekomen. Ze wist zeker dat Ismaël een van die mannen was. Ze wist zeker dat hij bij haar in de Evin zat. Het moest gewoon.

Opnieuw kwam het busje tot stilstand en zwaaide de deur open. Deze keer werd de blinddoek echter niet weggehaald. De zon scheen er zwakjes doorheen, in Azars ogen, toen ze het busje uit wankelde en naast Zuster en Broeder weer een gebouw in strompelde, en toen een lange gang door. Ze waren blijkbaar de afdeling Verloskunde van een ander ziekenhuis binnengegaan, want algauw ving ze de geluiden van kreunende en schreeuwende vrouwen op. Azar voelde de hoop opwellen. Misschien zouden ze haar nu onder de veilige hoede van artsen stellen. Misschien zou er nu een einde aan de pijn komen. De blinddoek zakte aan een kant een beetje af en door de kier bekeek ze gretig de grijze tegelvloer van de lange gang en de metalen poten van de stoelen langs de wanden. Ze voelde mensen energiek langslopen, misschien verpleegsters; hun zachte schoenen verwijderden zich met plofjes door de gang. Hun langsrennende lijven veroorzaakten een kort briesje in haar gezicht.

Toch liep Azar even later weer een trap op. Het gekreun van de vrouwen dreef weg. Ze spitste haar oren en wist dat ze haar wegleidden van de afdeling verloskunde. Haar ooghoeken vertrokken zenuwachtig. Toen ze eindelijk bleven staan en er een deur openging, werd ze een kamer in geleid en kreeg ze de opdracht te gaan zitten. Uitgeput liet ze zich op een harde houten stoel zakken. Het zweet droop van haar voorhoofd in haar ogen, terwijl een golf van pijn haar weer overmande. Er zal zo wel een dokter komen, dacht Azar, in een poging zichzelf te troosten.

Ze besefte algauw dat het niet een dokter was op wie ze wachtte, toen ze achter de gesloten deur het geklepper van plastic slippers hoorde naderen dat almaar luider werd. Ze wist wat dat geluid betekende en dat ze zich moest harden wanneer ze dat hoorde. Ze greep het warme, bezwete metaal van de handboei beet en kneep haar ogen dicht, hopend dat het geklepper haar deur voorbij zou gaan en haar met rust zou laten. Toen het voor haar deur ophield, zonk Azar de moed in de schoenen: ze kwamen voor haar.

De deur ging piepend open. Onder de blinddoek door ving ze een glimp op van een zwarte broek en magere mannentenen met lange, puntige nagels. Ze hoorde hem in de kamer rondstommelen, met een schrapend geluid een stoel over de vloer slepen en gaan zitten. Azars lichaam zette zich schrap tegen dat onheilspellende wezen dat ze niet kon zien, maar met elk molecuul van haar lichaam voelde. Het kind in haar duwde en draaide. Ze kromp ineen, de chador om zich heen klemmend.

'Voornaam en achternaam?'

Met een trillende stem gaf Azar hem haar naam. Toen vertelde ze de naam van de politieke partij waartoe ze behoorde en de naam van haar man. Weer een pijnscheut en ze boog dubbel terwijl haar een zacht gejammer ontsnapte. Maar de man leek het niet te horen of te zien. De vragen bleven mechanisch van zijn tong rollen, alsof hij ze oplas van een lijst die hij meegekregen had en niet kende. Zijn stem had iets agressiefs dat voortkwam uit de intense en gevaarlijke verveling van een ondervrager die zijn eigen vragen zat is geworden.

Het was snikheet in de kamer. Onder haar grofgeweven mantel en chador was haar lichaam drijfnat van het zweet. De man vroeg haar op welke dag haar man gearresteerd was. Ze vertelde het hem en ook wie ze kende en wie niet. Haar stem bonsde van ellende toen golven pijn door haar heen sloegen. Ik moet kalm blijven, hield ze zichzelf voor, ik mag het kind niet laten lijden. Ze schudde haar hoofd tegen het beeld dat in haar op bleef komen: dat van een kind, haar kind – mismaakt, kapot, een glimp van onomkeerbaar leed. Als de kinderen uit Biafra. Azar kreunde. Het zweet liep over haar rug.

De man vroeg waar de bijeenkomsten werden gehouden. Hoeveel mensen er telkens aanwezig waren. Terwijl ze zich vastklemde aan de stoel bij elke nieuwe, allesoverheersende pijnscheut, probeerde Azar zich de juiste antwoorden te herinneren.

Alle antwoorden die ze verhoor op verhoor had gegeven. Geen datum, geen naam, geen detail of ontbrekend detail mocht anders zijn. Ze wist waarom ze hier was, waarom ze meenden dat dit het perfecte tijdstip was om haar te verhoren, om haar te pakken. Kalm blijven, herhaalde ze inwendig terwijl ze antwoorden gaf. Terwijl ze namen, datums, plaatsen, bijeenkomsten wegliet, probeerde ze kalm te blijven door zich de voetjes, handjes, knietjes, de vorm en de kleur van de ogen van haar kind voor te stellen. Een nieuwe golf van pijn steeg in haar op en sloeg over haar heen. Ze kronkelde, geschokt door het geweld. Het was een pijn die ze niet voor mogelijk had gehouden. Ze moest zich eraan overgeven. Vingers, knokkels, neusgaten, oorlellen, nek.

Waar had ze de pamfletten geprint? Ze hoorde de man de vraag herhalen. Ze probeerde antwoord te geven, maar de weeën leken haar te verzwelgen, haar de kans om te spreken te benemen. Ze schoot naar voren en greep de tafel voor haar vast. Ze hoorde zichzelf kreunen. Navel, zwart haar, ronding kin. Ze haalde diep adem. Ze had het gevoel dat ze flauw ging vallen. Ze beet op haar tong. Ze beet op haar lippen. Ze proefde dat haar speeksel zich mengde met bloed. Ze beet op haar strakke witte knokkels.

De buitenwereld vervaagde snel nu Azars pijn erger werd. Ze kon niets meer horen en was zich ook niet meer bewust van haar omgeving. De pijngolven hadden haar een ruimte in geslingerd waar niets anders bestond, niets dan een pijn zo acuut en ongelooflijk dat hij niet meer deel van haar leek uit te maken, maar een levenstoestand leek te zijn, een staat van zijn. Ze was geen lichaam meer, ze was een ruimte waarin alles kronkelde en draaide, waarin pijn, onvervalst en eindeloos, de scepter zwaaide.

Ze wist niet hoelang de man op haar antwoord op de vraag

over de pamfletten wachtte – er kwam geen antwoord. Ze was zich er slechts ten dele bewust van toen ze hem eindelijk iets hoorde dichtslaan wat op een notitieboekje leek. Ze wist dat het verhoor voorbij was. Het gevoel van opluchting maakte haar bijna duizelig. Ze hoorde de man niet opstaan, maar ze herkende wel het wegstervende kleppergeluid. Even later hoorde ze Zuster zeggen dat ze op moest staan. Azar strompelde de kamer uit, de gang door, geflankeerd door Zuster en iemand die als een verpleegster aanvoelde. Ze kon hen nauwelijks bijhouden. Ze waggelde verder, bijna dubbelgevouwen, snel ademend. De handboeien voelden ondraaglijk zwaar om haar polsen. Ze liepen de trap af. Het geluid van de kermende vrouwen kwam Azar weer tegemoet.

'We zijn er,' zei de verpleegster toen ze stilstonden.

Zuster maakte de handboeien los en haalde Azars blinddoek weg.

Ze klom op een smal bed in een kamer vol verpleegsters en een arts. De muur rechts van haar was verblindend verlicht door de middagzon. In een pauze tussen twee weeën zakte Azar diep weg in haar uitputting; haar armen lagen slap naast haar op bed en ze keek naar het kalmerende zonlicht terwijl ze zich overgaf aan de handen van de dokter die haar onderzocht.

Zuster stond naast de dokter en keek zwijgend toe. Azar weigerde naar haar te kijken. Ze weigerde Zusters aanwezigheid hier te erkennen, wenste die totaal te vergeten. En niet alleen Zuster, maar alles wat de aanwezigheid van Zuster inhield: Azars gevangenschap, haar eenzaamheid, haar angst, het baren van een kind in een gevangenis. Ze was nu een buitenstaander, omringd door mensen die haar als een vijand zagen die getemd en verslagen moest worden; ze zagen haar bestaan als iets wat hun macht in de weg stond, hún inzicht in goed en kwaad, moreel en immoreel. Mensen die van haar walgden omdat ze weigerde aan te nemen wat haar werd aangeboden in plaats van datgene waarvoor ze had gevochten; mensen die haar zagen als een vijand omdat ze weigerde te aanvaarden dat hun God alle antwoorden had.

Azar zou haar ogen willen sluiten en doen alsof ze ergens anders was, in een andere tijd, op een andere plek, in een andere ziekenhuiskamer, waar Ismaël naast haar stond en haar gezicht streelde, bezorgd naar haar keek, haar hand vasthield en hem geen moment losliet, en waar haar ouders op de gang wachtten: haar vader ijsberend in de gang, haar moeder haar ziekenhuistas met gespannen vingers omklemmend, zittend op de punt van haar stoel, klaar om naar binnen te stevenen als dat nodig was.

Als ze hier haar hand uitstak, was er niets. Leegte. Ze was helemaal alleen.

'Het kind heeft zich gekeerd.' Azar hoorde de stem van de dokter en keek naar haar buik. De strakke bult die ooit ergens dicht bij haar navel had gezeten, zag er nu uit alsof hij was verhuisd naar een plek tussen haar borsten.

De arts wendde zich tot de twee vrouwen achter haar. 'We moeten het naar beneden duwen.'

Azar kreeg een droge mond. Naar beneden duwen? Hoe dan? De vrouwen, die vroedvrouwen leken te zijn, kwamen dichterbij; hun gerimpelde gezichten en handen roken naar de provincie, naar afgelegen dorpen in de bocht van smalle, modderige wegen. Ze hielden afgescheurde repen stof in hun hand. Azar verslikte zich haast van angst. Wat wilden ze met die repen stof? Wat gingen ze met haar doen? Wilden ze haar de mond snoeren zodat ze haar buiten niet hoorden schreeuwen? De vrouwen keken naar Zuster, die een van de repen stof pakte en hun liet zien hoe je Azars been moest vastbinden. Azar kromp ineen toen die vochtige, eeltige vingers haar aanraakten om haar aan de reling van het bed vast te binden. De vrouwen leken te aarzelen maar deden ten slotte toch wat ze doen moesten. Een van hen greep Azars benen, de andere haar armen. Er ging een schok door Azar heen toen ze een felle beweging in zich voelde. De pauze was voorbij, de pijn was teruggekeerd.

De dokter spreidde een deken over Azars benen uit en boog zich voor haar staand over haar heen. 'Daar gaat-ie.'

Nadat ze haar hadden vastgebonden verstrengelden de vroedvrouwen hun vingers en legden hun handen ergens in de buurt van Azars borsten. Azar keek toe, hulpeloos van de pijn, terwijl haar hart wild in haar borstkas bonkte. Ze was bang voor hen, voor wat ze met haar en met haar kind zouden doen. Was dit wel een echt ziekenhuis? Wie waren die vrouwen en waar kwamen ze vandaan? Wisten ze wel wat ze deden?

Ze hoorde zichzelf kreunen. De vrouwen haalden diep adem om zich voor te bereiden, als boksers die krachten verzamelen voor een gevecht. Toen duwden ze met opengesperde ogen en strakke lippen, met handen die misschien ooit op de gezwollen buik van een koe hadden gedrukt of aan de trillende poten van een lam hadden getrokken, hard tegen de bobbel, haar kind.

Even verstarde Azar door het folterende geweld van die duw. Toen kwam er uit haar keel een schreeuw, onbeheerst en onvermoed. Een schreeuw zo krachtig dat haar hele lichaam trilde van de echo. Ze schoot naar voren, zich inspannend om de vrouwen weg te duwen van haar buik, haar kind. Zouden ze haar kind doodknijpen? Het verstikken? Azar kon haar handen niet bewegen, maar probeerde haar hoofd naar voren te steken om hen te bijten, toen een nieuwe pijnaanval haar weer het bed op gooide.

'Duwen!' beval de dokter.

De bobbel bood weerstand. De vrouwen ramden er hun handen tegenaan; hun gezichten waren rood aangelopen door de druk van die ruwe, ineengestrengelde vingers. Op hun voorhoofd, in de lijnen langs hun neus, glinsterde zweet. Hun mond vertrok terwijl ze drukten.

Azar voelde haar lichaam koud worden toen er een nieuw gejammer uit haar barstte. Even zag ze niets. Toen haar zicht opklaarde, zag ze dat een van de vrouwen naast haar stond. Ze was jonger dan de andere, waarschijnlijk van Azars leeftijd, begin twintig. Haar amandelvormige donkere ogen glansden mild. 'Het gaat goed,' fluisterde ze bemoedigend, haar koude hand op Azars gloeiend hete voorhoofd leggend. 'We hebben het hoofdje naar beneden geduwd, je hoeft nu alleen maar te persen.' Toen er nieuwe pijn kwam, zei ze: 'Je kind is er bijna.'

De vrouw glimlachte, maar Azar keek haar verwilderd aan. Ze wist niet wat het allemaal inhield, wat het meisje haar vertelde. Er was iets in haar dat doorduwde, zijn eigen gang ging. Ze spande zich en stiet weer een schreeuw uit.

'Ja, goed, persen. Nóg een keer.'

Zuster pakte Azars hand beet: 'Schreeuw! Roep God aan! Roep imam Ali aan! Roep ze nu dan toch aan!'

De pijn steeg in Azar op, koud en donker. Ze schreeuwde en pakte de arm van het meisje beet. Ze riep niemand aan.

'Het komt eraan,' riep de dokter. 'Goed zo! Nog één keer persen!'

In haar scheurde iets. Iets scheurde open en vaneen.

Met haar laatste kracht perste Azar nog één keer. Alles werd zwart. Ver weg hoorde ze de zwakke kreetjes van een baby het vertrek vullen.

Het was leeg in het vertrek toen ze haar ogen opendeed. Een koude bries die door het open raam binnenwoei deed haar huiveren. Ze lag nog steeds op bed vastgebonden en ze had geen gevoel meer in haar benen. Haar vochtige haar lag tegen haar gezicht geplakt; haar voeten deden pijn alsof er glasscherven in zaten.

Ze had geen idee hoelang ze al zo lag. Uren, dagen, een eeuwigheid. Haar ogen waren gretig, angstig op de deur gericht. Waar hebben ze mijn kind mee naartoe genomen? Even later ging de deur op een kier en kwam Zuster binnengeslenterd, haar zwarte chador om zich heen gedrapeerd. Azar deed haar mond open om iets te zeggen, naar het kind te vragen, maar haar lippen waren zo droog dat de hoeken van haar mond stukscheurden. Achter Zuster kwamen ook de twee vroedvrouwen binnengevallen.

'Je dochter is in de andere kamer,' zei Zuster, alsof ze geraden had wat Azar dacht, de vraag op haar kapotte lippen had gezien. 'Ik weet niet wanneer ze haar hier zullen brengen.'

Azar sloot haar ogen. Het is een meisje, dacht ze. Een uitgeput, maar triomfantelijk lachje trilde op haar lippen, maar tegelijkertijd was ze ongerust. Ze wist niet of ze Zuster moest geloven. Misschien was haar kind wel dood en loog Zuster. Misschien was dit gewoon weer een wrede truc. Misschien waren de kreetjes die ze in de kamer had gehoord wel even snel verstomd als ze waren uitgebracht. Ze keek naar de jonge vroedvrouw, die naar haar lachte en knikte. Azar moest het wel geloven.

De vroedvrouwen rolden Azars bed de kamer uit, de gang door, een andere kamer in, waar het raam dicht was. Ze maakten haar los. Er was iets in de gezichten van deze vrouwen wat Azar herinnerde aan de moeders van de kinderen die ze in de dorpen aan de randen van Teheran les had gegeven in het eerste jaar na de revolutie. Stil, gehoorzaam, naast hun armzalig geklede kinderen staand, namen ze alles aan wat Azar zei. Hun ogen vol bewondering, eerbied grenzend aan angst voor het stadsmeisje dat zo gemakkelijk boeken opensloeg en dichtklapte, dat volmaakt Farsi sprak, dat misplaatst leek in haar stadskleren in dat ene klaslokaal met lemen muren waaruit de hele school bestond.

Azars hart deed pijn bij de gedachte aan die tijd, waarin ze zich koortsachtig inzette voor een nieuw land, een beter en rechtvaardiger land. Wat was ze gelukkig wanneer ze 's avonds in de bus terugreed naar Teheran. Ze voelde zich één met de stad, die borrelde en bruiste van opwinding, van enthousiasme voor wat het heden maar ook de toekomst inhield. Ze kon niet wachten tot ze thuis was, wetende dat Ismaël haar in hun kleine woning opwachtte. Ze wist nog dat als ze het schijnsel van de lamp in de huiskamer door de gordijnen heen zag, haar hart een sprongetje van vreugde maakte. Avond na avond deed dat licht, dat betekende dat Ismaël thuis was en zij gauw in zijn armen zou liggen, haar glimlachen en haar hart sneller slaan wanneer ze de trap op rende. De geur van gestoomde rijst vulde haar neusgaten wanneer ze het huis in kwam en Ismaël liep op haar af, trok haar in zijn armen en zei: 'Khaste nabaashi, azizam.' Moge je nooit moe worden, liefje. Dan zette zij thee en terwijl ze die samen dronken, bij het smalle raam zittend dat uitkeek op de bomen op de binnenplaats die werden opgeslokt door het duister, vertelde hij haar over Karl Marx en las zij hem de gedichten van Forugh Farrokhzād voor.

De revolutie had nog maar een jaar geleden plaatsgevonden en zowel in Azar als in Ismaël brandde nog de vurige extase van die belevenis. De tranen van vreugde sprongen hun in de ogen en hun stemmen braken nog, wanneer ze geëmotioneerd spraken over hun overwinning, de overwinning van een volk dat de sjah had verdreven, de koning die ooit onaantastbaar was; het vervulde hen met hoop.

En toch wisten ze dat er iets fout was gegaan. De mannen met de strenge gezichten en monden vol woede en onbarmhartigheid en God, die het land hadden overgenomen en sindsdien beweerden dat zij de bron van rechtschapen woorden en heilige wetten waren, joegen hun schrik aan. Wat gebeurt er allemaal? Soms wendde ze zich wanhopig tot Ismaël met deze vraag. Geleidelijk werd het iedereen duidelijk dat deze mannen zichzelf als de enige wettige organisator van de revolutie, als de onbetwistbare overwinnaar beschouwden. Ze zuiverden universiteiten van wat ze antirevolutionaire activiteiten noemden, hieven kranten op, verboden politieke partijen. Hun woord werd wet en iedereen die anders dacht ging clandestien werken. Zo ook Azar en Ismaël.

Azar trok haar armen en benen in. Ze werd bevangen door rillingen en kon niet meer ophouden met trillen. De jonge vrouw verliet de kamer en kwam terug met een deken, die ze over haar heen legde. Azar maakte zich zo klein mogelijk en deed haar best om de warmte uit iedere vezel in zich op te nemen. De vrouwen verlieten het vertrek en trokken de deur zacht achter zich dicht.

Azar trok de deken over haar hoofd en probeerde de warmte in te ademen. Ze sloot haar ogen en wiegde heen en weer, wachtend tot de warmte haar omvatte, tot de kalmte over haar kwam. Ze bleef lang onder de deken liggen, als een vormloze hoop.

Toen de warmte door haar lichaam begon te trekken, stak Azar haar hoofd onder de deken vandaan en toen haar schouders. Naast haar, aan de andere kant van het vertrek, stond een leeg bed met gekreukelde lakens en een holletje in het kussen. Het lichaam leek pas te zijn verwijderd. Op de grond naast het bed stond een bord met daarop een restant rijst en sperziebonen. Toen haar blik erop viel, drong het plotseling tot Azar door hoe hongerig ze was. Ze had sinds de avond ervoor niets gegeten. Haar blik bleef op het bord rusten terwijl ze haar benen onder de deken vandaan trok. Dit was haar kans. Dat bord moest ze hebben. Ze probeerde te gaan staan, maar haar benen trilden en ze zakte door haar knieën. Om niet te vallen greep ze zich vast aan de zijkant van haar bed en liet zich behoedzaam op de grond zakken. Haar hart klopte wild terwijl ze op de koude tegels zat en naar voren begon te kruipen.

Hoe dichter ze bij het bord kwam, hoe stoutmoediger ze werd en hoe vaster ze van plan was ieder korreltje rijst op te schrokken. Ze ging eten en dat deed ze zonder Zusters toestemming. Ze zou het bord oppakken en alles naar binnen werken. Het zou helemaal van haar zijn, deel van haar lichaam worden, van haar wezen. Ze wilde het allemaal hebben, de rijst, de bonen, ook het bord. De gedachte kwam zelfs bij haar op het bord ergens te verstoppen en later mee te nemen, naar de gevangenis. Ze was misselijk van de honger, van haar lef, van het vooruitzicht te eten, van de angst gesnapt te worden voordat ze bij het eten was, die schat, die op dat moment als het leven zelf was. Ze zette haar ellebogen op de grond om zich er sneller heen te slepen.

De rijst was koud en droog en terwijl Azar hem opschrokte, voelde ze de scherpe korrels in haar keel schuren, en ze moest denken aan de emmers eten die Zuster altijd onder de gevangenen uitdeelde voor het middageten. Haar vingers werkten snel, verzamelden de rijst en de bonen, brachten ze naar haar mond, naar haar tanden die pijn deden, naar haar tong die niets kon proeven. Ze kauwde gehaast, terwijl de korrels van haar vingers vielen. Het kon op elk moment allemaal verdwijnen en ze kon terugvallen in die werkelijkheid waarin ze niets bezat, waarin ze niets te geven of te ontvangen had. Zuster kon elk moment de kamer binnenkomen en het bord afpakken. Maar nu kon ze eten. Dit was haar moment.

De dokter in haar witte uniform glimlachte naar Azar toen ze haar bloeddruk opmat. De blauwe wallen onder haar ogen leken in haar ronde, uitnodigende gezicht niet op hun plaats. Zuster stond aan de andere kant van het bed, met vrije, ongebonden armen. Ze leek zo op haar gemak in haar zwarte chador. Dat leken ze allemaal. Die Zusters. Ze liepen, gebaarden, reikten emmers eten aan, bonden blinddoeken voor, sloten en openden deuren en handboeien met zo'n handigheid dat het leek alsof de lastige, gladde stof niet bestond, alsof die niet als de vleugels van een slapende vleermuis om hen heen zat. Azar begreep wel dat ze Zuster maar beter niet te vaak naar haar baby moest vragen. Als ze te veel enthousiasme toonde zou Zuster misschien langer wachten tot ze haar haar kind bracht, alleen maar om haar te pesten, alleen maar om haar te laten lijden. Azar moest braaf zijn; ze moest geduld hebben.

'Ze is ingescheurd. Dat zou geïnfecteerd kunnen raken.' De dokter hield op met het oppompen van de band om Azars arm. 'Ze moet minstens twee dagen blijven.'

Zuster stak haar kin in de lucht in een onhandige poging hautain te lijken. Azar kon ergens in Zusters grote ogen, in de dikke plooi van haar onderlip en het gat in haar gebit dat zichtbaar werd wanneer ze soms glimlachte, de armoede van de stoffige rand van de stad zien, van lome middagroddels met buurvrouwen op drempels, van het kijken naar voetballende jongens in stoffige straten en het verlangen naar een kleuren-tv, van het stoppen met leren na de vijfde klas. En nu stond die vrouw uit de arme voorsteden, die koningin van het plebs, haar grote, zwarte chador over de stad en zijn bevoorrechte stadsmeisjes uit te spreiden. Zuster leerde langzaam trots te zijn op die armoede, zoals ze ook trots had leren zijn op haar chador.

'We hebben daar alles,' beweerde Zuster met een kille, effen stem. 'Wij kunnen voor haar zorgen.'

Onder het dek gleed Azars magere hand naar de rand van het bed. Toen ze bij het been van de dokter was, kneep ze uit alle macht in het vlees.

'We moeten de bacteriën in haar doden.' De dokter keek Zuster recht aan. Ze verried op geen enkele manier dat ze Azar had voelen knijpen. 'Dat kost een paar dagen.'

'Nee, dat kunnen we daar wel. We hebben alles. Artsen. Ziekenhuis. Medicijnen.'

Azar zou willen roepen dat ze die niet hadden, dat Zuster loog, dat ze de scheur zouden laten zitten, dat de infectie zich zou verspreiden, dat ze van binnenuit zou wegrotten. Ze kneep weer in het been van de dokter, harder nu. Ze klemde zich bijna aan haar vast.

'Ik zeg u dat ze verzorging nodig heeft, professionele verzorging, in een ziekenhuis,' hield de dokter vol. Ze leek de bedoeling van Azars geknijp te begrijpen. 'We moeten haar toestand in de gaten houden. Ze is vanbinnen gescheurd.'

Zuster wierp Azar een boze blik toe, alsof het haar schuld was dat ze ingescheurd was. Azars hand op de rand van het bed werd slap. Zuster gaf met een gebaar aan dat de dokter ook de kamer uit moest gaan.

Voordat de dokter van het bed wegliep greep Azar haar hand.

'Mijn baby?' fluisterde ze.

De dokter legde een hand op Azars wanhopige greep.

'Ze maakt het goed. Maak je geen zorgen. Je krijgt haar gauw.'

Azar zat op het bed naar de deur te staren en wachtte op het kind dat niet kwam. Ze hield haar handen tegen elkaar geklemd en trilde van woede, frustratie, verlangen en angst. Terwijl de uren verstreken begon ze haar geduld te verliezen. Na negen lange maanden met het kind in haar te hebben geleefd, het te hebben voelen groeien, het te hebben beschermd, ermee te hebben overleefd, leek het onmogelijk dat ze het nog steeds niet gezien had, niet in haar armen had gehouden, niet wist of het meer op haar of op Ismaël leek, niet eens zeker wist of het wel leefde. En terwijl de minuten omkropen en ze naar de deur zat te kijken, voelde Azar het verlangen naar haar kind in haar zo sterk worden dat ze nauwelijks kon ademen.

Het middaglicht begon weg te sterven en liet schaduwen op de muren achter. Azar klauterde op de vensterbank om zich een beetje op te vrolijken en keek door het gesloten raam. Ze wilde weten waar ze was. Door de spaarzame, grijzige bladeren van de wilde vijgenbomen zag ze een brug vol verkeer van de middagspits. Er hing veel smog, het was de laatste zomerhitte en het autogetoeter weerklonk schel. Ze zag een zwerm vogels door de lucht vliegen, een grote wending maken en op de takken van de bomen neerstrijken. De stad zag er anders uit. Alles leek te zijn gewit, vlekkeloos, glanzend. Het witsel was gehaast op de betonnen gebouwen gekalkt, alsof men snel iets wilde verbergen: bloed, roet, geschiedenis en oorlog, die eindeloze oorlog. Het was een bezeten poging de verwoesting te camoufleren die iedereen steeds meer achtervolgde.

Hoewel ze er niet geboren was, was Teheran altijd haar thuis geweest, had ze zich er altijd thuis gevoeld. Azar hield van de stad met zijn verkeer en zijn vuilwitte gebouwen en zijn overweldigende chaos. Ze hield er zoveel van dat ze ooit had gedacht dat ze het lot van deze stad kon veranderen. Dat zei ze tegen Ismaël toen ze hem vertelde over haar besluit door te gaan met haar politieke activiteiten. 'Hier hebben we niet voor gevochten, hier hebben we ons leven niet voor gewaagd,' had ze gezegd, 'we kunnen niet toelaten dat ze ons alles afpakken.'

Ismaël was met haar meegegaan, hand in hand, in elke fase. 'Wat we doen, doen we samen,' had hij gezegd. Wat hun ook zou overkomen, het zou een gedeeld lot zijn. Hij liet zich snel en gemakkelijk door haar aansteken. Hij ging met haar mee naar de geheime bijeenkomsten in benauwde kamers, hielp haar pamfletten te drukken, berichten te vervoeren in sigarettenpakjes, sprak op zijn universiteit over de toekomst. En toen het zover was, toen de vervolging begon en het te gevaarlijk werd om contact met hun familie te onderhouden, verbrak ook hij het contact met zijn familie. Ze belden hen niet meer en belden hun ouders ook niet meer terug, gingen niet meer naar hen toe. Ze vergoten samen tranen, wanhopig, niet meer zeker van wat de juiste handelwijze was. Ze hadden niet meer de kracht om door te gaan, maar wisten dat het te laat was, dat ze niet meer terug konden. De deur van hun woning kreeg iets dreigends, wierp hen tersluikse, sombere blikken toe, verwachtte reacties op de onuitgesproken vragen die hun ouders er met hun aanhoudende geklop op achterlieten. Toen het zover was gekomen, besloten ze te verhuizen en zo voor altijd hun sporen uit te wissen. Dat was gemakkelijker. Dan zou er niemand meer op hun deur kloppen. Toen ze eenmaal afgesneden waren, vonden ze het gemakkelijker te veinzen dat ze alles vergaten.

Was het de moeite waard geweest? Azar veegde de slierten haar uit haar gezicht. Zou Ismaël het haar ooit vergeven dat ze haar strijd op de eerste plaats had gezet? Vóór hem, hun leven samen, het kind dat in haar schoot groeide? Zouden ze ooit een tweede kans krijgen?

Deze gedachten maakten haar onrustig. Ze zette haar magere ellebogen op de vensterbank en legde haar voorhoofd tegen het warme glas van het raam. Het verkeer ronkte en pufte langzaam over de brug. Hoewel ze ver bij hen vandaan was, kon Azar nog de kleine, gespannen gezichten in de auto's zien, de rusteloze lijven die op de motoren vastgepind waren en niet de ruimte hadden om zich door de opstoppingen heen te manoeuvreren. Boven het verkeer, er als een reusachtige wolk boven zwevend, bevond zich een reclamebord met een van de uitspraken van de Opperste Leider erop, geschreven in keurig, elegant schuinschrift. ONZE REVOLUTIE WAS EEN EXPLOSIE VAN LICHT. Er was een explosie, als van vuurwerk, naast geschilderd.

Op de stoep onder het reclamebord stond een man versuft naar de auto's te kijken. Hij zag er moe uit, veel ouder dan hij in werkelijkheid was. De zon viel op zijn grauwe, afgetobde gezicht. Toen Azar hem zag, stond haar hart stil. Ze voelde haar gezicht opklaren. Verbouwereerd opende ze haar mond.

'Pedar!' schreeuwde ze, met haar vlakke hand op het raam slaand.

Haar vader hoorde haar niet. Keek ook niet op. Hij zette de tassen op de grond en haalde een zakdoek uit zijn zak om het zweet van zijn voorhoofd te wissen. Zijn pezige lichaam leek gebukt te gaan onder iets wat niet bij zijn leeftijd paste.

Azars gezicht vertrok en verwrong. Nooit had ze in de maanden dat ze in de gevangenis zat het gevoel gehad dat haar vader zo ver weg was, zo onbereikbaar. Nog nooit had ze zich zo alleen gevoeld, zo bang voor wat er van haar terecht zou komen.

'Pedar!' riep ze met de laatste kracht die ze nog in zich had. Haar stem was niet meer dan een gejammer diep in haar keel. Het kwam nauwelijks voorbij het dikke glas van het raam. Haar vader pakte de tassen op en begon weg te lopen, zonder ook maar zijn hoofd op te heffen. Azar keek met grote ogen, hijgend toe terwijl zijn lange, voorovergebogen lichaam steeds kleiner werd in het wazige middaglicht. Hij stapte op zijn motor en reed weg.

Er kwam beweging in het verkeer. Azars hand lag roerloos op de ruit, op de weerspiegeling van armzalige bladeren en lege nesten en een zwart reclamebord dat over licht sprak.

Toen de deur opnieuw openzwaaide was Zuster alleen. Ze had het kind niet bij zich. Ook de vroedvrouwen of de dokter waren niet bij haar. Azar keek verdoofd naar Zuster die haar kleren bij zich had. Ze was nog van slag. Het beeld van haar vader, zijn voorovergebogen lichaam, zijn vermoeide gezicht, wervelde door haar hoofd. Zuster legde Azars kleren op het bed. Azar informeerde zwakjes waar haar kind was.

'We zullen haar meenemen wanneer we weggaan,' zei Zuster en Azar besefte dat de dokter vergeefs had aangedrongen. Zuster had gewonnen. Het was tijd om te gaan.

Zusters voet stootte tegen het lege bord en het maakte een luid kletterend geluid op de grond. Ze stond vlak voor Azar en keek haar strak aan. 'Heb je Meysam gezien?' vroeg ze.

'Meysam?' Azar wist wie Meysam was. Hij was de Broeder die in het busje verhalen vertelde, degene voor wie Zusters geile, gierende lach bestemd was. Azar had Zuster, die zichtbaar ouder was dan hij, gefrustreerd maar niet-aflatend achter hem aan zien lopen in de donkere gangen van de gevangenis en over het beton van de binnenplaats. Ze had die lach door de gang horen schallen. Ze had Zuster hem van alles zien geven: borden met eten, wollen handschoenen. Ze had haar de jongere man, de jongere Broeder, zien omkopen, vertwijfeld hopend aanspraak te kunnen maken op zijn lichaam.

'De lange Broeder met de grote bruine ogen. Die knappe.' Zusters rechte wenkbrauwen vertrokken tot een opgewonden frons. 'Hij was eerst bij ons. Heb je hem niet gezien?'

Azar staarde Zuster aan. Het daagde haar ineens dat het feit dat Zuster erop had gestaan vandaag het ziekenhuis te verlaten, niets te maken had met veiligheid, regels of protocol. Het had niets te maken met Azars leven of dood. Het was gewoon toe te schrijven aan Zusters lust; ze wilde bij Meysam zijn.

'Nee, ik denk dat hij weg is gegaan,' loog Azar. Ze kon zich nauwelijks iets herinneren. Misschien had ze hem wel gezien. Maar toen ze op dat moment naar het door de onregelmatige schaduwen van de bladeren van de wildevijgenboom gevlekte gezicht van de oude vrijster keek, die klaarstond om haar de handboeien weer om te doen, gaf het Azar een aangename kick haar teleur te stellen.

Toen ze weer in de gang stonden, liep Zuster even weg om het kind te halen. Azar kon nauwelijks op haar benen staan en liet haar beverige lichaam op een van de witte plastic stoelen zakken die naast elkaar in de lege gang stonden. Aan het plafond hingen kale gloeilampen, die een zwak, wazig licht gaven. Haar ogen brandden.

Een paar deuren verderop kwam een oude vrouw naar buiten, die zorgvuldig een deur achter zich dichttrok. Ze stond even met over elkaar gevouwen handen naar de posters op de muur tegenover haar te kijken. Ze droeg een marineblauwe mantel die tot haar knieën reikte en een witte hoofddoek en ze leek op iets of iemand te wachten. Een kind, of een kleinkind. Ze zag er vreemd netjes en onverstoorbaar uit in die akelige omgeving.

Ze ging zitten en zette haar bruine leren tas met zijn versleten riem op haar schoot. Ze wierp een blik op Azar, maar wendde onmiddellijk haar ogen af. Het deed pijn dat ze zo wegkeek. Er lag angst in die grijsgroene ogen. En een voorgevoel. Was er iets in Azars gezicht wat haar lot verried? Was er iets in haar gezicht wat haar waarschuwde voor ijzeren deuren, handboeien en verhoorkamers? Het leven binnen de gevangenismuren was niet anders dan het bestaan daarbuiten. Iedereen droeg zijn angst met zich mee, als een keten, op straat, onder de vertrouwde schaduw van de sombere, majestueuze bergen. En doordat ze hem met zich meedroegen, spraken ze er niet meer over. De angst werd onaantastbaar, onbespreekbaar. En hij heerste over hen, onzichtbaar en almachtig.

Azar keek naar haar ruime, grijze broek, naar haar zwarte chador, die half op de grond hing en er vaak overheen sleepte. De gevangenen waren niet zo handig met de chador als de Zusters. Ze friemelden en frunnikten eraan, als kinderen die voor het eerst een pop proberen aan te kleden, een kapotte pop met één bungelende arm en slappe benen. De chadors sleepten regelmatig over de grond.

Azar trok haar chador om haar heen, sloeg hem voor haar gezicht en verborg haar geboeide handen eronder. Onder de bescherming van de chador voelde ze aan haar magere jukbeenderen, haar kleine kin. Ze zag er vast naargeestig uit. Een ongewenst spook. Er kwam een beeld bij haar op. Van haarzelf, met pamfletten in haar hand door een verlaten straat rennend, terwijl de lucht achter haar trilde onder het geweld van een patrouille van de Revolutionaire Garde. Ze wist nog hoe snel haar hart had geslagen, alsof het niet meer bij haar

lichaam hoorde, alsof het een eigen leven en tempo had, toen
ze zich achter een auto verstopte. Ze herinnerde zich nog het
gat in het asfalt, het snoeppapiertje dat naast haar voeten de
put in dreef, de glimp die ze opving van het tafelzeil met gele
rozen achter een raam van een huis, de geur van heet staal, het
heftige, explosieve kloppen in haar slapen.

Het leek allemaal eeuwen geleden. Die dag met zijn wolke-
loze lucht. Wie was ze toen? Wat was er gebeurd met de Azar
met de vastberaden stem, de snelle voeten en de twijfels over
waar het allemaal heen ging, twijfels die ze nooit uitte, ook niet
tegen Ismaël?

Toen ze voetstappen hoorde naderen hief ze haar hoofd op.
De oude vrouw stond voor haar.

'Gaat het, *dokhtaram*?'

Verrast keek Azar de vrouw aan. Ze had niet verwacht dat de
vrouw op haar toe zou lopen. De gedachte dat ze met iemand
van buiten de gevangenis zou praten bracht haar van haar stuk.

'Je ziet bleek,' merkte de vrouw op.

In de manier van praten van de vrouw herkende Azar meteen het accent van de streek rond Tabriz, net als dat van haar
moeder, dezelfde gewichtloze cadans, alsof ze op hun tenen
over de woorden liepen wanneer ze Farsi spraken. Ze deed haar
mond open om antwoord te geven, maar haar ogen schoten
plotseling vol tranen.

'Ik zit op mijn dochter te wachten,' zei ze, met een stem die
verstrikt raakte in haar keel. Het beeld van haar moeder die
haar gezicht waste met het koude water uit de blauwe fontein,
ter voorbereiding op het ochtendgebed, flitste door haar hoofd.

'Waar is ze? Ligt ze op de kraamafdeling?'

De tranen stroomden over Azars wangen. Ze wist niet waar
ze vandaan kwamen. Het was alsof er een dam in haar was
doorgebroken en de tranen erdoorheen gutsten en alles over-

spoelden. Haar lichaam schokte door de kracht van de snikken die ze probeerde in te houden.

'Niet huilen, azizam, waarom huil je?' herhaalde de vrouw met een verdrietige, verbaasde stem. 'Je hoeft niet te huilen. Je baby is eruit. Insjallah is ze gezond en mooi, net als jijzelf, hoewel je meer moet eten. Je bent te mager. Je moet nu twee mensen voeden. In deze tijden van oorlog moeten we sterk blijven. Als we sterk blijven, kan zelfs Saddam ons niet op de knieën krijgen.' De vrouw sprak zacht terwijl ze Azars tranen met de punt van haar witte sjaal wegveegde. Tranen waaraan geen eind leek te komen en die maar bleven stromen, als een waterval.

'Waarom ga je je dochter niet halen?' De ogen van de vrouw glinsterden bij de duidelijke hoop dat het idee Azar zou afleiden, een eind aan haar tranen zou maken.

'Zuster is haar gaan halen,' snufte Azar, haar hoofd diep over haar chador buigend om haar gezicht af te vegen.

'Ah, mooi, je zuster is hier,' zei de vrouw enthousiast. 'Je bent niet alleen. Dat is goed.'

'Het is niet mijn zuster. We noemen haar alleen maar Zuster. Ze is...' Azar zweeg.

De oude vrouw wachtte tot ze haar zin afmaakte. Toen leek het plotseling alsof er iets in de kleur van haar ogen veranderde. Een gedachte, angst, het onzegbare schoten erin heen en weer. Haar smalle gerimpelde gezicht werd somber. Er was niet meer dat vastbeslotene om Azars tranen een halt toe te roepen, met haar over haar dochter te spreken. Ze legde een hand op Azars hoofd.

'Ik begrijp het,' zei ze ten slotte. Het leek alsof ze meer wilde zeggen. Haar grijsgroene ogen leken beladen met woorden, met vragen. Maar ze zei niets. Ze kuste Azar op het voorhoofd en liep rustig weg toen Zuster aan het eind van de gang verscheen met een kleine, rode bundel in haar armen.

Azar vergat de oude vrouw en kwam overeind. Er was iets pijnlijk fout aan wat ze zag. Haar kind in de armen van Zuster, haar bewaakster. Azar voelde de wanhoop door haar heen slaan en wel zo sterk dat ze er slap van werd. Maar nee, daar mocht ze niet aan denken. Daar kwam haar kind naar haar toe. Ze had geluk gehad. Haar kind leefde. Op dat moment was verder niets belangrijk.

Ze balde haar hand tot een vuist en keek toe terwijl Zuster dichterbij kwam. De opwinding bonkte door haar heen. Ze kon haar ogen niet van het bundeltje in Zusters handen afhouden. Haar frustratie en haar woede werden snel overheerst door een acuut gevoel van tederheid, van bescherming. Ze strekte haar armen naar haar kind uit, trilde bij het vooruitzicht haar vast te houden. Maar toen Zuster dichterbij kwam zag Azar pas goed in wat voor deken het kind was gewikkeld. Het was een ruwe gevangenisdeken en haar kind was naakt. Azar kromp ineen toen ze zag dat haar kind niet beschermd werd tegen de grove stof die in haar broze babyhuidje beet. Ze stond daar met uitgestrekte armen maar kon niets zeggen. Ze wist dat als ze haar mond opendeed er niets anders uit zou komen dan een schrille, verwrongen jammerklacht.

'Je bent nog te zwak,' zei Zuster terwijl ze naar de lift beende. 'Je zult haar laten vallen.'

Azar liet haar armen zakken. Ze kon haar ogen niet van de bundel afhouden. Ze stelde zich voor dat ze het weggriste en ermee door de gang rende, de straat op en de brug over, waar haar vader ergens onder de schaduw van een boom op haar zou wachten.

Zusters gezicht klaarde op toen ze naar iets of iemand verderop in de gang keek. Azar volgde de richting van haar blik. Het was Meysam die op hen afliep; zijn slippers klepperden fier op de tegelvloer. Zijn witte polyester overhemd hing losjes over zijn zwarte broek. Hij liep langzaam, met geheven hoofd, zich volledig inlevend in zijn rol van bewaker van de revolutie, almachtig in zijn bewust bescheiden kleding. De baard die hij zo nodig moest dragen was dun. Nog geen volwassen baard. Zijn gang was die van een jongen die zojuist een oorlog leek te hebben gewonnen. En op dat moment flitste de gedachte door Azars hoofd dat hij en velen met hem spoedig naar die andere oorlog gestuurd zouden worden, die aan de grenzen van het land woedde. Het zou niet lang duren, want het land had alleen maar lichamen om zich mee te verdedigen, en dus zouden er lichamen gestuurd worden, iedere dag meer. Lichamen die misschien nooit meer terugkeerden. Azar knipperde met haar ogen toen ze naar Meysam keek – de gedachte vervulde haar met wanhoop.

Naast haar haalde Zuster gauw een hand onder haar kind vandaan om een haarlok in haar sjaal te stoppen. Met een afgrijselijke soort bedeesdheid richtte ze haar blik op de grond. Azar keek angstig naar de armen van Zuster waar ze geen greep op had. Bij elke beweging die Zuster maakte, schoten Azars handen naar voren om haar kind op te vangen, voor het geval Zuster haar, als ze in de greep van haar passie was, los zou laten.

'Salaam Baraadar,' zei Zuster stralend. 'Ik dacht dat je al weg was.'

'Nee, ik ben er nog. Kunnen we gaan?' vroeg Meysam, op het knopje van de lift drukkend.

'Ja, met de hulp van God, het is achter de rug.'

Tegelijk met Meysam stapte er nog een man in de lift. Toen hij Azars blik opving, werden zijn gelige ogen groot van herkenning en verbazing. Azar liet haar blik snel naar Zuster gaan, die de voorgeschreven ingetogenheid was vergeten en met haar lichaam van Azar afgekeerd stond en geanimeerd met Meysam praatte. Azar schoof dichter naar de man toe wiens uiterlijk was veranderd sinds ze hem voor het laatst had gezien. Zijn gezicht stond harder. Zijn baard deed hem oud en streng lijken. Hij had zijn witte polyester shirt helemaal tot zijn adamsappel dichtgeknoopt, zoals de kledingvoorschriften voor de vromen vereisten. Net als Meysam droeg hij plastic slippers.

Terwijl ze dichter naar hem toe bewoog vroeg Azar zich af of hij nog naast het huis van haar ouders woonde in die doodlopende straat, of hij nog steeds naar hun huis ging om er 's avonds thee te drinken, en of hij haar vader nog informeerde over beschikbare regeringsbonnen voor suiker en plantaardige olie die naarmate de oorlog voortduurde, steeds moeilijker te vinden waren. Of had hij afstand van hen genomen nu hij een man van de revolutie was, met zijn gezaghebbende baard en plastic slippers en harde gezicht?

Ze las geschoktheid in zijn ogen toen hij haar aankeek. Kennelijk hadden haar ouders hem niet verteld dat ze gearresteerd was. Dat verbaasde Azar niets. Ze waren bang geweest. Hoe kon het ook anders? Ze huiverde als ze eraan dacht hoe haar ouders er mogelijk achter waren gekomen. Ze stelde zich voor hoe leden van de Revolutionaire Garde hun huis binnenzwermden, vragen stelden, dreigden. En hoe haar ouders, bevend in de hoek, terwijl ze de ravage om hen heen gadesloegen, langzaam begonnen te begrijpen waarom Azar zo lang verdwenen was.

Azar hield de vragende blik van de man met haar ogen vast. 'Ik maak het goed. Vertel hun dat ik het goed maak.'

De man knikte verbluft. Een nieuwe brullende lach van Zuster verhulde Azars gefluister. Hij tolde door de gesloten lift en stuiterde van de muren en de tl-verlichting.

Azar wendde zich tot Zuster. 'Laat mij haar vasthouden. Ik kan het aan.'

Zuster aarzelde even voordat ze het ruwe bundeltje in Azars

armen legde. Het kind sliep. Kleine ademstootjes bewogen de iets geopende roze lipjes. Azar had haar wel tegen haar hart willen drukken om het echt te maken. Dat mondje, die roze, rimpelige huid, het zwarte dons op het voorhoofdje.

Ze was te zwak. Ze hield het kind alleen maar vast, waarbij ze de harde deken tegen haar handpalmen voelde schuren. Hij omsloot het lijfje van haar kind maar net. Azar voelde in haar lichaam droefenis en schuldgevoel opwellen. Wat had ze gedaan door haar op deze wereld te zetten, waar niet de moeder, maar haar bewaakster haar als eerste vasthield?

Ze verborg haar gezicht in de bundel en snoof de zoete geur van haar kind op. Ze kuste haar voorhoofdje en haar schouders en haar borst. Ze kuste en snoof diep, zich te goed doend aan de nabijheid van haar lijfje, haar om vergiffenis vragend. Er ging een beweginkje door de schouder van het kind en ze opende haar ogen.

Zo zwart als de nacht. Het wit van haar ogen leek haast blauw. Ze deed haar mondje open en dicht en keek om zich heen. Azar sloeg haar verbijsterd gade, die grote ogen die door de lift dwaalden met een blik die heel doordringend was, alsof ze iemand wilde arresteren. Het was bijna beangstigend. Die blik, die scherpe blik in de zwart-blauwe ogen van haar kind – streng, niemand ontziend, een beetje als die van Zuster. Haar hart sloeg bijna over van schrik. Azar hief een beverige hand op en hield die boven de ogen van haar dochter.

Er heerste een uitbundige drukte in de cel met zijn glimmende muren – glimmend omdat er zoveel hoofden en ruggen overheen hadden gewreven. Het was een drukte die zich slechts eenmaal voordeed: wanneer het leven op het punt stond een andere vorm aan te nemen.

Bruisend van opwinding wachtten de vrouwen de komst van de boreling af. Ze hadden alles schoongemaakt, de muren geboend, de kleden geschrobd. Die dag had niemand mogen trainen, voor het geval er stof zou opwaaien. Een van de hoeken was versierd met alle bladeren van de binnenplaats die door de wind waren meegenomen, verzameld in een lege aluminium kruik. De ijzeren tralies voor het raam wierpen dikke schaduwlijnen op de citroengele hoofddoek die er als gordijn voor hing.

De vrouwen hadden de hele dag opgewonden rondgelopen. Ze waren rusteloos, nauwelijks in staat op hun plaats te blijven. Sinds de dageraad, toen Azar met haar strakke, kloppende buik was weggehaald, waren de vrouwen, niet in staat hun opgetogenheid te verbergen, plotseling aardiger voor elkaar geworden. De vijandige stilte was opengebarsten en de woorden vlogen naar buiten, zelfs bij vrouwen die vijanden van elkaar waren en elkaars politieke partij, en dus elkaar, hadden geminacht. Ze leken de boosaardige rivaliteit en het gebruikelijke verstrikt raken in ideologische kampen te hebben opgeschort, in ieder geval één dag hun overtuiging dat de ander er de schuld van was dat de revolutie fout was gelopen, latend voor wat hij was.

'Goedemorgen!' zeiden ze tegen elkaar.

Hun meestal grauwe, sombere gezichten straalden verwachtingsvol. Het was niet hun douchedag, maar ze verzorgden zich niettemin uitgebreid; ze vlochten elkaars haar en zongen liedjes. Ze droegen allemaal hun mooiste kleren, alsof het Nieuwjaar was. Omdat die maandenlang niet gedragen waren en opgeborgen waren geweest, hingen de scherpe vouwen onhandig om hun benige schouders en slinkende borsten. Ze streken constant met hun handen over de stof om de vouwen weg te werken.

Die dag kon zelfs Firoozeh haar vreugde niet bedwingen. Haar gebruikelijke nerveuze tirades waren gestopt. Iedereen in de cel wist dat Firoozeh een *tavaab* was geworden, een collaborateur, omdat ze een nacht met haar echtgenoot had mogen doorbrengen en een hoofdkussen had gekregen dat zachter was dan dat van de anderen. Maar die dag leek zelfs Firoozeh niet bereid de vredige blijdschap te verstoren die over hen was gekomen. Ze wisselde nauwelijks een woord met de Zusters. In plaats daarvan sprak ze tegen iedereen over haar eigen dochter, Donya. Ze vertelde hoe ze Donya bij haar familie had achtergelaten toen ze werd gearresteerd. Ze vertelde over de tranen die ze nachtenlang had vergoten omdat ze haar niet kon zien. Wanneer ze vrijkwam, zou ze met Donya weggaan uit Iran. 'Weggaan en nooit meer terugkomen,' zei ze, fronsend alsof ze aan een nare droom dacht.

Toen ze voetstappen en het gesmoorde gehuil van een baby hoorden, renden ze allemaal naar de deur. Ze lachten, klapten in hun handen en sloegen elkaar opgewonden op de rug. Er klonk vrolijk geschreeuw, als de blijde kreten die te horen zijn op bruiloften, toen de deur openging en Azar met haar bundel binnenkwam. Zuster fronste haar wenkbrauwen en riep dat ze stil moesten zijn.

Azar lachte toen ze hen zag, toen ze hun mooie kleren zag, de geboende muren, het hoofddoekgordijn. Haar lichaam trilde mee met hun vreugdekreten. Omringd door hun blijdschap vergat ze alles. Ze vergat de scherpe blik in de ogen van haar kind. Vergat de pijn, het inscheuren, de angst, het schuldgevoel. Ze voelde zich plotseling en onverwachts thuis.

De vrouwen dromden met glanzende ogen en verwachtingsvolle handen om haar heen; hun stemmen liepen door elkaar, botsten, haakten zich aan elkaar vast. Ze gaven het kind door van de ene omhelzing naar de andere; hun lichaam werd warm wanneer ze haar vasthielden en ze wilden haar langer wiegen, gaven haar met tegenzin door naar het volgende paar handen dat jeukte om haar vast te houden.

Zich aan haar vast te klemmen.

Krampachtig.

Toen zagen ze haar naaktheid, de ruwheid van de deken, en de schrik sloeg hen om het hart. Maar ze zeiden niets. Ze haalden haar uit de deken en wikkelden haar in plaats daarvan in een zachte chador met madeliefjes erop.

Ze keken naar het kind en naar Azars ogen. Als ze zich genoeg concentreerden, zagen ze de angst die nog aan haar wimpers hing, het ongeloof dat nog op haar gebarsten lippen lag: haar kind leefde, zijzelf leefde.

Ze pakten de kom met vers water die ze in de hoek bij de gevallen bladeren in de aluminium kruik hadden klaargezet en wasten Azars gezicht.

'Het is voorbij,' zeiden ze, en ze wreven haar handen.

'Je bent nu buiten gevaar. Je bent bij ons.'

Ze masseerden haar schouders. Ze waren zo bezorgd om haar dat ze hun ogen sloten om niet te hoeven zien hoe erg ze vanbinnen verwond was.

'Hoe heet ze?' Marzieh, de jongste van hen allemaal, vroeg het toen ze het bundeltje voorzichtig van Firoozeh overnam.

Azar haalde diep adem. 'Neda,' zei ze en ze klemde onwillekeurig haar handen samen.

Ze zei de naam zachtjes nog een paar keer. Telkens werd het kind werkelijker. Telkens gleed de herinnering aan die strenge blik meer naar de achtergrond. Elke keer dat ze de naam zei werd het kind meer van haar, helemaal van haar. Er was een magische hand aan het werk die haar verzoende met het kind, met haar omgeving, met de tijd, met haarzelf. Ze maakte zichzelf geen verwijten meer. In plaats daarvan werd ze vervuld van een gevoel dat zoveel kracht gaf, dat zo onwankelbaar was, dat het alleen maar liefde genoemd kon worden.

Ze zaten toe te kijken hoe de witte zakdoek op en neer ging op het ritme van Neda's ademhaling. In de hoek van de cel was Firoozeh aan het trainen: ze maakte sprongen en bewoog met een rood gezicht haar armen en benen met schaarbewegingen op en neer. Er was weinig lucht in de cel en daarom hijgde ze zwaar.

Azar had de zakdoek op het gezicht van het kind gelegd om te voorkomen dat ze het stof inademde dat Firoozeh liet opdwarrelen.

'Ik weet zeker dat ze een ontmoeting met je man zullen organiseren voordat ze haar wegsturen,' zei Marzieh dromerig, en ze richtte haar groene ogen op de weinige kledingstukken van het kind die aan het touw boven hun hoofd hingen te drogen.

Er was een maand verstreken. Het rozige in het gezichtje van het kind begon weg te trekken. De rimpels werden gladgestreken. De ongefocuste blik in haar ogen werd stabieler. En de melk, die eerst waterig was, begon dikker te worden.

Azar koesterde zich in haar pasverworven moederschap. Ze liep verzaligd met haar gezwollen borsten rond. Zelfs in de verhoorkamer voelde ze een zekere opwinding wanneer haar borsten onder haar huid opzwollen van de melk. Alsof ze haar op de een of andere manier beschermden, sterk maakten, onoverwinnelijk. De warme vloeistof sijpelde uit haar tepels terwijl de ondervrager dezelfde vragen in een andere volgorde herhaalde, in de hoop haar op iets te betrappen; waarop leek hij zelf niet te weten. Ze luisterde nauwelijks naar hem. In plaats

45

daarvan gaf ze zich volledig over aan het warme sijpelen van haar lichaam dat verlangde naar het kind, zoet en kleverig, als de nectar van een boom. 'We hebben allemaal een boom in ons.' Ze wist nog wat Ismaël had gezegd. 'Hem vinden is alleen maar een kwestie van tijd.'

Voor de anderen was Neda het belangrijkste vermaak geworden. Ze leken niet genoeg van het kind te kunnen krijgen. Ze omringden Azar en sloegen haar met haar baby gade, en bewonderden de roze lipjes van het kind. Ze namen iedere beweging van het kind in zich op, ieder zoeken naar melk en lucht, ieder gehuil, ieder sluiten en opengaan van haar knuistje om hun vingers. Ze bewonderden haar met hun eenzame ogen en monden vol complimenten. Ze verzamelden zich om haar heen alsof ze hun heiligdom was. Ze vroegen of ze haar vast mochten houden, of ze over haar mochten waken wanneer ze sliep, of ze haar mondje mochten schoonmaken wanneer ze nieste.

Het leven in de kleine cel was veranderd. Het draaide niet meer om het achter de kraaiachtige Zusters aan naar verhoorkamers lopen of om het oprapen van een vliegenlijkje en moeten wachten met het weggooien ervan totdat ze naar de wc mochten. Ook draaide het niet meer om de luidsprekers die vijfmaal per dag de oproep tot gebed lieten horen. Of om de schreeuwen van pijn en instorting die uit de gesloten ruimten kwamen die iedereen hoorde, maar waar nooit iemand over sprak.

Het leven was nu anders. Het draaide om een kind.

En hoe langer Neda bleef, hoe meer ze allemaal durfden. Ze maakten kleertjes voor haar uit hun eigen gebedschador. 'Ze zal heel hard groeien de komende maanden,' zeiden ze. Ze ontsloegen Azar van de verplichting af te wassen, zodat ze die paar minuten kon gebruiken om haar luiers te wassen. Ze wasten het kind in de bak met warm water. Ze lazen haar brieven voor. Ze speelden met haar. Ze zongen liedjes voor haar.

Iedereen was bang overgebracht te worden naar een andere cel of gevangenis. Ze wilden niet weg uit deze cel, waar een kinderstem klonk, als een verlokkende levensstem. Hun wereld was er nu een van komen en gaan, ademen en eten, leegmaken en zogen. Een wereld die iets betekende, die niet langer een zwart gat was.

Maar ze wisten allemaal dat het niet zo kon blijven. Elke dag kon de laatste zijn. Ze wisten het allemaal. Azar wist het. Ze moest zich voorbereiden op die dag.

Maar hoe?

Er was nauwelijks een maand verstreken en het kind was al het enige geworden waar ze aan dacht. Al het andere leek niet meer van belang. Het kind en haar eigen hartstochtelijke, beschermende tederheid jegens haar. Ze was zich zelfs druk gaan maken om de manier waarop sommige vrouwen haar vasthielden. 'Niet zó,' zei ze dan, terwijl ze op hen afrende, al haar kracht verzamelend om niet tegen hen te schreeuwen dat ze haar kind neer moesten leggen. Ze moesten voorzichtig zijn. De nek van het kindje was nog zo slap. Dan haalde Azar Neda bij hen weg, overmand door emoties terwijl ze het kleine lijfje van het kind tegen haar borst legde, haar hand zachtjes om haar nek en hoofdje houdend. Niemand wist hoe zij goed voor het kind moest zijn, alleen zij.

Dit was gevaarlijk, ze wist het. Ze moest ermee ophouden. Ze moest beginnen te leren los te laten. Het kind was niet van haar. Het kon ieder moment weggenomen worden. Ze moest er klaar voor zijn. Maar hoe moest dat?

'Misschien laten ze je het kind zelf naar je ouders brengen. Je krijgt dan een dag om hen te bezoeken en het bij hen achter te laten,' zei een van hen, terwijl zij aan een loszittende knoop van haar blouse frunnikte.

Azar luisterde met een triest, sceptisch lachje om haar lippen. Ze kon het geklepper van slippers in de gang horen passeren, chadors langs de deur horen zwiepen, stemmen over en weer horen kletsen.

'Dat zal allemaal niet gebeuren,' zei ze, terwijl ze probeerde haar stem zo vlak mogelijk te houden. Ze tilde een hand op om te voelen of de kleertjes al droog waren. Het touw hing laag. Het was niet nodig op te staan. Ze trok het hemdje met de blauwe bloemetjes eraf en begon het op te vouwen.

Van de kleertjes die haar ouders Neda hadden gestuurd – ze wist niet hoe en wanneer ze van de geboorte van haar kind hadden gehoord – hadden slechts een paar haar bereikt. Die, en een zak thee. Azar wist zeker dat ze meer hadden gestuurd. Ze was niet overtuigd toen Zuster zei dat dat de enige geschenken waren die haar ouders bij elkaar hadden kunnen schrapen. Telkens wanneer ze naar de verhoorkamer ging zag ze onder haar blinddoek door een grote tas eenzaam naast de deur van de wc staan. Azar wist zeker dat die tas voor haar was. Ze wist zeker dat hij vol speelgoed, zeep, luiers en kleertjes voor haar kind zat. Maar niemand gaf haar de tas. Ze wachtte er iedere dag op, tot hij er op een dag niet meer stond.

'De dag waarop ze beslissen dat het mooi is geweest, zullen ze de deur een stukje opendoen en haar meenemen.' Ze hield haar handen een eindje uit elkaar om aan te geven hoe smal de opening zou zijn.

Zuchten die aangaven dat ze het er niet mee eens waren wervelden door het vertrek. Die Azar toch met haar overdreven pessimisme.

Onder de zakdoek maakte Neda een zacht geluidje en bewoog haar hoofd. Alle vrouwen keerden zich naar haar toe. Neda was wakker geworden.

Ze begon hongerig te huilen toen Azar de zakdoek weg-haalde en haar in haar armen nam. Ze bood trots haar zware borsten aan het gestaag zuigende roze mondje aan.

'Maar wie zegt dat ze haar weg zullen komen halen?' zei Parisa, die dicht bij de trainende Firoozeh zat. Ze was in de cel de enige die met Firoozeh bevriend was. Ze kenden elkaar al vanaf de middelbare school, had ze tegen de andere gevange-nen gezegd. Net als Firoozeh had ook Parisa een kind, een zoontje dat Omid heette en dat ze bij haar ouders en zus had achtergelaten. Ze was zwanger van haar tweede kind toen ze werd gearresteerd. Hoewel Parisa wist dat Firoozeh een tavaab was geworden, liet ze hun vriendschap niet door dit feit beïnvloeden. Parisa week niet van Firoozehs zijde. 'Ik kende haar al voor de gevangenis,' zei ze ooit toen de anderen haar erop aanspraken. 'Ik weet dat ze een goede inborst heeft. Ze is alleen maar kwetsbaar, niet sterk genoeg voor de gevangenis.'

Azar kende Parisa ook. Ze had haar leren kennen op het huwelijksfeest voor Behrouz, Ismaëls jongste broer. Parisa was de zus van de bruid. Dat was een van de laatste keren dat Azar en Ismaël een familiebijeenkomst hadden bijgewoond.

Hoe zou het zijn met Behrouz en zijn vrouw Simin? Azar had het Parisa op de eerste dag gevraagd, blij dat ze iemand zag die ze kende, gerustgesteld. Zowel Simin als Behrouz was gearresteerd, had Parisa haar verteld. Ze wist dat Simin in een andere cel zat, maar over Behrouz had ze geen nieuws. Beh-rouz met zijn slanke, krachtige lichaam, fraaigevormde wenk-brauwen en luide lach. Wat was er van hem geworden?

'Ik heb gehoord van een vrouw die haar kind zelfs een jaar hield, totdat ze vrijkwam,' vervolgde Parisa, terwijl haar grote ogen schitterden, misschien door de hoop haar eigen kind te kunnen houden wanneer het geboren was.

Iedereen keerde zich met grote ogen naar haar. 'Echt?'

'Dat heb ik gehoord. Misschien hoef je haar niet weg te sturen als je dat niet wilt.'

Vreugdevolle stemmen vulden de ruimte toen ze deze mogelijkheid bespraken. Zelfs Azars ogen sprankelden. De trieste lach verdween van haar mond. Ze voelde de hoop aan haar binnenste trekken, maar ook sombere voorgevoelens. Ze moest deze woorden niet geloven. Ze moest niet in die valkuil stappen.

'Ze hield haar kind een jaar?'

'Ze gingen samen naar huis.'

Azar keek naar Neda. Het kleine mensje met het ronde hoofd en de mooie zwart-blauwe ogen kroop zo lekker, zo vol vertrouwen tegen haar aan dat het alle twijfel of het wel goed voor haar was wegnam.

Ze hield het kind steviger vast om haar stem niet te laten trillen. 'Ik wil haar zo lang mogelijk houden.' Ze kon er niets aan doen. Ze kon toch in ieder geval hopen? Hopen was niet verboden. 'Denk je dat ze dat zullen toestaan?'

Er ging weer een week voorbij en nog steeds was er tegen Azar niets over Neda gezegd. Vanuit het kantoor van Zuster was niemand langsgekomen. Azar voelde zich licht, alsof ze tot alles in staat was. Misschien zouden ze haar haar kind toch niet afnemen. Misschien was het niet gevaarlijk te hopen. Azar begon meer kleertjes voor Neda te naaien en borduurde voor haar dochter een meisje dat midden in een veld met bloemen staat. Ze begon weer haar witte blouse te dragen, met de gele en roze bloemen, kleuren die zo vrolijk waren dat ze zelfs in de donkere nacht nog schitterden, en *lezgi* te dansen; ze stampte op de grond, waarbij de gele en roze bloemen op en neer hupten terwijl de anderen in hun handen klapten en voor haar zongen. De bloemen leken tot leven te zijn gekomen, evenals haar rode wangen, haar glanzende zwarte ogen en dikke golvende haar. Iedereen zei hoe mooi ze was wanneer ze danste.

Ze begon zelfs het haar van haar celgenoten te knippen, met de schaar die hun om de paar weken een uur gegeven werd. Azar was verbaasd geweest over die schaar. Waren de Zusters niet bang dat de gevangenen hem zouden gebruiken om zichzelf te beschadigen, te doden zelfs? Maar ach, de Zusters zijn niet bang, dacht ze. Of liever gezegd: het kon hen niets schelen. Ze hadden waarschijnlijk zelfs liever dat een aantal gevangenen zichzelf iets aandeed, zichzelf voor hen uit de weg ruimde. Het maakte hun werk gemakkelijker; minder gevangenen om zich druk over te maken. De gevangenen wisten dat misschien wel en daarom had nog nooit iemand de schaar gebruikt om zichzelf te beschadigen. Ze zouden het ook nooit doen; ze zouden de Zusters dat genoegen niet gunnen.

De eerste die haar haar door Azar liet knippen was Marzieh en daarna een jonge vrouw, die niet lang daarna naar een andere cel werd overgebracht. Azar probeerde vage, onduidelijke herinneringen op te roepen aan de manier waarop haar zus, die kapster was, lokken haar tussen haar gestrekte vingers had gehouden en die naar de schaarbladen had gebracht. Er waren geen spiegels in de gevangenis. Haar celgenoten waren op haar gaan vertrouwen. Toen vroeg Firoozeh of ze haar haar wilde knippen.

Azar wilde Firoozehs haar niet knippen. Ze wist dat Firoozeh over haar had geklikt toen ze zwanger was, tegen de Zusters had gezegd dat ze in de cel lezgi had gedanst. Dansen was niet toegestaan. Ze hadden moeten bidden, niet hun benen moeten uitslaan en springen op een ritme dat alleen in hun hoofd zat. Als straf was Azar meegenomen naar het dak, waar ze urenlang in de regen had moeten staan. De regen moest de muziek uit haar ledematen wassen, uit de ledematen van haar ongeboren kind. De regen moest haar doen inzien dat de gevangenis geen plek was om herinneringen uit de jeugd tot leven te wekken. Daar nam Azar zich plechtig voor dat ze nooit meer iets met Firoozeh te maken wilde hebben. En toch was ook Firoozeh veranderd door de komst van het kind; ook was de gevangenis geen plek om wrok te koesteren, meende Azar.

Die dag nam Firoozeh plaats op een stoel die midden op de natte, vuile vloer van de badkamer was gezet. Azar stond achter haar met de schaar in haar hand en keek naar de dikke, krullende vlecht die weelderig tot op Firoozehs onderrug hing. Azar had niet eens een kam.

Na lang wikken en wegen legde ze de geopende schaar ten slotte tegen de plek waar de vlecht begon, ergens bij Firoozehs nek, en sloot hem. Er gebeurde weinig. In plaats van het scherpe knipgeluid dat ze had verwacht, hoorde Azar alleen maar de pijnlijk doffe klank van de bladen die door het dikke, gevlochten haar probeerden heen te komen. Ze opende en sloot de schaar weer, maar het haar was te dik. Het werd alleen maar verfrommeld en gleed weg door de timide aanraking van de schaar. Azar probeerde het nog eens, bleef de schaar open- en dichtdoen, hem steeds dieper in de vlecht zettend. Firoozehs haar sprong in allerlei lengten alle kanten op. Geen enkele haarstreng was even lang als de andere. Pas toen realiseerde Azar zich dat ze de vlecht eerst los had moeten maken. Maar ze kon nu niet meer stoppen. Ze hakte erop los totdat de halve vlecht, gehavend en warrig, had losgelaten. Toen keek ze op. Haar pols deed pijn. Haar celgenoten keken gespannen toe. Iedereen behalve Firoozeh had door wat er gebeurde. Zwijgend sloegen ze haar gade. Het kale peertje boven hen wierp een dodelijk bleek licht op hun asgrauwe gezichten.

Azar keek weer naar de vlecht, die aan Firoozehs hoofd hing.
Ze trok de plukken haar uit de schaar en begon weer te knippen. Ze knipte met wanhopige vastberadenheid, alsof ze een
kind wilde opwekken waarvan ze wist dat het dood was. Het
werd stil toen ze allemaal zagen hoe de afgeknipte vlecht op
de grond viel. Firoozehs warrige, ongelijke haar piekte alle
kanten op. Azar deed haar best om het goed te krijgen, knipte
hier en daar, maar het leek de zaak alleen maar erger te maken.
Ten slotte hield ze op. Er zijn hier geen spiegels, troostte ze
zichzelf.

'Hoe zie ik eruit?' vroeg Firoozeh, met opengesperde ogen
om zich heen kijkend; haar pupillen waren kleine spelden-
knopjes.

'Het is een modern kapsel,' zei Azar, in een poging de situatie
wat luchtiger voor te stellen. Ze zaten per slot van rekening in
een gevangenis. Hoe belangrijk was dan een kapsel?

Niemand zei iets. Ze keken van Azar naar Firoozeh, en van
Firoozeh naar Azar. Op dat moment barstte Marzieh, die de
slapende Neda in haar armen hield, in lachen uit, zo luid dat
het tegen het plafond uiteenspatte en als buskruit over hen heen
viel. Iedereen keek haar stomverbaasd aan. Maar Marzieh bleef
lachen en haar gelach, als de vlam bij een lange rij granaten,
stak algauw iedereen aan, totdat ze allemaal oorverdovend
lachten en naar adem hapten. Een wervelwind van gelach die
hen om deed rollen in een wilde, tomeloze, duizelingwekkende
uitbundigheid.

Firoozeh keek hen geschrokken aan. 'Waarom lachen jullie?'
vroeg ze, aan haar haar voelend.

'Het zit een beetje rommelig,' zei Azar, nerveus giechelend.
Spiegel of geen spiegel, het was waarschijnlijk maar beter dat
ze de waarheid vertelde. 'Maar het is in de mode,' hield ze vol.

'Wat!' Firoozeh keerde zich abrupt naar Azar om. Ze sprong

overeind alsof ze haar wilde aanvallen. Haar neusvleugels waren opengesperd. Haar wijd open ogen leken groter dan anders. 'Wat heb je gedaan? Wat heb je gedaan?' gilde ze. Ze greep Azar bij de schouders en schudde haar door elkaar.

Azar verstijfde. Ze voelde de hitte naar haar wangen stijgen. Het gelach hield abrupt op. De vrouwen keken met angst in hun ogen toe. Azar deed haar mond open om iets te zeggen, iets wat Firoozeh zou troosten, wat ervoor zou zorgen dat ze haar losliet.

Op dat moment kwam Parisa bijna rennend op hen af en legde een hand op Firoozehs schouder. 'Stil maar, Firoozi. Het is niet zo belangrijk. Laat haar los.'

Firoozeh keek Azar boos aan zonder haar los te laten. Azar voelde de hete adem van haar celgenoot op haar gezicht.

'Laat haar los,' herhaalde Parisa.

'Het is alleen maar een beetje ongelijk,' mompelde Azar, terwijl ze achteruit probeerde te stappen.

Ze bleef de schaar vasthouden alsof ze van plan was zich knippend een weg door de badkamermuren te banen. 'Ik had je haar eerst los moeten maken. Het spijt me.'

Met een rood aangelopen gezicht, haar nog steeds boze blikken toewerpend, liet Firoozeh Azar los.

Firoozehs blik had iets fanatieks, iets onvoorspelbaars. Parisa haalde langzaam haar hand weg maar bleef in de buurt.

'Het spijt me,' herhaalde Azar gespannen; ze voelde de slagader in haar keel kloppen. Ze keek Parisa even verontschuldigend aan. 'Het was niet mijn bedoeling het te verpesten.'

'Het is maar haar,' zei Parisa rustig. 'Het groeit wel weer aan.'

Firoozeh raakte dwangmatig haar haar aan, alsof ze de onvolkomenheden wilde gladstrijken, zonder naar hen te luisteren. Toen stond ze even stil zonder Azar aan te kijken. Voordat ze de badkamer uitliep griste ze de schaar uit Azars hand.

De stilte hield aan. De vrouwen in hun grauwe kleren staarden Azar met angstige ogen in hun magere gezichten aan. Het geluid van een lekkende kraan vulde de lucht. Parisa keek hen even allemaal aan, lachte hen triest toe, en liep toen achter Firoozeh aan naar buiten.

Azar werd met een schok wakker. Dorst lag als een brok klei op haar tong. Het was vroeg in de morgen. Het zilverachtige ochtendlicht scheen door de gele hoofddoek voor het raam in het hok, over de kale muren, lichtplekken makend op de onregelmatige silhouetten die naast elkaar in slaaphouding op de vloer lagen. Het kwam maar net tot de ijzeren deur, die onbarmhartig, onwrikbaar gesloten bleef. Azar draaide zich op haar zij en legde een hand op Neda's warme lijfje. Toen ze zich ervan vergewist had dat het kind normaal sliep en ademde, ging ze rechtop zitten. Ze hield haar adem in en luisterde aandachtig naar het diepe, ritmische ademen om haar heen. Ze tuurde door het schemerlicht naar de massa snurkende schaduwen, op zoek naar Firoozeh. Stel dat Firoozeh besloot het haar betaald te zetten? Stel dat ze besloot Neda een trap te geven, haar op het hoofd te slaan?

Ze had al nachten niet geslapen, niet sinds ze haar haar had geknipt, niet sinds ze Firoozehs boze, wraakgierige blik had gezien die constant op haar rustte. Iedere avond bleef ze wakker totdat ze zeker wist dat Firoozeh in slaap was gevallen. Soms hielp Marzieh haar, soms Parisa; ze bleven waken terwijl Azar probeerde een paar uur slaap te pakken.

Ze ontwaarde Firoozeh aan de andere kant van de cel, bij de gesloten ijzeren deur; ze lag op de grond net als alle anderen. Ze lag bewegingloos, ineengekruld onder de deken. Haar lichaam maakte een uitgeputte indruk; haar armen lagen luste-loos naast haar en haar hoofd lag achterover op het kussen. Ze zag eruit als een oude vrouw die elk restje kracht moest verzamelen om gewoon op te staan. Maar het was juist deze uitputting die Azar bang maakte, de uitputting van iemand die het allemaal niets meer kon schelen, die je net zo gemakkelijk schade kon berokkenen als je kon laten gaan. De uitputting van de ziel was onvoorspelbaar.

Azar bolde het kussen op en leunde ertegen. Ze trok de deken op, zodat het kind bedekt was. Weldra zou Neda wakker wor-den en gevoed willen worden. De minuten sleepten zich voort. Azar wachtte ongeduldig tot Neda wakker werd, zodat ze haar de borst kon geven; haar borsten waren vol melk, die al toe-schoot en haar blouse nat maakte. Telkens wanneer het kind in slaap viel, telde Azar bijna de minuten tot ze weer wakker werd. Er was niets wat haar zo'n gevoel van macht gaf als het moment waarop ze haar in haar armen hield en de lippen van het kind, na een paar momenten van hongerig, angstig zoeken en snuffelen, zich om haar tepel sloten en ze begon te zuigen. Azar leefde alleen voor dat moment.

Ze luisterde weer naar het geluid van het ademen dat zwaar in de lucht hing. Ze keek om naar de plek waar Firoozeh lag te slapen. Ze had niet bewogen. Azar ging weer liggen, sloeg haar armen om Neda heen en trok het hoofdje van het kind zorgzaam in de beschermende kromming van haar arm.

De dag waarop Azar naar het kantoor van Zuster geroepen werd was een bewolkte dag. Het was vlak na het middag-gebed en het stukje lucht dat door het raam in het kantoor van Zuster te zien was, was grijs en betrokken. Er hingen geen gordijnen voor Zusters kantoorraam. Het was een kamer met een bureau, een stoel en een foto van de Opperste Leider met zijn lange, witte baard aan de muur. Achter Zuster stonden kastjes vol papier: documenten, dossiers, elk met een eigen leven.

Firoozeh heeft eindelijk wraak genomen, dacht Azar, half verdoofd, half buiten zinnen, terwijl ze daar zat, niet in staat de minste beweging te maken. In de verte hoorde ze de schrille kreten van een kraai. Op de vensterbank zoemde een vlieg. Waarom gaan ze haar van me wegnemen? vroeg ze zich telkens opnieuw af. Ik heb nog steeds melk.

'Je dacht toch niet dat je je dochter hier eeuwig bij je kon houden?' vroeg Zuster, met haar vingers op het tafelblad trommelend; haar ogen fonkelden. Azar voelde haar linkerooghoek heftig trekken. Van de tegelvloer steeg een ijzige kou op die zich via haar voetzolen in haar botten verspreidde.

'Stel dat ze hier ziek wordt. Dit is geen plek waar je een kind kunt hebben.'

Het was geen plek om een kind te hebben, maar het was wel een volmaakte plek om hen te houden. Om hen klein te houden. Want je bleef klein als je niet naar de lucht kon kijken.

Zuster zweeg even, alsof ze wilde dat haar woorden binnenkwamen, haar doorboorden. De tijd duurde eindeloos, breidde zich om Azar heen uit, slokte haar op, trok haar naar beneden. De chador drukte zwaar op haar hoofd. Het was alsof ze nauwelijks adem kon halen, alsof de muren van de kamer haar insloten. Ze schudde even haar hoofd en probeerde haar rug te rechten.

Iemand moest haar verklikt hebben, Zuster verteld hebben dat Azar haar kind lang wilde houden, zo lang mogelijk. Dat kon Zuster niet accepteren. Als Azar haar kind wenste te houden, hield dat in dat Azar gelukkig was. Het hield in dat Azar zo gelukkig was dat ze haar geluk niet voor zichzelf kon houden, dat ze het met alle anderen moest delen. Dat ze zich moest uiten. Dat was te veel geluk in een kleine cel met een raam met tralies ervoor.

Dit was geen plek voor geluk. Dit was de Evin. Een plek voor angst, nijpende, ziedende, dampende angst. Als Azar haar kind wenste te houden, betekende dat dat Azar niet meer bang was; het werd tijd om het kind weg te halen.

'We hebben je ouders al gebeld. Alles is geregeld.' Zuster hief een vinger op. 'Je kunt nu gaan.'

Azar stond op. Aan de andere kant van de deur stonden de twee Zusters die Azar terug moesten brengen naar haar cel, te praten. Iets met het avondeten, brood kopen, het huiswerk van kinderen. Azar strekte haar hand uit naar de deurknop. Ze was duizelig. Er kwam iets uit haar mond. Ze wist niet of het gejammer, gehoest of kwijl was. In de verte hoorde ze donderslagen. Ze draaide de deurknop om.

Na die dag gaven ze haar geen kom warm water meer om haar kind te wassen.

Tussen de tralies voor het raam door kwam een wit vlindertje naar binnen. Azar keek een poosje hoe het rondfladderde. Het vlindertje kwam uit de bergen, die heel dichtbij waren. Azar keek ernaar totdat het neerstreek op de gele doek voor het raam.

De cel was leeg. Iedereen was even op de binnenplaats voor een paar minuten frisse lucht. Ik blijf binnen, had Azar gezegd, zonder iemand aan te kijken. Ze wilde die paar clandestiene momenten van rust gebruiken om Neda te voeden, wat ze intenser deed dan ooit tevoren, alsof ze met haar eigen melk en het mondje van het kind wilde versmelten. Zodat ze voor altijd bij haar kon zijn, zodat niemand hen kon scheiden.

Er waren vier dagen verstreken en het was nog steeds niet bekend wanneer het kind zou worden weggehaald. Azars nekharen gingen overeind staan telkens wanneer ze een chador over de grond hoorde slepen of geklepper de deur hoorde naderen; ze dacht dan dat ze voor haar kwamen, voor haar kind. Nadat de chador voorbij was gezwiept of de slippers waren weggeklepperd zat ze nog lang na te hijgen.

De spanning had ervoor gezorgd dat alles om haar heen als zand wegglipte. Ze had het gevoel dat ze buiten zinnen aan het raken was. Ze kon niet meer zien, niet meer horen. Haar melk voelde vreemd, onwezenlijk. Ze begon haar grip op de werkelijkheid te verliezen. Ze begon het contact ermee te verliezen. Het enige waar ze zich nog aan vasthield was het ritme van de dagen. Ze klampte zich eraan vast alsof elke dag de laatste van haar leven was. Alsof ze, met één arm om haar kind geslagen en de andere om zichzelf, op de dood wachtte. Ze ademde door terwijl haar leven ten einde liep.

Door het getraliede raam druppelden gedempte gesprekken binnen. Azar wist waar de vrouwen over fluisterden. Sinds die dag bij Zuster op kantoor waren alle gesprekken in gemompel veranderd. Het was alsof er een gewicht op de vrouwen was neergedaald, dat hun stemmen verstikte. Ze zaten naast elkaar langs de lage muren, hun haar slap langs hun doffe, hoekige gezichten hangend, hun voorhoofd doorgroefd met rimpels van neerslachtigheid. Wanneer? Wanneer? bleven ze Azar en elkaar vragen. Er leek iets uit hun lichaam te zijn gevloeid, te zijn vervlogen in de harde, bedompte lucht.

Azar luisterde niet meer naar het droevige gemurmel buiten. Ze kon het niet verdragen. Ze gaf al haar aandacht aan het geluid van Neda's lippen die heftig bewogen en keek naar de zachte gloed van het daglicht op haar gezicht, de donkere wimpers in een keurige, dikke rij boven haar oogleden. De angst steeg als een vloedgolf in haar op, de angst voor scheiding, voor opnieuw steeds dieper in de bodemloze leegte te vallen wanneer Neda er niet meer was.

Ze had inmiddels nachtmerries over Neda die lag te huilen in de kelder van haar moeders huis. Alleen, nat, hongerig. En er kwam niemand bij haar. Zelfs haar moeder niet. Het was donker en koud in de kelder en Neda bleef huilen tot Azar wakker werd op een kussen dat nat was van de tranen. Zou haar moeder Neda echt aan haar lot overlaten? Zou ze zo gekwetst zijn door het feit dat Azar hen in de steek had gelaten dat ze onmogelijk van haar kind kon houden? Kon Azar iets van haar ouders verwachten als zij hen zelf zo gemakkelijk los had gelaten? Zouden ze haar al hun geklop op de deur waarop ze niet gereageerd had kunnen vergeven? Haar ouders hadden niet eens geweten dat ze zwanger was. Dat had ze hun onthouden: het uitkijken naar de bevalling, de vreugde, de trots deel te kunnen nemen aan haar leven. Wat hadden haar ouders gezegd toen hun telefonisch werd meegedeeld dat er een kleindochter geboren was? Een kleindochter van wie ze niet wisten dat die in de schoot van hun dochter groeide? Waren ze blij? Geschokt? Zo weten ze in ieder geval dat ik nog leef, dacht Azar, maar de gedachte kalmeerde haar niet. Haar schuldgevoel jegens haar ouders knaagde aan haar. De vragen tolde door haar hoofd, vragen waarop ze geen antwoord wist. De nachtmerries keerden iedere nacht terug en iedere morgen legde ze haar kussen in de hoek te drogen.

Het geluid van het zuigen hield op. Azar richtte haar blik op Neda, die in slaap was gevallen; haar lipjes kwamen langzaam los van haar moeders borst. Azar sloeg haar gade en haar ogen werden omfloerst. Neda's gezicht werd wazig. Azar verborg haar ogen achter haar hand. Iets in haar was in stukken gescheurd en ze wist dat ze die nooit meer aan elkaar zou kunnen lijmen. Toen ze opkeek was de vlinder verdwenen.

Het regende. Het was nog niet donker. Ergens op de binnenplaats roffelden regendruppels onophoudelijk op iets hards, zoals een golfplaten dak. Langs de muren van de cel lag het opgerolde beddengoed en daarop zaten de vrouwen; sommige waren op gedempte toon herinneringen aan het uitwisselen, sommige schreven een brief aan hun dierbaren, sommige lazen voor de zoveelste keer een brief die ze maanden geleden van hun man hadden gekregen, sommige staarden afwezig naar de muur voor hen en neurieden zachtjes oude liedjes, en een lach om een grappige herinnering schalde de gesloten ruimte door. In een hoek stonden plastic borden en lepels, gewassen en gedroogd, keurig opgestapeld. Het zwakke licht van de kale gloeilamp viel op de kleren die opgevouwen in stapels naast iedere slaapmat lagen.

De deur ging een stukje open. Iemand riep Azars naam. De deur was zo geopend dat er net een kind door kon.

Azar schrok hevig. Haar ogen vlogen naar de deur. Toen ze haar naam hoorde leek alles tot stilstand te komen. De lucht in de kamer werd verstikkend. Niemand bewoog. Ze keken alleen maar met open mond naar Azar.

Er verstreken een paar seconden. Azar zat als vastgenageld aan de grond. Ze kon zich niet verroeren. Ze zat daar maar te hijgen, te hijgen, alsof haar longen plotseling geen zuurstof meer opnamen.

Voor de tweede keer werd haar naam geroepen.

Naast haar maakte Neda met haar mond kleine geluidjes, bijna alsof ze zong. Azar nam haar in haar armen. Het lijfje van het kind voelde zacht in haar greep, een beetje zwaarder dan eerst: ze was gegroeid. Haar voetjes trappelden in de lucht. Azar dacht dat ze op kon staan, maar toen wankelde ze, alsof iets haar naar beneden trok, naar de grond. Er schoten handen toe, ze hielden haar bij de schouders vast, rechtten haar, boden haar houvast. Azar zette een stap, en nog een. De vrouwen trokken hun knieën op toen ze zich langs hen heen werkte, met een gezicht dat wild vertrok van emoties die niet te beschrijven waren, emoties die niets herkenbaars meer hadden.

Trillende handen strekten zich door de opening. Eerst hielden ze een lijfje vast waarin leven school. Toen waren de handen leeg. Ze werden teruggeduwd, de cel in, zodat de deur dichtgetrokken kon worden.

Azar liet zich langs de muur op de grond zakken als een regendruppel die over een ruit glijdt. Haar hoofd hing scheef en viel op haar schouder. Haar zware borsten zwaaiden naar opzij. Haar blouse was doordrenkt met de stromende melk. Haar armen waren leeg. De ijzeren deur naast haar ging stevig op slot.

Er heerste stilte, de stilte van rouw. Marzieh en Parisa probeerden haar overeind te hijsen. Hun gezichten liepen rood aan terwijl ze uit alle macht probeerden haar willoze armen om hun schouders te slaan. Ze was zo zwaar als een lijk. Haar melk stroomde op haar buik. De melk die voor haar kind bestemd was. Hij was nu van niemand. Weesmelk. Warme, kleverige, walgelijke melk.

Van de andere kant van de cel kwam Firoozeh aangelopen met een chador in haar hand. Ze ging naast haar zitten met een gezicht dat vertrok van pijn of berouw of verdriet. Azar wist het niet. Het vertrok steeds alsof ze vanbinnen werd geslagen. Azar wilde bij haar weg, wilde haar aanvallen, haar nagels in haar zetten. Ze zat daar maar, kapot.

Er klonk een stem op. Een lied, beverig, diep ongelukkig. De stem zong van herinneringen en van ontworteld raken, van uiteengereten worden.

Er waren geen bomen meer in hen.

Zachtjes tilde Firoozeh Azars met melk doorweekte blouse op en wikkelde de chador stevig om haar borsten om de melk-vloed te stuiten.

1987

Teheran, Islamitische
Republiek Iran

Zo trof Leila Omid aan: met grote ogen en strakke ledematen, hevig op zijn vingers zuigend. Hij zat aan de eettafel, omringd door een ravage. Alle deuren waren opengegooid; de kasten en laden waren leeggehaald en de inhoud lag op de grond. Overal lagen boeken en papieren en kleren, enveloppen en haarspelden en pennen en schoenen. Op een paar kledingstukken van Parisa stonden afdrukken van stoffige laarzen.

Omid was erbij toen zijn ouders gearresteerd werden. Ze zaten het middagmaal te eten. De hemel was blauw, wolkeloos, leeg. De lucht rook naar naderende hitte; het nieuwe seizoen leek in aantocht te zijn. Omids vader was het vlees, de kekererwten en aardappels aan het stampen in een metalen schaal; hij hield de stamper vast, zijn vingers om de schaal geklemd, terwijl de stoom tegen zijn kin sloeg.

Omid doopte zijn vinger in de kom yoghurt waar fijngemaakte rozenblaadjes door waren geroerd. Parisa keek hem fronsend aan. 'Hoe vaak heb ik je niet gezegd dat je een lepel moet gebruiken?'

Omid wist niet wat hij met zijn vinger moest doen, met de fout die al begaan was, en liet hem daarom in de kom met yoghurt, die koud en zacht voelde. Hij keek naar zijn moeder.

Naar haar mooie ogen en weelderige haar dat over haar schouders viel. Naar de prachtige paarse blouse die het roze van haar wangen nog beter deed uitkomen en die over de groeiende uitstulping bij haar buik viel. Naar de liefde die uit haar ogen leek te vloeien en alles leek te overstromen.

'Het geeft niet,' zei Parisa. 'Je vinger zit al in de kom. Maar gebruik de volgende keer je lepel.'

Omid bracht de vinger naar zijn mond en proefde de yoghurt met rozen.

Op dat moment verscheen de hospita in de deuropening, geflankeerd door twee officieren. Ze was bleek en haar ogen waren groot van angst. Ze praatte gehaast, dwangmatig haar chador rechttrekkend, en op smekende toon, ze sprak woorden die door haar grote angst alle betekenis hadden verloren.

De gardisten kwamen binnen en namen gewoon zijn ouders mee. Omid was aan tafel achtergebleven met de maaltijd voor zich. Parisa had vluchtig zijn gezicht aangeraakt met vingers die ijskoud waren. Zijn vader had een kus op zijn voorhoofd gedrukt en gezegd dat hij niet bang moest zijn, dat ze zo terug zouden zijn. Maar zijn stem klonk zo iel dat bij Omid ergens vanbinnen iets zachtjes 'plop' zei en voor altijd verdween.

De gardisten waren op zoek geweest naar documenten, brieven, pamfletten, gedichten, verboden boeken. Ze waren met hun handen vol vertrokken. Er waren heel veel stukjes leven weg te dragen geweest. Die papieren zouden nu gaan beslissen wie ging en wie bleef. Zijn ouders, met hun liefde en hun strijd en hun leven vol papieren.

Waren weg.

En Omid zat aan tafel. Om hem heen chaos. Hij kon niet huilen. Hij zat daar te beven terwijl het speeksel langs zijn vingers droop. De hospita rende de gardisten die zijn ouders geboeid en geblinddoekt bij hem wegrukten, achterna. Ze hadden niet hard hoeven rukken, want zijn ouders boden geen weerstand. Ze sloegen niet wild met hun armen. Ze schreeuwden niet.

Het was helemaal stil, als op een zondagochtend in een moskee. Het leek alsof ze erop hadden gewacht. Zijn ouders. Op de gardisten. Die hun huis en hun leven en het kind dat achterbleef en het kind dat nog moest komen kwamen vernielen. Die er een puinhoop van kwamen maken en alles over hen uitspuugden.

Later pas, toen haar stem in haar keel was gestorven, toen haar woorden zielloos op de drempels lagen, rende de hospita naar de telefoon om Aghajaan en Maman Zinat te bellen. En Omid bleef zitten. Alleen. Met halfgestampte stamppot en een kom yoghurt voor zich die naar rozen rook.

De schaduwen op de vloer van blauw nepmarmer in de apotheek werden weggevaagd toen Leila, met Sara in een wandelwagentje en Forugh op haar arm, snel de deur uit ging en de straat op liep. Forugh, die achttien dagen ouder was dan Sara, zou over een paar maanden drie worden. Ze was zwaar en een last voor Leila, wier arm, die beschermend om het kind lag, wegzakte. Omid, die zes was, liep naast hen en hield haar mantel stevig in zijn knuist.

Leila wilde net Forugh op haar arm verschikken, toen vóór hen een jeep abrupt tot stilstand kwam, waarbij een schrapend, snerpend geluid onder de banden vandaan kwam. Een dreigende stof- en rookwolk benam Leila het zicht. Meteen, bijna instinctief, wendde ze haar gezicht af, voorwendend haar mond tegen de uitlaatgassen te bedekken, en veegde snel de lippenstift met het uiteinde van haar hoofddoek van haar mond.

Uit de jeep sprongen twee mannen, in het groene militaire uniform van de Revolutionaire Garde met bijpassende groene pet; hun gezichten werden omlijst door dichte baarden. Een van hen was langer dan de ander en strompelde achter hem aan alsof zijn voeten pijn deden. Hij leunde tegen de motorkap van de jeep terwijl de ander over de goot sprong die de rijweg van de stoep scheidde en voor Leila ging staan. Zijn ogen lagen diep in hun kassen en leken te verdwijnen in de slappe plooien van zijn huid. Even hoorde Leila alleen maar het wilde geklop van haar hart.

'Is dit de juiste toestand om je in het openbaar te vertonen, Zuster?' zei hij.

Sinds de revolutie waren ze in één klap broeders en zusters van elkaar geworden. Een land vol niet-verwante broers en zussen die elkaar soms vol angst, soms vol verzet, en met achterdocht, machtsvertoon en minachting bekeken. 'Ik ben je zuster niet!' had Leila graag willen uitroepen.

'Hoezo? Wat is er dan?' Ze klemde Forughs lijfje tegen haar borst en pakte Omids hand beet, die de rook en de strenge gezichten van de mannen met een mengeling van angst en fascinatie aanzag. Achter zijn forse onderlip speelde zijn tong met zijn ongelijke voortanden.

'Zijn dit je kinderen?'

'Nee.'

'Van wie zijn ze dan?'

'Van mijn zussen.'

'Waarom zijn ze bij jou? Waar zijn je zussen?'

Leila slikte moeizaam. Even wist ze geen woord uit te brengen. Ze friemelde aan Forughs blouseje. Haar hart klopte in haar keel, haar bloed wild rondpompend.

Vier jaar geleden waren haar twee zussen, Parisa en Simin, opgehaald door dit soort mannen, gestoken in hetzelfde uniform, dezelfde taal gebruikend, bedekt met hetzelfde stof van pasgegrepen macht, dat zich inmiddels vastgezet leek te hebben, een tweede huid leek te zijn geworden, dat hun in hun eigen ogen een stoffige geloofwaardigheid leek te hebben verleend. Ze hadden Parisa en Simin handboeien omgedaan, geblinddoekt, alsof het misdadigers waren. Hun misdaden bestonden uit woorden, gefluisterde woorden, binnengehouden gedachten die de Grote Vaderen in hun bed deden beven.

Maar dat kon Leila niet zeggen. Antirevolutionaire zussen betekende een antirevolutionaire familie. Ze zou meegenomen worden voor verhoor.

Ze tilde haar hoofd op en keek de gardist recht aan. 'Ze zijn op hun werk.'

De voorbijgangers liepen met een grote boog om hen heen en haastten zich voort, zich bijna tegen de beroete muren aandrukkend. Paren starende ogen flitsten vanuit auto's langs hen heen. Starende ogen die zich gauw losmaakten zodra ze Leila's blik kruisten. Een jonge vrouw met een korte mantel holde naar de overkant.

'Waar ga je met de kinderen heen?'

'Naar de studio van de fotograaf,' zei ze. Ze voegde er niet aan toe dat het een foto voor haar zusters was, zodat ze konden zien hoe groot hun kinderen geworden waren. Zonder hen. Omids hand lag bezweet in de hare. Ze kon de angst die van hem afsloeg ruiken, bitter en prikkend.

'Bedek je haar.'

'Hè?'

'Ik zei: bedek je haar! In deze toestand kun je je niet op straat vertonen.'

Leila liet Omids hand los om de hoofddoek over haar voorhoofd te trekken en de knoop onder haar kin strak te trekken om de bollende kracht van het dikke kroeshaar dat daaronder als deeg opzwol, in bedwang te houden.

'Je moet de meisjes een goed voorbeeld geven,' zei de man, terwijl hij zijn ogen langzaam over hen liet dwalen. 'Ik wil je niet meer in die toestand zien.'

Toen draaide hij zich op zijn hakken om. De ander volgde hem. Ze stapten in de auto en reden weg. Leila begon te lopen; blikken vermijdend en inwendig bevend duwde ze het wandelwagentje voort.

Het was koel in de studio van de fotograaf. Ze werden omringd door ingelijste foto's van kinderen met teddyberen, jongemannen die hun kin op hun vuist lieten rusten en bruiden, omsloten door een krans van gekleurde lichten. De kale gloeilamp wierp een gele gloed op de foto's en de cementen muren zaten vol scheuren die halverwege van richting veranderden en een andere kant op gingen. Leila duwde het wandelwagentje over de vloer. Haar knieën waren slap. Ze was nog steeds niet bekomen van de schrik. Haar ogen en wangen waren rood van de warmte en het gewicht en van iets in haar wat nog niet onder woorden was gebracht.

'Salaam, Agha Hossein, het spijt me dat we zo laat zijn,' zei Leila tegen de oude man achter de toonbank, die hen over zijn bril heen aankeek. Ze liet Forugh op een stoel zakken en schudde toen haar arm los om de overbelaste spieren te ontspannen.

'Geeft niet, Leila Khanoom. Ik heb geen haast.'

In het wandelwagentje stootte Sara, wier blonde haar aan haar vochtige, vuurrode wangen plakte, niet echt begrijpelijke, vaag muzikale woorden uit. Sara kon nog steeds niet goed praten. Waarom doet ze er zo lang over? vroegen Leila en Maman Zinat zich soms bezorgd af. Kwam het doordat ze geen ouders om zich heen had? Zou het anders zijn als haar moeder bij haar was? Vragen zonder antwoord. Ze zouden het moeten afwachten. En wat Forugh betrof: die sprak de woorden veel beter uit en kon hele zinnen maken, maar sprak zelden, en dat baarde Maman Zinat en Leila in zekere zin nog meer zorgen.

Sara trok aan Leila's hoofddoek terwijl die achter in het wagentje naar de fopspeen zocht. Leila deed haar hoofd naar achteren en trok het uiteinde van de hoofddoek zachtjes uit Sara's mollige, gekromde vingers. Leila probeerde haar met de speen rustig te krijgen, maar die wilde ze niet in haar mond houden. 'Nee!' riep ze. Leila maakte hem aan haar witte speelpak vast dat op de borst een applicatie in de vorm van een rode paraplu had.

'Omid *jaan*, let even op Forugh terwijl ik met Agha Hossein praat.' Leila maakte Omids vuist los van haar mantel en legde zijn handjes op de warme, kloppende borstkas van zijn nichtje. 'Leg je hand hier en laat haar niet van de stoel komen.'

Omid liet zijn hand en blik plichtsgetrouw op Forugh rusten, terwijl deze met een verbaasde blik rondkeek. Op haar lage voorhoofd was een kleine rimpel zichtbaar. Haar haar stond overeind, alsof er elektrische stroom doorheen ging. Sinds ze was aangekomen stond het zo, helemaal overeind, alsof ze een elektrische schok had gekregen die haar lichaam niet verwerken kon.

'Hoe is het met je ouders?' Agha Hossein sloeg de kinderen gade met de sentimentele glimlach van een oude man zonder kleinkinderen. Hij was klein, met een vlekkerige huid en een grote, kromme neus die niet leek te passen bij zijn kleine gezicht.

'U krijgt de groeten,' zei Leila langzaam, terwijl ze haar ogen neersloeg. Ze was nog steeds boos op haar ouders omdat ze haar alleen hierheen hadden gestuurd. Of eigenlijk bozer op

Maman Zinat, die thuis op hen wachtte. Maman Zinat ging nooit het huis uit – het enige wat ze deed was wachten en huilen. Met droge ogen. Ze huilde om haar dochters en hun drie kinderen. Maman Zinat, die drie kinderen van haarzelf had grootgebracht en niet één keer met haar ogen had geknipperd toen haar op tweeënzestigjarige leeftijd drie kleine, jankende kleinkinderen werden overhandigd om groot te brengen.

'Nog nieuws van hun ouders?' Agha Hossein wees naar de kinderen.

Achter hen gingen de vrijwel onverstaanbare woordjes door. Een hik onderbrak Sara's brabbelliedje. Haar lach was een opgewonden, schelle schreeuw. Leila mompelde dat haar zussen het goed maakten. Wanneer men ernaar vroeg moest ze zeggen dat haar zussen in het buitenland waren gaan werken. Dat had haar vader besloten. 'Niemand is veilig, niemand is te vertrouwen,' had hij gezegd.

Leila voelde Omids hand aan haar mantel trekken. Grote opengesperde ogen keken naar haar op.

'*Khaleh* Leila, plasje doen.'

'O, ja,' zei Leila verontschuldigend. Dat was ze vergeten. Ze keek naar Forugh, die rustig op de stoel zat te frunniken aan een los draadje bij een van haar sokken. Sara probeerde uit alle macht uit het wagentje te klimmen en stak haar hand uit naar een stapel enveloppen op een ronde glazen tafel. Er ontsnapte weer een hik uit haar zingende mond.

'Ga maar met hem naar de wc,' zei Agha Hossein. 'Ik hou wel een oogje in het zeil.'

'Dank u wel.' Leila pakte Forughs handen beet en hielp haar van de stoel. Het zou veiliger zijn als ze stond.

'Waar is de wc?'

'Achterin links.'

Omid rende erheen met zijn dijen tegen elkaar geklemd en

74

zijn handen geconcentreerd tot vuisten gebald. Hij had een groot hoofd en rijstbladogen die zijn omgeving rustig opnamen als een hinde op de vlucht. Hij droeg een rood-zwart geruit overhemd dat netjes in zijn bruine fluwelen broek was gestopt, waardoor hij een minivolwassene leek.

Leila opende de deur van het wc-hokje en een vleug gedestilleerde lucht, geurend naar roest en vocht, vulde haar neusgaten. Op het raam zoemde zo nu en dan een vlieg. Er zaten dikke schijven op het glas van het raam, als waterige blaren, zodat je er onmogelijk doorheen kon kijken. Leila hielp Omid snel met de knopen van zijn broek. Hij schudde met zijn benen en hield zijn armen stijf voor zijn buik om het nog iets langer vol te houden. Hij ging op de randen van zijn voeten staan om aanraking met de natte ribbels van de porseleinen platforms zoveel mogelijk te mijden. Hij was al in een kleine mannelijke versie van zijn oma aan het veranderen – schoon, dwangmatig, afkerig van alles wat onbekend en nat was. Leila deed de kraan open en spatte koud water op haar gezicht.

'Gaat die man een foto van ons maken?' vroeg Omid toen hij klaar was.

'Ja.' Leila droogde haar gezicht met de roze gekleurde rand van haar hoofddoek.

'Waar is zijn fototoestel?'

'Je ziet het zo.' Ze keek naar zijn kleine vingers die de knopen van zijn broek in de daarvoor bestemde openingen wurmde. 'Wil je dat ik je help?'

'Ik kan het zelf.'

Ze lachte. 'Je bent mijn grote mannetje.'

'Ik ben een grote man.' Hij was klaar met de knopen en waste zijn handen.

'Waarom schreeuwde die man tegen je?' zei hij even later, zijn tante ernstig aankijkend.

'Welke man?'

'Die man met de auto.'

'O, die, ja,' mompelde Leila terwijl ze zijn handen aan haar klamme hoofddoek droogde.

'Waarom?'

'Omdat hij weet dat hij dat mag.'

'Waarom?'

Leila maakte een wegwuifgebaar in de lucht en liet haar hand toen weer triest vallen. 'Omdat hij niets beters te doen heeft.'

Omid keek haar aan alsof hij niet overtuigd was.

'Was je bang?' vroeg ze met zachte stem, zich een beetje over hem heen buigend.

Omid keek naar de grond. Hij bleef op de buitenste randen van zijn voeten staan. Toen haalde hij zijn schouders op. Als een volwassene.

'We luisteren naar hen wanneer het moet,' zei Leila. 'Maar diep vanbinnen, in ons hart, zijn we niet bang voor hen. Dat is toch zo?'

Omid bleef zwijgen. Hij leek het concept angst nog niet helemaal te hebben doorgrond. Alsof het een gedachte was die hij achter in zijn hoofd had gestopt en alleen ter sprake wilde brengen wanneer het strikt noodzakelijk was.

'Ik ben het bangst voor kakkerlakken,' zei Leila, in een poging hem af te leiden. 'En hagedissen.'

'Maar de hagedissen eten de kakkerlakken op.'

'O ja?'

'En ook de vliegen. En de muggen.'

'Dan zou ik niet bang voor ze moeten zijn.' Ze strekte haar hand naar hem uit.

'Niet voor de hagedissen,' zei hij, haar hand pakkend. Ze liepen de wc uit. Omid liep overdreven wijdbeens, alsof hij licht in zijn hoofd was.

Ze troffen Forugh aan zonder schoenen – ze had ze onder de stoel gegooid – en trekkend aan het groene gordijn achter de voordeur. Sara was erin geslaagd een van de enveloppen uit de stapel op de ronde glazen tafel te trekken en sabbelde erop. Haar kwijl liep overvloedig over het familiewapen. Agha Hossein had totaal niet in de gaten wat de kinderen uitspookten en zat foto's van een bruiloft in een album te schikken.

'Zullen we de foto nu nemen?' vroeg hij.

'Ja, we zijn zover.'

Leila trok het gordijn uit Forughs handen en de envelop uit Sara's mond en probeerde hem met haar hand glad te strijken. De rand van de envelop lag hopeloos slap en doorweekt tussen haar vingers. Ze verstopte de envelop onder de nette stapel, haalde de schoenen onder de stoel vandaan, sloeg haar armen om de twee kinderen en tilde hen op. Omid hield weer stevig haar mantel vast toen ze achter Agha Hossein aan twee hoge betonnen treden op liepen en daarna een zwak verlichte ruimte in gingen.

'Daar is het fototoestel.' Leila wees naar de camera op een stang die een lijnrechte schaduw op de vloer wierp. Omid stopte zijn wijsvinger en middelvinger in zijn mond en begon er, kijkend naar het fototoestel, bedachtzaam op te zuigen.

Agha Hossein sleepte een groene bank naar het midden van de ruimte. 'Zoals je ziet, Leila Khanoom, heb ik het tegenwoordig niet zo druk. Het lijkt wel of in oorlogstijd niemand foto's wil laten maken. Wie zal het zeggen? Misschien willen ze liever niets van zichzelf vastleggen. Willen ze vergeten. Of misschien zijn ze bang voor de herinneringen later. Als dat zo is, betekent het dat ze al vooruitkijken, dat ze denken dat ze levend uit deze oorlog zullen komen. Ik weet niet of ik hun optimisme deel, nu die stomme idioot van een Saddam ons al zeven jaar bombardeert. En het eind lijkt nog niet in zicht.'

Agha Hossein dwaalde door de studio, knipte dingen aan, trok gordijnen dicht. Zijn stem stroomde als een zachte, on-onderbroken stroom de studio in, alsof hij in zichzelf sprak en geen antwoorden verwachtte. Hij bewoog gemakkelijk en zonder haast, zoals hij sprak. Misschien kwam het door dit gemak dat de kinderen kalm bleven. Ze keken naar hem alsof ze luisterden.

'Je kunt de kinderen hier op de bank zetten.'

Leila liet de kinderen langzaam zakken. Vanaf de bank keken de rijstbladogen naar haar op. Onzekere grijnslachjes. Armpjes die omhooggingen en dan weer omlaag, als de vleugels van een vlinder. Sara en Forugh hadden allebei eenzelfde speen, vastge-maakt aan de zijkant van hun witte speelpak. Ze hadden de-zelfde witte schoentjes, dezelfde melkflesjes, hetzelfde onder-goed, hetzelfde speelgoed. Dat was Maman Zinats inbreng; ze lette schoolmeesterachtig op ieder detail en deelde haar liefde in gelijke mate uit, behandelde hen als een tweeling, bang een van de twee iets tekort te doen. 's Nachts sliep Maman Zinat met Omid aan haar rechterzij, Forugh aan haar linkerzij en Sara in een ledikantje aan het hoofdeinde. Dat kwam doordat Aghajaan een keer plagend had gezegd dat het feit dat ze Sara's bed naast Omid zette in plaats van naast haarzelf, betekende dat Maman Zinat minder van haar andere klein-dochter hield. Aghajaan had een vreemde manier van zich amuseren. En Maman Zinat trapte er iedere keer in. Maman Zinat had heel veel liefde te geven. Ze was angstvallig ge-voelig geworden. Vanaf die nacht zette ze Sara's bed aan het hoofdeinde van haar eigen bed.

'Omid, ga jij in het midden zitten,' zei Leila.

Omid keerde zich om, zette zijn handen op de zijkant van de bank en hees zich op de bank, tussen zijn zus en zijn nicht in.

'O, wacht even.' Leila pakte een kammetje van de plank. 'Ik zal jullie mooi maken voor de foto.'

Ze knielde voor Sara neer en bracht de kam naar haar blonde haar. Sara schudde haar hoofd en deed het naar achteren in een poging zich uit Leila's greep los te maken.

'Khaleh wil dat je er leuk uitziet voor de foto.'

Ze legde een hand om haar achterhoofd om het stil te houden en voelde het zachte babyvet onder haar vingers. Toen het haar uit haar gezicht was gekamd werden de kuiltjes boven haar slapen zichtbaar. Ze kuste Sara's neus en ging naar de volgende; ze knielde voor Forugh neer die al haar bewegingen met haar zwarte glanzende ogen volgde. Leila verdeelde Forughs dunne zwarte haar zo goed ze kon en trachtte het glad te kammen. Maar het dunne haar bood weerstand en bleef overeind staan.

Leila had een zelfgemaakt stukje speelgoed in Forughs broek aangetroffen toen ze arriveerde. Een poppetje gemaakt van stokjes. Het was door Simin meegegeven en betekende dat ze het goed maakte. Simin en Parisa waren in de gevangenis van elkaar gescheiden. Leila vroeg zich af of ze elkaar weleens zagen, elkaar tegenkwamen in de gang, tijdens het luchten blikken wisselden. Wat deden ze wanneer de sirenes klonken? Bleven ze achter in hun cel, konden ze nergens heen, hoopten ze dat er geen bom op hen zou vallen? De eenzaamheid van haar zussen verdoofde haar totaal. De eenzaamheid van het uit stokjes bestaande poppetje.

Sara begon al te draaien, probeerde van de bank af te komen. Omid hield haar met een hand op haar borst tegen. Leila moest opschieten, want anders was Sara's geduld op. Ze kamde snel Omids haar en trok de kraag van zijn blouse recht.

'Ze zien er heel leuk uit.' Agha Hossein trok een donker-groen scherm achter hen naar beneden en legde Omids ene arm om Sara's schouder en de andere om Forughs middel. 'Houd je armen daar.'

Leila liep uit het blikveld van de camera, maar bleef zo dichtbij staan dat ze kon toeschieten als er iets fout ging, als ze haar nodig hadden of als ze bang waren omdat ze haar niet zagen.

Agha Hossein ging achter de camera staan. 'Goed. Kijk nu deze kant op.' Hij kneep het web van fijne rimpeltjes rond zijn ogen samen en liet het licht op de drie gezichtjes schijnen. De drie zaten even roerloos, in het licht starend, als konijntjes die gevangenzitten in de lichtbundels van naderende koplampen.

Klik.

Het puntje van Forughs tong was een beetje zichtbaar tussen haar lippen. Er glinsterde een speekseldruppel op Omids voortanden. Sara's mond stond open in een verbaasde uitdrukking, haar ogen waren strak op het licht gericht. Leila stelde zich voor dat ze precies zoals ze daar zaten door het leven zouden gaan, met hun kwetsbare armpjes om elkaars schouders, middel en knieën geslagen. Dat hun bestemmingen evenzeer met elkaar verweven zouden zijn als hun armen. Ze kon hen niet als broer en zus of als nicht en neef zien. Ze kon hen slechts zien als drie afspiegelingen van één lichaam. Drie in één, als de takken van een boom, de jacarandaboom op hun binnenplaats. Je wist nooit waar de stam ophield en de takken begonnen. Dat waren ze, de drie kinderen: de stam en de takken.

Klik.

Drie kleine gezichtjes staarden wezenloos naar de camera.

Het middaglicht begon al weg te ebben en langzaam afscheid te nemen van de smalle binnenplaats. De lucht was bezwangerd met zomerzaden. De jacarandabloesems zweefden met een berustende, langzame salto naar de grond. De ruimte tussen de keitjes leek een kraag van paars en roze, en soms groen te hebben. Een kraai scheerde over de binnenplaats, op zoek naar iets glinsterends dat hij kon stelen.

Leila kwam met een grote mand met kleren in haar armen de kamer binnen. Haar wilde haardos, eindelijk bevrijd van de hoofddoek, viel in dikke, gladde strengen over haar schouders. Ze liet de mand met een zachte plof op de grond vallen, zodat de kleren trilden. Ze ging zitten en begon de blousejes, broekjes, schortjes en sokjes op te vouwen.

Ze was moe. In haar mond proefde ze nog het stof dat opwoei van de eindeloze straten, met hun hete asfalt en blikkerende ramen en schreeuwende kinderen en geschiedenis die tot brallerige kreten op smerige muren was teruggebracht. Stukjes gruis knarsten tussen haar tanden. Haar benen deden zeer van het lopen naar en van de fotostudio. Ze was gaan lopen omdat ze geen taxi te pakken had kunnen krijgen. Dat kwam door de drie kinderen die zich aan haar vastklampten alsof ze een reddingsboei was en die ze ijverig bij de chaos weghield. De mensen waren al in taxi's gesprongen en verdwenen voordat ze haar mond had kunnen opendoen. Ze leek haar efficiency te zijn kwijtgeraakt in deze zenuwprikkelende, bedrijvige en overvolle stad. Er waren momenten waarop de stad immens voelde, almaar leek uit te dijen zonder een moment rust, haar omhullend als een enorme schil. Soms had ze zin om te schreeuwen, alleen maar om te kijken of ze boven het onophoudelijke lawaai uit kon komen.

Nog maar drie jaar geleden was alles anders geweest. Toen kon niets haar deren, haar de weg versperren, haar ongewild tot staan brengen. Ze sprong taxi's en bussen in en uit, met de behendigheid van een ervaren stadsmeisje, zich efficiënt een weg zoekend door het verkeer naar de kledingfabriek waar ze een baan had als inpakster van ziekenhuisschorten en dekens, die in plastic zakken werden opgestuurd naar de geïmproviseerde hospitalen aan de oorlogsfronten waar, naar ze had gehoord nauwelijks plaats was voor alle gewonden. Hoewel het maar een eenvoudig baantje was geweest, was Leila er dolgelukkig mee. Ze had zich nog nooit zo vrij gevoeld als wanneer ze iedere ochtend bij binnenkomst de tijdkaart in de prikklok stopte; de klik van het ponsmechanisme klonk haar als muziek in de oren. Het was de klik van de onafhankelijkheid, van zekerheid, van houvast voelen in een land dat aan het afbrokkelen was, dat murw was geworden door oorlog en de verschaalde extase van een revolutie. Hij ponste een leven in vorm dat als gesmolten lava had gevoeld.

Haar collega's waren vrouwen van haar leeftijd of ouder, met echtgenoten die aan het front waren, die van de ene op de andere dag hoofd van het gezin, kostwinner waren geworden. Vrouwen met lange, gele gezichten en felle ogen. Magere vrouwen met wijde bruine mantels aan, als vogelverschrikkers. Een en al deugdzaamheid en leed. Sommigen namen hun baby's mee, die in wiegjes aan hun voeten onder de tafel stonden. Met één oog hielden ze het kind in de gaten en met het andere de naaimachine, die razendsnel door de grauwe stof stak. Tijdens de lunchpauze bleven de vrouwen aan hun tafels zitten; ze hielden hun kind in hun armen en keken hoe het mondje zich aan de gevende, gezwollen, blauwgeaderde borst klemde. De naaimachines waren stilgevallen.

Maar Leila had haar baan moeten opgeven toen Sara kwam, die net als Forugh kleding droeg die gemaakt was van gebedschadors en met dadelpitten als knopen. Ze kon Maman Zinat niet in haar eentje drie kinderen laten opvoeden. Niet op haar leeftijd, niet met haar obsessies, niet met de nachtelijke angstige zorgen die als termieten aan Maman Zinats zenuwen knaagden.

De dag waarop ze de fabriek verliet, werd ze omringd door haar collega's. Wat vertrok ze snel, zeiden ze. Ze wilden dat zij dat ook konden. Deze gevangenis met zijn naaimachines en doorzichtige plastic zakken en oorlogsgeur verlaten. Ze hieven hun hand en zwaaiden ermee in de lucht. Hun hand bracht de bedompte lucht, die rook naar warme melk, zweet en onzekere dromen, in beroering. Leila wilde dat ze kon blijven, dat ze haar ziekenhuisschorten kon blijven opvouwen, kon blijven klokken, haar leven aldus metend. Maar dat durfde ze niet te zeggen. De vrouwen vonden dat ze bofte en ze wilde hen niet teleurstellen. Ze schudde hen een voor een de hand. Droge, vermoeide handen. Verlangende ogen. Buiten, aan de andere kant van de hoge, bakstenen muren van de fabriek, was het middagzonlicht wazig van het stof.

'Wanneer is de foto klaar?' Maman Zinats vragende stem drong Leila's gedachten binnen. Ze zat in de aangrenzende kamer, aan de andere kant van de glazen deuren, voor een berg verse kruiden die in bosjes verdeeld werden met groene, natte elastiekjes. Door de openslaande deuren die op de binnenplaats uitkwamen viel het licht overvloedig op haar lange peper-en-zoutkleurige vlecht die de holte van haar nek streelde, afhing tot onder haar middel en bijna de strakke knopen van het kleedje raakte. De mouwen van haar zwarte jurk waren opgerold tot aan haar ellebogen om ze niet vuil te maken. De zwarte jurk deed haar oud lijken, in de rouw, wat niet zo was. Ze was alleen maar droevig. Als het had gekund, zou ze de plaats van haar dochters in de gevangenis hebben ingenomen. Dan zou ze gelukkiger zijn geweest, dan zou ze meer rust hebben gehad.

'Over ongeveer een week,' zei Leila. 'Hij zei dat hij ons zou bellen.'

'Wat zullen ze blij zijn als ze de foto krijgen. Mijn arme meisjes.'

Maman Zinat hakte de bemodderde uiteinden van de stelen zonder de elastiekjes los te halen en trok de blaadjes eraf, waarna ze die in aparte bakken gooide. Haar vingers waren vuil, bruin, modderig, maar verder glom ze bijna van reinheid, waardoor de bruine vingers misplaatst leken.

'Leila, jaan, schenk eens een kop thee voor je vader in,' zei ze.

Leila's knieën knakten luid toen ze opstond en naar de elektrische kraantjespot liep die in de hoek stond te brommen als een knorrige oma die verhaaltjes vertelt over een gelukkiger verleden. Ze spoelde een glas dat in het midden smal toeliep om in de bak met water die naast de kraantjespot stond, droogde hem af met de doek die om de ketel gewikkeld was en schonk er de rode thee in. Toen ze er kokend water bij deed stegen er stoomkringels op die op het kraantje van de pot neersloegen. In de kamer kwam een neuskriebelend aroma van munt en lente-ui te hangen.

'De rijst raakt op,' zei Maman Zinat, haar hoofd in haar nek gooiend, zoals ze altijd deed wanneer ze zich iets herinnerde.

Aghajaan liet een kort, droog gebrom horen terwijl hij zich installeerde op de grond, tegen de kussens leunend waarop vliegende mussen en een hert met wanstaltig korte poten waren geborduurd en met zijn rug naar de muurschildering gekeerd die witte zwanen voorstelde die op een blauwe rivier zwommen. Hij nam de kop thee van Leila aan.

'Nu al? Ik heb vorige week nog gehaald.'

'Dat is zo, maar er is niet veel meer. En de suiker is ook bijna op.'

'We zullen op bonnen moeten wachten. Misschien morgen of overmorgen.'

De gouden ketting om Maman Zinats witte hals zwaaide opzij toen ze zich vooroverboog om een handvol peterselieblaadjes in een plastic bak te gooien. Ze wierp de kaalgeriste stengels op de bebloemde deken met franje die op haar knieën lag en het kleed beschermde.

'Ik haal wel wat aardappels. De buren zeggen dat Jamal Agha een lading heeft meegenomen.'

Aghajaans wenkbrauwen naderden elkaar in een diepe rimpel toen hij zijn ogen op zijn vrouw richtte. De gebogen uiteinden van zijn wenkbrauwen wezen naar zijn voorhoofd. 'Hoe vaak moet ik je nog vertellen dat je niet bij die dief moet kopen? Hij vraagt minstens tienmaal de prijs. Hij zuigt ons leeg. Dat doet hij. Hij zuigt mensen als jij, die zijn dure aardappels komen kopen, leeg.'

'Als er geen rijst is, zal ik aardappels moeten kopen,' zei Maman Zinat zonder op te kijken. 'We kunnen de kinderen toch geen honger laten lijden?'

'Niemand zegt dat je de kinderen honger moet laten lijden. Je moet alleen niet bij die Jamal kopen. Hij denkt dat oorlog een tijd is om geld te verdienen, niet om zijn volk te helpen. Aan het eind van de oorlog is hij miljonair en moeten mijn dochters wanneer ze uit de gevangenis komen waarschijnlijk voor hem gaan werken.'

Maman Zinat reageerde niet. Ze leek te veel van slag om te spreken. Ook Aghajaan viel stil en dronk zijn thee boos in één keer op. Leila wendde haar blik van haar moeder en vader af en liet hem over de grote, stevige kledingkast glijden die nu geen kleren meer bevatte, maar dekens en beddengoed voor de drie kinderen. Ze had nooit begrepen waarom haar zussen waren blijven strijden, hoewel de revolutie al voorbij was, er een oorlog voor in de plaats was gekomen en iedereen zich aanvankelijk inspande om een nieuw begin te maken en later om de dood buiten de deur te houden. Maar Simin en Parisa streden door, samen met hun echtgenoot. Ze gooiden pamfletten over muren, hielden geheime bijeenkomsten in hun huis, lazen verboden boeken, keken naar het nieuws en noteerden hoe vaak de naam van de Opperste Leider viel en hoe zijn naam alles overnam, luider werd, alom aanwezig was, en hoe hun eigen politieke aanwezigheid en die van al die anderen die geen deel uitmaakten van het regime, werd uitgewist, hoe hun bestaan werd ontkend, verstikt, weggewassen, als een vlek in een tafelkleed. Ze zaten voor het televisiescherm, pen in de aanslag, in getallen te vatten hoe ze langzaam verdwenen, werden weggezuiverd uit het collectieve geheugen van het land, levend werden begraven. Inmiddels waren zij de vijand, de antirevolutionairen. Dat was kort voor hun arrestatie, toen het proces dat naar de ondergang leidde zijn laatste slag uitdeelde.

'Ik zal de foto gaan brengen,' zei Aghajaan, terwijl hij de radio van de plank pakte. 'Ik zal hem hun zelf overhandigen.'

Leila keek naar hem, naar zijn dikke, grijze krulhaar dat altijd perfect geolied en achterovergekamd was geweest, maar nu wat rommelig nonchalant over zijn voorhoofd viel. Hij droeg in huis nu bijna altijd zijn pyjama, waardoor de bijna oranjebruine huid van zijn onderarmen, gezicht en nek te zien was. Hij leek zo snel oud te zijn geworden. Het afgelopen jaar was Aghajaan iedere week naar de gevangenis gegaan, maar meestal was hij onverrichter zake teruggekomen, en was de wanhoop om de gesloten deuren steeds dieper in de lijnen van zijn gezicht, in de diepte van zijn hazelnootkleurige ogen gegrift geweest. Maar hij gaf niet op. De ene week na de andere, de ene maand na de andere wachtte hij voor de gevangenisdeur en vroeg hij of hij zijn dochters kon spreken.

Aghajaan zette de radio aan. Die maakte een kuchend geluid in zijn handen en viel toen stil. 'Wat is er met die radio aan de hand?'

Maman Zinat keek, met een rode gloed in haar ogen, op van de lente-uitjes. 'Hij hield er een paar dagen geleden mee op. Had ik je dat niet verteld?'

Voordat Aghajaan iets kon zeggen ging de telefoon luid rinkelend over. Leila liet de kleren die ze in haar handen had, los en rende naar de telefoon, met een hart dat verwachtingsvol klopte.

'Hallo?'

Er klonk een onbekende vrouwenstem in de hoorn. 'Met het huis van meneer Jalili?'

Leila voelde een steek van teleurstelling in haar borstkas. 'Ja?'

'Ik ben een vriendin van Parisa. Bent u haar zus?'

Leila zei even niets, terwijl haar hand de vouwen in haar jurk gladstreek. 'Ja,' mompelde ze aarzelend. Ze wist dat ze eigenlijk geen antwoord moest geven.

Uit de andere kamer kwam Aghajaans stem. 'Leila, wie is het?'

Leila voelde haar rug straktrekken.

'Hebt u nieuws over haar?' vroeg de vrouw. 'En over Simin?'

Leila keerde zich om en haalde de hoorn bij haar mond weg. 'Het is een vriendin van Parisa,' zei ze, en onwillekeurig keek ze naar Omid die op de betegelde tree onder aan de openslaande deuren zat. Hij wierp haar een blik toe. Zijn ogen wijd open, alert, alsof hij meeluisterde. Luisterend, kijkend, wegglijdend, zich vastklampend aan de naam van zijn moeder die in de lucht hing.

'Ophangen,' beval Aghajaan.

Leila keek hem aan met de telefoon nog in haar hand.

'We maken ons allemaal veel zorgen om hen. We hebben namelijk niets...' vervolgde de vrouw.

'Ik zei: ophangen!'

'Het spijt me. We weten niets.' Leila legde de hoorn neer.

Er viel een stilte. Niemand sprak. Het gebrul van een overvliegend vliegtuig deed het huis trillen. Leila keerde zich om en liep terug naar de wanordelijke stapel kleren.

Ze vond het erg, vreselijk erg voor haar zusters, voor hun vrienden, voor Aghajaan; ze vond het erg dat zijn angst groter was dan hijzelf. Ze wist dat Aghajaan in zijn hart blij was wanneer mensen naar zijn dochters informeerden, wanneer hun vrienden belden. Zijn ogen begonnen te twinkelen wanneer hij hun namen hoorde noemen. Het leek hem te troosten, alsof het uitspreken van hun namen op de een of andere manier bevestigde dat ze nog leefden. En toch had zijn angst de overhand. Hoe meer tijd er verstreek en hoe minder hij van zijn dochters wist, hoe minder hij durfde te informeren, hoe minder hij durfde te spreken, hoe minder hij iemand iets durfde te laten weten over hun ziedende, allesverzengende, vernietigende wereld van het onbekende, van het onuitgesprokene. Het was alsof de stilte hem levend begroef, hen allemaal levend begroef.

Het duurde even voordat zijn stem de gespannen stilte verbrak die de kamer was binnengeslopen. 'Je weet niet wie er met onze gesprekken meeluistert,' zei hij, niemand recht aankijkend. 'In de gaten houdt wie er hier komt en gaat en ons overal volgt en de namen van onze kennissen noteert. Je kunt maar beter geen achterdocht wekken, je kunt maar beter contacten mijden.'

Niemand zei iets. Leila begon de kleding opnieuw op te vouwen die ze in haar haast om de hoorn op te nemen had neergegooid. Ze zag dat Maman Zinat haar blik op Omid richtte. Alles aan haar gezicht was zacht, behalve de spanning die om haar mond rimpelde. 'Omid, *jaanam*, kun je me even die plastic tas bij de deur aangeven?' zei ze.

88

Omid stond langzaam op. Zijn ogen leken te groot voor zijn lichaam, de verwarde pijn erin te zwaar. Hij liep bijna wankelend door de openslaande deuren de binnenplaats op. Hij zei boos 'kssssssjjjjjt' tegen een kat die de goudvissen bekeek die heen en weer zwommen in het blauw van de fontein waarna hij de tas beetpakte en weer via dezelfde weg de kamer in glipte.

'Als een kleine dief.' Maman Zinat lachte geforceerd. 'Die door het raam naar binnen en naar buiten klimt. Wat ben je, een zigeuner? Of misschien een kat?'

Omid reikte haar de tas aan en ging naast haar zitten kijken hoe ze een dillestengel bovenaan vastpakte en met haar andere hand langs de steel over de zachte, tere blaadjes ging, in één resolute haal. Maman Zinat begon zachtjes, bijna uitsluitend voor hem, te zingen.

Leila propte de laatste kleding in de kast. Op haar gezicht lag een strakke frons, alsof iets onder haar bleke huid zich had gehard. De laden maakten een luid schurend geluid toen ze ze een voor een dichtschoof.

In de hoek van de kamer lagen Sara en Forugh allebei te slapen. Leila haalde een deken uit de kast en spreidde die over hen uit. Op dat moment viel haar blik op Sara's flesje op het kussen. Het was nog half gevuld met melk. Maman Zinat wilde de kinderen nog steeds per se melk geven, hoewel ze volgens Leila en Aghajaan te oud voor flesjes waren. Maar Maman Zinat wilde er niets van weten. 'Ze hebben geen moedermelk gehad,' zei ze altijd. 'Melk van poeder is niet hetzelfde. Ze moeten het langer krijgen, ter compensatie.'

Leila pakte het flesje op en keek naar Maman Zinat. Maman Zinat keek niet naar haar. Ze hield de groene berg voor zich in de gaten; haar rug was eroverheen gebogen alsof ze in een put keek. Leila liep snel naar de deur. Toen ze de kamer uit liep, ontmoetten haar ogen die van Aghajaan. Hij keek naar het flesje in haar hand, toen naar Maman Zinat, en knikte Leila goedkeurend toe. Ze liep snel de kamer uit en de gang door naar de koelkast. Leila wist en Aghajaan wist dat Maman Zinat onder geen beding het flesje mocht zien. Als ze het zag, zou ze niet aarzelen en de melk die erin zat weggooien. 'De melk kan bedorven zijn,' zou ze zeggen, ook al was die maar een halfuur buiten de koelkast geweest. Ze zou geen aandacht schenken aan Aghajaans boze tirade over het feit dat hij urenlang op de zwarte markt had moeten pingelen om aan één bus melkpoeder te komen.

Het moeizame onderhandelen was een paar jaar geleden begonnen en erger geworden toen de oorlog het land bleef opslokken en met de dag dikker, hebberiger en hongeriger werd. Verder was alles gerantsoeneerd. Er stonden rijen voor de supermarkten, waar lege planken de mensen aanstaarden, bij bakkerijen en bij fruitverkopers. Kippenpoten en kippenkoppen keerden in de etalages van slagerijen terug toen dijen en borsten eruit verdwenen. Er werden runderbotten gekocht toen de prijs van vlees zo hoog was dat niemand het zich kon veroorloven. In ieder keukenkastje lagen bonnen voor suiker, olie, rijst en eieren. Op iedere straathoek verkochten mannen met een verschrompeld lichaam en een tandeloze mond deze bonnen, die even snel verliepen als ze verkocht werden. Ze waren kostbaar, die bonnen, en Aghajaan luisterde naar de radio, las iedere dag de kranten om erachter te komen op welk tijdstip de regering nieuwe bonnen uitgaf. Hij kon zich er niet toe zetten de oude weg te gooien. Stel dat de geldigheid verlengd werd? Maar de bonnen waren niet toereikend. De zwarte handel beleefde gouden tijden. En dan begon het pingelen. 'Er is zo weinig melk,' zei Aghajaan altijd tegen Maman Zinat, bestraffend, dringend, 'en er zijn zoveel baby's.' De kinderen van de revolutie waren het, de generatie van het melkpoeder. Begreep Maman Zinat het dan niet? Maar Maman Zinat was doof voor dit alles en de melk stroomde de afvoer in.

De schelle toon van de telefoon klonk weer door het huis.

'Ze maken de kinderen nog wakker.' Met bruine, modderige handen doorzocht Maman Zinat het laatste beetje dille.

'Als het weer die vriendin is moet je meteen ophangen,' waarschuwde Aghajaan toen hij Leila weer naar de kamer zag hollen om bij de telefoon te komen.

'Hallo?'

Aan de andere kant van de lijn was een krakerige stilte.

'Hallo?'

'Leila?'

Haar mond opende zich in een brede glimlach, in overeenstemming met haar blijdschap. Eindelijk! Ze keerde haar rug naar haar ouders en haar stem trilde opgetogen. 'Salaam.'

Hij lachte. 'Even dacht ik dat je moeder opnam. Jullie stemmen lijken zo op elkaar!'

'Wie is het?' riep Aghajaan.

Leila legde haar hand op de hoorn. 'Nasrin,' loog ze.

'Hoe is het met je?'

'Goed.'

'Ik wil je spreken,' zei Ahmad. 'Kun je naar het park komen?' Ja! Ja!

Ze dempte haar stem. 'Mijn ouders zijn hier.'

'Ik moet met je praten, Leila,' zei hij aarzelend. 'Ik heb het visum.'

Leila zweeg en wond het krullende telefoonsnoer steeds strakker om haar vinger. Even had ze niet de kracht om te spreken. Ze wilde niet dat er nog meer woorden uit zijn mond druppelden, ze wilde dat ze rustig op zijn tong bleven liggen. Ze wilde ze daar laten, stil, onuitgesproken. Ze wist dat de woorden die nu voor in zijn mond lagen de kracht hadden haar te verpletteren. Maar het was te laat. De woorden waren naar buiten gerold, de ruimte in, en hadden hun vingers zachtjes om haar keel gelegd, totdat ze niet meer kon ademen.

'Ik zal er zijn,' mompelde ze.

'Ik wacht op je.'

Leila bleef lang staan, met bonkend hart en haar hand op de hoorn.

'Ik ga even naar Nasrin.' Ze liep terug naar de kamer, nerveus op haar onderlip kauwend.

Maman Zinat was aan het opruimen en stopte de kale kruidenstengels in de plastic tas. 'Nu? Het wordt zo donker.'

'Ik ben over een uurtje terug.' Ze deed haar uiterste best om haar stem glad te strijken waar die op het brok in haar keel stuitte.

Aghajaan keek op zijn horloge. De geluidloze radio stond bij zijn voeten. 'Zorg dat je voor het donker terug bent.'

Leila zag hem op hun gebruikelijke bank in een uithoek van het park zitten. Stoffige struiken onttrokken hem gedeeltelijk aan het zicht. Zijn donkerbruine ogen lichtten op toen ze haar zagen en zijn mond, met de keurig geknipte snor erboven, plooide zich in een lach.

'Ik dacht dat je nooit zou komen.' Zijn vriendelijke stem kon het beven in haar binnenste niet laten ophouden. Ze ging naast hem zitten, vervuld van angst en verdriet.

'Ik kom altijd,' zei ze en ze wendde haar gezicht af, zodat hij het plotselinge trillen van haar kin niet zou zien.

'Ja, dat is zo.'

De eerste keer dat ze elkaar hadden gesproken stond hij haar voor de middelbare school op te wachten, aan de overkant van de straat. Hij deed dat iedere dag, maar wanneer ze naar buiten kwam, deed hij net alsof hij haar niet gezien had en stond hij met vuurrode wangen en kinderlijke hertenogen te schuifelen. Ze was zeventien. Hij was achttien en te timide om zijn aanwezigheid kenbaar te maken. Hij was helemaal naar haar middelbare school gekomen, maar had niet de moed de volgende stap te zetten. Ze moest hem daar dus wel laten staan. Ze wilde niet in de problemen komen met de Moraliteitszusters van de school. Er waren altijd ogen die keken.

Op een dag besloot ze de straat over te steken en een eind te maken aan wat het ook was waar hij niet aan durfde te beginnen. Hij stond roerloos toe te kijken toen ze met grote glanzende ogen op hem afliep. Hij had niet de moed om haar te begroeten. In plaats daarvan gaf hij haar een boekje. Met gedichten van Ahmad Shamlou.

Aan een begin of eind dacht ze niet. Ze voelde zich licht, luchtig. Ze stond hem toe met haar mee te lopen naar huis. Vanaf die dag vergezelde hij haar iedere dag wanneer ze naar huis liep. Hij vergezelde haar ook toen ze slaagde voor haar eindexamen en toen ze in de kledingfabriek begon te werken. Toen de kinderen kwamen, gaf ze haar werk op en zagen ze elkaar nog maar zelden.

Even zaten ze stil bij elkaar te kijken hoe de bries langs de warrige pruik van de struiken streek. Hun neusgaten vulden zich met een zweem natte aarde en pasgemaaid gras. Het bij tussenpozen opklinkende stadslawaai dreef door de lucht en legde zich tussen de geel wordende bladeren van de wilde vijgenboom neer. Ahmad nam haar hand in de zijne.

'Kijk me aan, Leila,' zei hij.

Leila sloeg haar ogen naar hem op, terwijl alle strakke kilte van haar lichaam zich in haar buik samenbalde. De huid van zijn pasgeschoren gezicht was glad en glanzend. Ze moest de drang onderdrukken om haar hand uit te steken en met haar vingers over de sterke ronding van zijn kaak te strijken. Haar andere hand zat in haar zak weggestopt. Ze balde haar vuist zo stevig dat haar nagels zich in haar handpalm boorden.

'Wanneer vertrek je?' vroeg ze.

'Over twaalf dagen.'

Ze knikte. Ze voelde het bloed wegtrekken uit haar gezicht en haar wangen bleek worden. En haar lippen grauw. Ze sloot haar ogen en wachtte, wachtte op die verpletterende gewaarwording dat dit het einde was.

'Zeg je niets?'

Leila liet zijn hand los en zat met haar ijshanden tussen haar knieën geklemd en zwaaide heen en weer. Er was zoveel dat ze zich had voorgesteld, dat ze had gehoopt dat haar zou overkomen. Soms voelde ze zich zo verstikt dat ze wilde weggaan alleen maar om van zichzelf af te komen, van wat ze was in dat huis met zijn oude angsten, nieuwe angsten, van de zware loomte die ze voelde bij het doen van al die dingen die ze dag in, dag uit moest doen, die haar 's avonds in een uitgeputte, droomloze slaap deden vallen. Het was de enorme omvang van haar offers, de zekerheid ervan, en het gemak waarmee ze ze bracht – het opgeven van haar baan, het thuisblijven – die haar huiverig maakte voor haarzelf, voor wie ze was en was geworden, voor het geluk dat hij haar bood. Ze stelde het allemaal uit – haar beslissingen, haar plannen – voor die onduidelijke toekomst waarin haar zussen vrij zouden komen. Ze stelde uit, gaf op, gaf toe. Eerst moeizaam, maar toen met plezier, zoals wanneer je bij het ochtendgloren weer in slaap valt met tintelende ogen, een lichaam dat slap wordt en een aangename warmte die zich over je ledematen verspreidt. Dan bestonden angst en akelige voorgevoelens niet meer. Dan was er alleen nog maar het gehuil van de kinderen, wier geruststellende, urgente behoeften niet mis te verstaan waren.

'We zouden nog kunnen redden wat er te redden valt, Leila. We zouden kunnen trouwen en samen weg kunnen gaan. Je hoeft alleen maar het verlossende woord te zeggen.'

'Ik kan de kinderen niet in de steek laten,' zei ze met een wegstervende stem. Als er iets was wat ze ooit gewenst had, dan was het dat hij bleef, maar offers vroeg ze niet aan anderen. 'Ik heb het je gezegd.'

'Ik weet dat je het me hebt gezegd. Maar Leila, het gaat nu om ons leven. Mijn leven en dat van jou. De kinderen zullen met of zonder jou opgroeien. Maar wij...' Hij wendde zijn gezicht af; zijn stem week terug, rende terug, zijn keel weer in en loste op achter de trieste flikkering in zijn ogen.

Leila voelde haar armen en benen gevoelloos worden. Ze wist dat het klonk alsof ze hem smeekte, en haar eigen stem deed haar huiveren. Ze wilde dat hij ophield. 'Ze hebben me hier nodig, Ahmad. Ik kan niet weggaan.'

'Ik heb je ook nodig,' kreunde hij. Hij bleef maar met een vinger over zijn handpalm wrijven, wrijven tot hij rood werd. 'Je ziet de behoeften van iedereen, behalve de mijne. Je zorgt voor ieders geluk maar vertrapt het mijne.'

Ze legde een bevende hand op zijn arm.

'Wat je doet is niet juist, Leila. Je maakt alles stuk. Je keert het geluk de rug toe.'

Leila stond op en liep naar de heg. De schuldgevoelens bleven in haar keel steken, metalig, reusachtig, en sloten haar longen af. Ze plukte een van de askleurige blaadjes, toen nog een, en nog een. Ahmad kwam naast haar staan.

'Zijn je ouders thuis?' vroeg Leila na een poosje.

Hij schudde zijn hoofd. 'Ze zijn vanmorgen naar *shomal* gegaan. Het is niet veilig om in Teheran te blijven.'

'Waarom ben je niet met hen meegegaan?'

Vanuit haar ooghoek zag ze hem naar haar kijken.

'Ik wou met jou praten.'

Leila hield haar blik strak op het bosje en de kleine blaadjes gericht die ze een voor een lostrok. 'Ik wil met je mee naar huis,' zei ze. Ze stond versteld van zichzelf, van wat ze zei. Ze wist niet waar haar woorden hen zouden brengen, waar ze wilde dat haar woorden hen brachten. Verbaasd keek hij haar aan. Hij leek te aarzelen. 'Mee naar mijn huis?'

Ze wendde zich naar hem toe en keek hem recht aan. Ze keek naar zijn lange kin, naar de imposante lengte van zijn neus, naar de amandelvorm van zijn mond. Hij was lijkbleek; alleen zijn ogen hadden een warme gloed.

'Ik wil met je mee naar jouw huis.'

'Ja.' Hij zweeg even. 'Ja, goed.'

De wandeling naar zijn huis verliep in stilte. Geen van tweeën sprak. Ze luisterden naar de stad, naar de vrolijke drukte van kinderen die uit school komen. Meisjes, gestoken in zware blauwe uniformen, met op de uiteinden van hun witte hoofddoeken de spikkels en vlekken van broodkruimels, uit het hoofd geleerde gedichten, krijtstof en de levens van profeten. De jongens met hun even zware uniformen en grote schoenen, met hun kortgeschoren hoofden, als kleine soldaten. Hun loodzware rugtassen zagen eruit alsof ze hen op de grond trokken. Hun ogen waren gevuld met poëzie, strijdkreten en Koranverzen. In de herfst zou Omid er ook zo uitzien, dezelfde zware rugtas, hetzelfde kortgeschoren hoofd. En mettertijd ook Sara en Forugh, die dezelfde witte hoofddoeken zouden moeten dragen. Leila's mond vertrok even in een lachje toen ze hen voor zich zag. Zouden ze echt zo snel groeien? dacht ze. Ik zal de kleren voor hen maken.

Er reed een taxi langs, die een spoor van verward gezang achterliet. De roestige afvalbakken langs de goten stonken zuur. Alles was één stoffige, donkere warboel, overal waren politie-agenten en leden van de Revolutionaire Garde en Moraliteits-bewakers en godsdienstgidsen. Voedseltekorten en spertijd en oorlogsdreiging, soms ver weg, soms dichtbij. Een man die van zijn motor leek te zijn gevallen, strompelde er weer naar-toe, zette hem overeind, hees zich erop en reed weg. Bij de bocht van de straat kwam beeldvullend een kerk met een blauw hek en een breed, boomloos plein in zicht. Het rook naar benzine en asfalt, naar moerbeibomen en geelwortelpoeder, naar zweet en brandende kolen en brood.

Leila wandelde naast Ahmad voort en het voelde alsof haar knieën het elk moment konden begeven. Waar ging ze met hem heen? Wat wilde ze van hem, van zichzelf? Haar lichaam was in beroering, dronken van de kolkende energie van angst en schuldgevoel en wanhoop, van een kloof waar ze zich in kon storten, van een drang zich te gronde te richten. Ahmad was het enige wat ze had, het laatste dat van haarzelf was. Wat zou er van haar worden wanneer hij weg was? Wat of wie had ze nog om bij zich te houden? Haar handen waren leeg. Ze had geen enkel aandenken. Hij zou gewoon weg zijn en zij zou niets meer hebben. Niets om te geven, niets om zich op te verheugen, niets dan een moeras van eenzaamheid dat haar steeds verder naar beneden zou trekken. En ze kon niets doen om het tegen te houden. Ze vertrapte al haar dromen.

Maar was dit wel de goede weg? Alles werd wazig wanneer ze zich voorstelde in zijn huis, dat ze nog nooit had gezien, dat ze nog maar een paar dagen geleden van zichzelf nooit had mogen betreden. Ze wist dat ze het nog niet helemaal had uit-gedacht toen ze tegen hem zei dat ze met hem mee naar huis wilde. Het was een impuls geweest, een wanhopige impuls. Ze was heel bang hem kwijt te raken. Maar deed ze wel het juiste? Wat zou er met haar gebeuren wanneer ze er eenmaal waren? Ze wist het niet. Het enige wat ze wist was dat ze niet kon ophouden met lopen, dat ze niet kon ophouden de ene stap na de andere te zetten, dat ze niets liever wilde dan dicht bij hem zijn.

Ze waren algauw bij zijn huis. Ahmad stak de sleutel in het slot en opende de deur, die toegang bood tot een binnenplaats vol geraniums. Het afnemende zonlicht drukte zijn laatste kussen op de zachte bladeren van een appelboom, waarvan de takken door zwaluwen werden getest, eerst de ene tak, dan de andere, de hele tijd zoveel drukte makend als kinderen in een snoepwinkel. De harde kleine appeltjes waren nog niet rijp. De zwaluwen negeerden hen luidruchtig.

Leila bleef in de deuropening staan, met Ahmad naast haar. Ze voelde zijn blik op haar rusten en ook de warmte van zijn lichaam. Een prikkelend gevoel liep omhoog over haar nek door zijn nabijheid, door zijn geur, die ze bijna in de lucht kon proeven. Ze kon hun lot niet meer veranderen, maar dit ogenblik had ze in ieder geval nog. Ze was nu hier. Ze was hier bij hem.

Ze liep de binnenplaats op, en hield haar hart vast, zo breekbaar als glas.

Ze liepen een gang door die naar een kamer leidde waarin ze rode leunstoelen zag, een roze-groen kleed en aan de muren miniaturen. Leila liet zich op een van de leunstoelen zakken, trok haar wijde mantel om zich heen en keek toe terwijl Ahmad nerveus door de kamer liep, boeken op de planken zette en kussen op de leunstoel legde.

Het was warm in het vertrek. Leila zweette onder haar mantel. Maar de gedachte hem uit te doen was al genoeg om een gevoel van schuchterheid binnen te laten sluipen als kou door een deuropening. Hij had haar nog nooit in iets anders dan haar bruine mantel gezien, ook al droeg ze er telkens wanneer ze met hem wegging een leuke jurk onder. Hij zag die jurken nooit, was zich totaal niet bewust van hun aanwezigheid onder de mantel, maar toch wilde ze ze per se dragen. Het was voor haar belangrijk te weten dat ze die jurken kon kiezen, dat die keuze, al was hij dan aan het zicht onttrokken, toch werd gemaakt, nog steeds een mogelijkheid was. En nu maakte alleen al de gedachte haar mantel af te leggen, en hem haar in een van haar jurken te laten zien, haar zo verlegen dat het was alsof ze haar kleren uittrok. Het was absurd. Zij was absurd. Ze gaf er niet aan toe. Ze rechtte haar rug en bracht haar hand naar de knopen van haar mantel. Toen ze ze losmaakte, begon er een vloeibaar getintel bij haar vingertoppen, dat haar armen in snelde totdat haar hele lichaam één wazige, wervelende tinteling was. Ze trok de mouwen los en liet haar mantel op de bank vallen.

'Ahmad,' riep ze naar hem, met een nauwelijks hoorbare stem. Haar handen gleden over haar jurk, streken de grijze en roze stippen glad.

Ahmad keerde zich om en staarde haar, naast de boekenkast staand, aan. Het tikken van de klok draafde resoluut door de kamer. 'Je bent mooi,' zei hij, met een blik zo vol emotie dat haar hart oversloeg. Hij liep naar haar toe en ging naast haar zitten.

Ze keken elkaar door het toenemende duister aan. Hun ogen brandden, hun tong, droog en gespannen, lag stil in hun mond, en smaakte naar zaagsel. Geen van beiden vertrok een spier of knipperde met de ogen. Buiten ruiste de wind door de bladeren van de appelboom. In de verte loeide een sirene.

Leila opende haar mond om iets te zeggen. Er sprong een zucht over haar lippen. Wat dichtbij. Wat was hij dichtbij. Zijn gezicht nam haar hele blikveld in beslag, werd het enige wat bestond. Even deed deze nabijheid, het nieuwe ervan, de overweldigende intimiteit ervan, de zware wolk van schuldgevoel en angst en verdriet optrekken en verdampen. Leila schoof haar hand naar voren en raakte met haar vingertoppen zijn hand aan. Hij keek haar aan maar bewoog niet. Hij leek ter plekke verstard, in een toestand van verdoving te zijn.

Leila tilde zijn hand op en legde hem aarzelend op haar gezicht. Waar was ze mee bezig? Wat moest er van haar worden? Was ze er klaar voor alles te verliezen, inclusief hem? Als dat gebeurde, als het dat inhield, was ze er dan klaar voor haar leven naderhand zonder hem te leiden, als een vrouw zonder man? De vragen bleven in haar hoofd doorhameren, stuiterden in haar hoofd heen en weer.

'Leila,' fluisterde Ahmad. Er kroop een blos over zijn gezicht tot in de wortels van zijn dikke zwarte haar.

In haar kronkelde iets. Wanneer dit voorbij was, kon ze niet meer terug. Dat wist ze. Het was waanzin. Ze zou alles kwijtraken. En toch bleef iets in haar brullen als een onverzadigbare leeuwin, bruut, gedachteloos en puur. Ze kon haar niet het zwijgen opleggen. Ze kon haar niet ketenen. Ze kon hem niet zomaar verliezen.

Ahmads hand lag heet op haar gezicht. Zijn lippen gingen vaneen in een uiting van pijn, en vreugde en angst. Hij leek op het punt te staan in te storten. Zijn vingers gingen aarzelend naar haar hals en raakte die aan alsof hij een cactusvijg plukte, de doorns behoedzaam mijdend. Toen gleden ze over haar ruggengraat, wervel voor wervel, helemaal naar beneden tot de kromming van haar rug, haar tegen zich aan drukkend. Toen zijn vingers over haar huid gleden knapte er in haar iets open. Iedere molecuul van haar lichaam reageerde op deze aanraking die ze nog nooit gevoeld had. Ze had zich nog nooit voorgesteld dat ze die op een dag over haar hals zou voelen. Het riep zulke gewaarwordingen op dat ze er versteld van stond. Iets hards, een klap in haar buik. Zo voelde het.

Wat zal hiervan het resultaat zijn? Even flitste het beeld zijn kind te krijgen voor haar ogen langs. Het benam haar de adem, zo beangstigend, zo vreugdevol, zo gedurfd was het. Haar hart klopte zo luid en snel dat ze dacht dat zelfs de vogels op de binnenplaats het konden horen. Maar toch: hij zou er niet zijn en zij zou alleen zijn. Wat zal er dan van haar terechtkomen met een kind?

Maar ik zal hem hebben. Een moment met hem dat niemand me zal kunnen afpakken. Ook al is hij er niet.

Ze drukte haar lichaam tegen hem aan; ze merkte dat ze niet alleen verstikt werd door verlangen maar ook door de schok van het leven zelf, door een onverwacht gevoel van gewichtloosheid, van overtuiging, van een tot dan toe onbekende bevrijding. Er leek een kracht in haar werkzaam die haar vreemd was, die haar beroofde van haar remmingen en haar vervulde van een nieuwe wil, zij het aarzelend, zij het onzeker, om zich deze laatste keer toe te eigenen wat morgen niet meer van haar zou zijn.

'Leila, weet je het zeker?' fluisterde Ahmad nog eenmaal, met rode, vurige ogen. Hij bekeek haar met die peinzende, doordringende blik waar ze niet tegen kon, maar die ze ook niet wilde laten ophouden.

Ze hief haar armen op en sloeg ze om zijn nek. Langzaam liet ze alles los, tijd en ruimte en zichzelf, en plotseling verviel al het andere tot niets en leefde ze totaal. Dit was ze nu en ze greep zich vast aan dit moment, dit tot bloei komen van het leven, niet meer bang of verontschuldigend, dat nu van haar ging worden, dat geen oorlog, geen gevangenis, geen revolutie, geen kinderen – haar hart deed pijn van liefde wanneer ze aan haar neef en nichten dacht – haar konden ontnemen.

Van de kromming van haar rug ging zijn hand weer omhoog en drukte op de rits van haar jurk. Leila sloot haar ogen en kromde haar rug om het openritsen te vergemakkelijken. Ze luisterde aandachtig terwijl de rits door haar jurk ruiste en haar rug blootlegde, alsof er een geheim werd blootgelegd. Toen opende ze haar ogen en zag hoe de jurk van haar af gleed en zich om haar voeten uitspreidde. Ze stond daar met bonkend hart en probeerde zichzelf meester te worden. In het tanende licht liet ze de kousen van haar benen glijden.

Ze stond al in haar blote lijf, toen ze zich stomverbaasd realiseerde dat ze haar hoofddoek nog om had, die opbolde door de kracht van haar weerbarstige haar. Ahmad kwam wankelend overeind, hief een hand op en maakte de knoop onder haar kin los. De sjaal gleed van haar schouders en daarna op de grond. Het was de eerste keer dat hij haar haar zag.

Het schrille gehuil van de sirene ging op de binnenplaats tekeer als een woedende leeuwin. Het was een uur na spertijd. Leila's handen trilden toen ze de hoofddoek onder haar kin vastknoopte. Haar hele lichaam was elektrisch, overal op haar huid voelde ze mysterieuze gewaarwordingen. Ze kon nauwelijks op haar benen staan. Ze voelde zich uitgeblust. Haar armen, haar benen, haar ruggenmerg, het voelde allemaal alsof het in poeder was veranderd. Ahmad stond naast haar en keek naar haar, onbeweeglijk, hulpeloos, als een standbeeld dat van binnenuit begint te barsten.

'Ik moet weg.' Ze hoorde haar stem als uit de verte. 'De sirenes. Het is al laat.' Maar ze verzette geen stap; ze kon het niet. In plaats daarvan schudde ze haar hoofd en sloeg haar handen voor haar gezicht. Overmand door verdriet, kon ze zich er niet toe zetten nog iets te zeggen en keek hem alleen maar aan.

Ahmad zweeg. Zijn gebarsten lippen vertrokken in een wanhopige glimlach. Het wilde verdriet op zijn gezicht bracht haar van haar stuk. Ze kon het niet verdragen als hij bezweek. Ze wendde haar blik af, van de pijn in zijn ogen. De sirenes leken steeds luider te gaan loeien. De gordijnen fladderden. De zwaluwen waren reeds lang weggevlogen.

Ahmad maakte een plotselinge beweging; hij stak zijn armen uit en trok Leila tegen zich aan. Ze gaf zich over aan zijn laatste wanhopige greep. In haar ogen welden de tranen op en ze sloeg haar armen om hem heen. Door de open deur woei een koele bries de kamer in. Het gegil van de sirenes sloeg tegen de gesloten ramen – de echo dook steeds op, schommelde en kwam dan tot stilstand. Gouden avondschemering sijpelde door het raam en spatte op hun lichamen.

Ze wist dat ze moest gaan. Maar er gingen minuten voorbij voordat ze al haar kracht kon verzamelen en zich van hem los kon maken, voor het laatst het rokerige aroma inademend dat uit zijn mond, van achter zijn oren en uit zijn haar kwam. Ze wist dat ze een stuk van zichzelf achterliet, dat ze hier in deze kamer, terwijl haar huid nog natintelde van de laatste restjes verlangen en bevrediging, een stuk van zichzelf onverbiddelijk en onomkeerbaar zag sterven. Het bos, dacht ze, terwijl ze met wazige ogen wegliep, alsof er een mist neersloeg die alles in ondefinieerbare silhouetten veranderde. Hij was als het bos. Ze zwaaide naar hem – hij kon alleen maar toekijken terwijl ze de deur uit glipte, haar hart zo zwaar als de lucht.

Buiten verstrooide het laatste koperrood van de ondergaande zon zich over de verstarde, verlaten straten. Er was vrijwel niemand op straat. De leegte van de stad beangstigde Leila toen ze zich over straat haastte. Alles om haar heen leek hard en geglazuurd en stil geworden, behalve de sirene die door de straten tierde, brullend, alles opschuddend. Ze sprong over de goot, waarbij ze een geur van natte bladeren en dode vogels in haar neusgaten kreeg. Ze struikelde over het ongelijke asfalt toen ze de straat overstak. De laatste auto's zoefden langs, een blauwe benzinewolk achterlatend.

Ze liep snel langs de ramen die de ineenkrimpende gedaante van de stad weerspiegelden. Ze wist dat er mensen achter die gesloten ramen waren, mensen die in het donker zaten te kijken naar het afnemende licht buiten, wachtend, hun adem inhoudend. Zij die een huis of familie buiten de stad hadden waren de stad al uit. Zij die een auto hadden maar geen huis, zochten hun toevlucht op het platteland, telkens wanneer de sirenes loeiden. En zij die geen huis of auto hadden, bleven achter hun gesloten ramen en hoopten dat er geen bom op hen zou vallen. Leila kon hun stokkende adem bijna horen, hun angstige gemompel, en ze wilde dat ze allemaal met haar mee konden gaan, dat er genoeg ruimte in hun auto zou zijn om de hele stad mee te nemen.

Ook Simin en Parisa bleven achter. De gedachte dat haar zusters ineengedoken in hun cel zaten, maakte haar bijna duizelig van wanhoop.

Leila versnelde haar pas; ze had een uur geleden al thuis moeten zijn, zodat ze bijtijds de stad konden verlaten voordat de sirenes begonnen. Nu moesten Aghajaan en Maman Zinat op haar wachten, zich ernstig zorgen makend, terwijl het gehuil dat waarschuwde voor bombardementen en dood hun oren teisterde. Ze vond het onvergeeflijk van zichzelf dat ze zo laat was, dat ze hen in gevaar bracht, en begon te rennen.

Ze sloeg een lege zijstraat in terwijl het zweet over haar rug liep. Een kat sprong met een schreeuw over een hoop afval. Ze rende langs de grijze rolluiken van gesloten winkels, langs een man die met zijn hoofd op zijn knieën ineengedoken op de trap van een moskee zat, langs een blauw overhemd vol vlekken op de rand van de stoep, langs vergrendelde deuren, waarachter moeders kinderen stevig vasthielden, minnaars elkaar opzochten en vaders met het hoofd tussen de handen luisterden. Blauwe duisternis overspoelde de bomen, omhulde de gebouwen. De schelle uithalen van de sirene volgden haar.

Waar was Ahmad nu? Was er een veilige plek waar hij heen kon gaan, een kelder waarin hij kon schuilen? Leila ademde zwaar en probeerde het brok dat zich, strak en onbarmhartig, in haar keel vormde, weg te slikken. Ze wist het niet, ze had het hem niet eens gevraagd. Haar ogen prikten van de niet-vergoten tranen. Ze voelde zich alleen, moe, bang. Het enige wat ze wilde was zich omdraaien, terugrennen naar de plek waar ze vandaan kwam, zich in Ahmads armen nestelen, waar hij ook was, en gaan slapen. Wat had ze zich veilig, onaantastbaar gevoeld bij hem. Nu, in deze verlaten straten, terwijl het gehuil van de sirenes steeds dichterbij kwam, voelde haar eenzaamheid zo enorm dat ze betwijfelde of ze ooit nog de kracht, het vermogen zou hebben om zich aan die greep te ontworstelen.

Maar ze bleef rennen. Ze moest wel. Ze stapte op een ver-frommeld sigarettenpakje, op een verwaaid stuk krant, en bleef rennen, langs glasscherven op de grond, langs een half afge-maakte tekst op de muur. De prop wc-papier die ze in haar on-dergoed had gestopt om het bloed te stelpen dat na verloop van tijd was opgehouden te vloeien, schuurde onder het ren-nen tegen haar dijen. Haar handen en wangen waren koud. Ze hield haar hoofddoek vast en versnelde haar pas, achtervolgd door de uithalen van de sirene.

Eindelijk kwam de deur van haar huis in zicht en haar lichaam kwam bijna vanzelf tot stilstand. Er gierde een heftige snik door haar keel. Het was alsof de aanblik van dat huis, haar huis, het teken was dat het allemaal voorbij was, definitief, onherroepelijk, dat ze Ahmad nooit meer zou zien, dat wanneer ze eenmaal die deur door was, Ahmads gezicht al een herinnering aan het verleden zou zijn.

Bij het huis aangekomen stond ze even stil. Ze sloot haar ogen en leunde tegen de muur. Ze had een ogenblik nodig om zich te herpakken, zich voor te bereiden op het nieuwe en toch zelfde leven dat haar aan de andere kant wachtte. Het duurde een paar minuten voordat ze genoeg kracht had verzameld om de sleutel in het slot te steken.

Omid scheen op de binnenplaats op haar te wachten; zijn bloeddoorlopen ogen fixeerden haar. Ook hij had gehuild.

'Wat doe je hier?' Ze glipte naar binnen en pakte hem bij de hand. 'Kom! Laten we naar binnen gaan.'

Het huis was in een zijdeachtige duisternis gedompeld. De kinderen zaten binnen te gillen. Aghajaan sloop op haar toe, bleek, met holle wangen en gebalde vuisten. Hij had zijn pyjama niet meer aan, maar een blauwwit geruit overhemd en een zwarte broek. Klaar om te vertrekken.

'Waar zat je?' schreeuwde hij, de woorden uitspugend. Hij hief zijn hand, klaar om te slaan. Leila kromp ineen en bracht een trillende hand naar haar gezicht. Aghajaan keek haar lang aan, met woedende blik, en liet zijn hand zakken. Leila greep Omid bij de smalle schouders en drukte hem tegen zich aan. Ze beet hard op haar tong om te voorkomen dat haar lippen trilden. Maman Zinat kwam de kamer uit gerend terwijl ze haar chador aantrok. Forugh jammerde in haar armen. De sirene had haar bang gemaakt.

'Hou haar vast.' Ze gaf het kind aan Leila. Ze rende terug

naar de kamer, pakte Sara op en holde terug naar de gang.

Ze liepen snel de vormloze nacht in, hun schaduwen ge-spannen, ineengedoken, alsof ze door de sirenes gegeseld wer-den, hun voeten schuifelend over de keitjes van de binnen-plaats. Duisternis gleed door de bladeren van de bomen en hing boven hen. De maansikkel verscheen even van achter de geveerde wolken.

Aghajaans oude gele Peykan gromde toen hij de motor aan-zette en langzaam van de stoeprand wegreed. Maman Zinat zat voorin met Sara in haar armen. De woorden van een gebed stroomden in één lang, ononderbroken angstig gemompel uit haar mond, de Profeet en de imams, hun zonen en hun doch-ters verzoekend hen te hulp te snellen. Door het geraas van de sirenes was haar gebed nauwelijks hoorbaar.

Ze reden door gewitte straten, langs hoge, vormloze bomen, langs logge, onregelmatige huizenblokken, langs huizen met twee verdiepingen en reusachtige reclameborden en een mil-joen zwarte ramen. Aghajaan leunde voorover, de spieren van zijn rug strak van de spanning, het stuur omklemmend, terwijl hij de smalle straat aftuurde.

Af en toe rammelde er een taxi langs, volgepropt met familie-leden van de taxichauffeur die probeerden weg te komen. Samengeperste lijven, tien in een auto, die de stad achter zich lieten.

Leila verschikte Forugh in haar armen. Ze bleef jammeren, terwijl de bange tranen over haar wangen stroomden.

'Ze is bang voor de bommen.' Omid pakte Forughs hand en bewoog die speels op en neer. Ze was ontroostbaar en op-nieuw vloog een van haar hoge gillen door de auto.

'Sst, kindje, sst.' Leila kuste Forugh op haar voorhoofd. Haar zenuwen waren als scherp staal, schurende staaldraden die door haar heen sneden. 'Stil maar. Stil maar,' fluisterde ze, haar bijna smekend op te houden. Forugh hief haar hoofd en haar hete tranen vielen op Leila's lippen.

'Komen de bommen bij ons?' Omid bedekte zijn oren nu met zijn handen.

'Nee, hoor.' Leila hield even zijn kin tussen haar vingers. 'We zijn bijna de stad uit.'

De ramen besloegen. Aghajaan draaide het raampje open en koele lucht siste door de opening naar binnen. Maman Zinat sloeg haar chador om Sara's hoofd. Leila wiste met de achterkant van haar vinger de wasem van het raam. Er flitste een muurschildering langs van een jonge oorlogsmartelaar met een tulpenkrans om zich heen. OP HET BLOED VAN DE JEUGD VAN ONS LAND BLOEIEN TULPEN stond er in rode letters onder.

'Khaleh, waar was je?' vroeg Omid plotseling.

Leila keerde zich enigszins van haar stuk gebracht naar hem toe en keek hem aan. 'Ik was bij Nasrin. Herinner je je Nasrin nog? Ik ben weleens met jou bij haar geweest.'

Omid staarde haar aan zonder iets te zeggen. Zag ze een verwijtende blik?

Ontdaan door Omids starende blik stapte Leila op een ander onderwerp over. 'Wanneer je de bergen ziet, betekent dat dat we veilig zijn,' zei ze, naar de wazige contouren van het Elbursgebergte wijzend die zich aftekenden tegen de laag hangende lucht. De gebouwen in de straten waren spaarzamer geworden en daarachter waren stukjes van de kale, zwart glanzende velden te zien. Het geluid van de sirene klonk nu gedempt en stierf geleidelijk weg.

'Kun je ze zien?' vroeg Leila.

Omid knikte en liet zijn handen zakken, maar zijn twee vingers hield hij veilig in zijn vochtige mond. Forugh was slap geworden in haar armen, dodelijk vermoeid. Het licht van de paar resterende lantaarnpalen wierp af en toe vluchtige schaduwen op haar betraande gezicht. Leila stopte de speen in haar mond. Nu de stad in de verte verdween, leek hij op een reusachtige, uitgebreide piramide die door de nacht platgedrukt was. Er begon in de auto langzaam een sfeer van rust neer te dalen.

'Heb je de lantaarns bij je?' Maman Zinat had haar armen stevig om Sara heen geslagen en maakte nu haar handen los. Aghajaan knikte en trok zijn schouders naar achteren om de spanning te verlichten.

'Ik ben vergeten te kijken of er nog genoeg olie in zat.'

'Ik weet zeker dat er genoeg in zit.'

Sara probeerde zich uit Maman Zinats armen los te wurmen en te gaan staan.

'Waar ga jij heen?' zei Maman Zinat zachtmoedig. Ze wees naar de achterlichtjes van de auto voor hen, die door de mistige ruimte schoten. 'Kijk eens hoe snel de lichtjes gaan.'

Even keek Sara samen met haar oma naar de lichtjes in de verte. Maar even later verveelde het haar en begon ze weer te draaien. Maman Zinat verplaatste haar gewicht naar rechts en probeerde haar in haar armen te wiegen.

Omid legde zijn hoofd op Leila's arm en keek stil naar de nacht en de steeds groter wordende donkere velden. Forugh was in slaap gevallen. Haar mond tuitte zich af en toe om de speen en verviel dan weer in een roze bewegingloosheid.

Nu ze de stad achter zich hadden gelaten, voelde Leila haar zenuwen langzaam uit de knoop raken. Ze legde haar hoofd tegen de rugleuning en keek naar het poederachtige sterrenlicht dat door de mist pinkelde en op de uitgestrekte stille velden neerscheen. De wielen van de auto bromden, snorden in haar hoofd. Ze droeg nog steeds de bitterzoete geur van Ahmad onder haar huid, wist nog hoe zijn huid op haar handpalmen aanvoelde. Ze haalde diep adem. Haar hand kroop naar haar benen, ertussenin en ze hield zichzelf daar heel stevig vast, alsof ze bang was dat de herinnering aan zijn lichaam uit haar zou glippen en in de nacht verdwijnen.

Forugh maakte een beweginkje met haar hoofd. Leila zag hoe haar lippen zich om de speen samenpersten. Het wit van haar ogen schemerde door de halfgesloten oogleden.

Ten slotte kwam de auto op een stoffige weg tot stilstand, tussen lange rijen geparkeerde auto's in. Er flikkerden een paar olielantaarns, licht werpend op de grauwe gezichten van de mensen die net als zij aan de bommen waren ontsnapt, zonder dat het hun iets leek op te leveren. Vluchtelingen die beschutting zochten op de uitgestrekte velden, onder een lege lucht. Vluchtelingen die niets meer moesten hebben van de mythen over moed en martelaarschap, over maagden en paradijs, waarmee de machthebbers hun zoons en broers en echtgenoten naar de mijnenvelden hadden geroepen. Vluchtelingen wie alleen nog maar een eindeloze oorlog restte, een miljoen doden en gewonden, en een land dat brandde en uiteenviel.

Aghajaan opende de achterbak en haalde de slaapzakken, de kelim en het beddengoed eruit die altijd uit voorzorg in de auto lagen voor het geval ze snel weg moesten. Hij spreidde de kelim tussen hun auto en een andere op de vochtige grond uit. Maman Zinat pakte de kinderen zorgvuldig in tegen de koude luchtstromen die van de verre, onzichtbare bergen neerdaalden.

Overal om hen heen was beweging. Vaders liepen met slaapzakken in hun armen. Moeders renden achter kinderen aan die, opgewonden door het nachtelijke uitje, om de lantaarns heen zwermden. De ouderen zaten op klapstoelen alsof het een picknick was. Er was mist neergedaald, zachtvingerig en weelderig, als een oude, glimlachende, zilverharige bruid. Omid leunde half wakker tegen Leila aan en keek naar Aghajaan die de olielantaarn aanstak met een lucifer. De opflakkerende vlam gaf een dansende reflectie in zijn hazelnootbruine ogen.

Ze werden omringd door de donkere, uitgestrekte vormen van de vlakten. Spaarzame bomen stonden als schaduwen in hun eentje op lage heuvels, als armloze mannen. De nacht gonsde van de stemmen en het gefluister. Maman Zinat, geflankeerd door de ingepakte lijfjes van Forugh en Sara, vouwde een gebloemde lap open en pakte het brood en de bakken met koteletjes en plakken tomaat uit. Ze drukte met haar duimen een koteletje plat op een stuk brood, deed er twee plakken tomaat bij, rolde het brood op en gaf het aan Omid. Hij pakte het broodje van haar aan en nam slaperig een hap. Maman Zinat streek glimlachend over zijn wang, en zei: 'Arme jongen, je bent slaperig.'

Toen maakte ze brood voor Aghajaan, Leila en zichzelf. In een kring zaten ze te eten, ieder versmolten met zijn of haar eigen wereldje van gedachten, angsten en hoop. De lamp op de grond wierp vage, deinende schaduwen op hun gezicht en op de vermoeide spanning om hun mond.

'Het is weer koud aan het worden,' zei Maman Zinat terwijl ze een plak tomaat in haar brood stopte.

Aghajaan knikte naar Omid. 'Wil je nog meer brood?'

Omid schudde nee en kroop dieper weg in de kromming van Leila's arm.

'Wat wil die vervloekte Saddam toch van ons?' zei Maman Zinat met trillende stem. 'Ons land? Onze olie? Is zeven jaar niet genoeg? Wanneer houdt het eens op?' Ze zweeg even en strooide met een automatisch gebaar zout op haar tomaat. Haar met tranen gevulde ogen glinsterden bij het lamplicht. 'Waar is mijn Parisa nu? Waar is mijn Simin?'

Niemand gaf antwoord. Ze waren te moe om over de oorlog te praten. Ze wilden alleen maar hun ogen sluiten en het allemaal vergeten.

Geleidelijk daalde er een vochtige stilte neer, af en toe verbroken door de gedempte stemmen van moeders die slaapliedjes in de oren van hun kinderen fluisterden; het gemurmel draaide, danste, vermengde zich met de mist. Een voor een, familie voor familie, dunde de menigte uit; men gleed onder de dekens, de ogen op de lucht gericht, met hier en daar een fonkelende ster, en op de wolken die met de bevalligheid van slaperige zeemeerminnen de verte in dreven.

De kinderen telden de sterren totdat ze in slaap vielen. De volwassenen sloegen, elkaars hand vasthoudend, de wolken gade die over hen heen dreven. Niemand wist of hij wanneer hij de volgende dag terugkeerde naar de stad, zijn huis nog zou aantreffen. Of puin – verspreid, in een dikke laag, onherkenbaar.

Om hen heen ademde de nacht, die niets verried.

1983-1988

Komiteh Moshtarak
detentiecentrum
Evin-gevangenis, Teheran

Hij zat geblinddoekt in de gang bij de ingang van de wc. Een vuil, vormloos hoopje op de natte cementen vloer. Zijn baard werd met de dag langer en zijn lichaam rook alsof het aan het ontbinden was. Het pyjama-achtige uniform hing los om zijn scherpe botten. Een magere man, een magerder wordende man, die het uniform van een dikke man droeg. De rand van de mouwen kwam tot het midden van zijn vingers. De schouders hingen laag en de zoom van de broek, vervuild, reikte tot onder zijn voeten.

In het uniform van de dikke man was Amir beetje bij beetje uit elkaar aan het vallen, als oude verf die van een muur bladdert.

Het ademen was moeilijk. Er waren geen ramen en de lucht was verzadigd met vocht. Iedere dag sleepten de bewakers nieuwe gevangenen naar binnen, die door de gang wankelden en overal bloedsporen achterlieten in de vorm van vervormde voetafdrukken. Het dikke, zwarte water dat door de goot liep, was vol met gescheurde kledingstukken, haren en broodkruimels – wanhoop vermengd met het bloed, het nog meer vervormend. De lichamen werden vervolgens als vochtige zakken meel naast elkaar neergekwakt. De geluiden van gekreun, geschrei, een lekkende kraan en zwaar ademen hingen in de lucht.

Er waren vijfenveertig dagen verstreken.

In die vijfenveertig dagen leerde Amir de geur van rottend vlees kennen. Dag na dag, vuil op vuil, verhoor na verhoor, waarin dezelfde beschuldigingen, vragen en dreigementen werden herhaald, als een nachtmerrie zonder begin en eind. Men leerde hem zich als een dier te voelen. Een ellendig, stinkend, blind dier met niets anders om naar uit te kijken dan het verstrijken van de uren, eten krijgen en naar de wc gebracht worden om zijn behoefte te doen.

Hij merkte dat hij geleidelijk de greep op de buitenwereld begon te verliezen: op Maryam, op de wazige bergtop van de Damavand die ze vanuit hun huiskamerraam zagen, op de drukke straten in Teheran tijdens de avondschemering. Dat voelde allemaal als een droom, een lieflijke, onvervangbare droom. Maryams lach was langzaam verworden tot een wazige echo in de kronkels van zijn geest. Haar lach, haar declameerstem wanneer ze gedichten voorlas, zittend op het kleed, leunend tegen de poot van de bank.

Amir kon zich geen van die gedichten meer herinneren. Zijn geest was schoongeveegd door opmerkzame, capabele handen, en in plaats van met poëzie was deze nu gevuld met geschreeuw, gebrul en het geluid van brekende botten.

Zelfs Maryams gezicht begon langzaam uit zijn herinnering te verdwijnen. In zijn dromen was ze altijd zonder hoofd.

Ze kwam bij hem en legde haar handen op zijn wangen, maar vanaf haar schouders was er niets. Leegte – ze was onthoofd. Amir werd dan wakker door het geluid van zijn eigen gesmoorde kreten, doordrenkt met koud zweet. Maryam verdween spoorloos en het enige wat bleef was het geluid van de lekkende kraan.

Een jongeman die Behrouz heette zat naast hem een volksliedje te mompelen. Zijn benen lagen voor hem uitgestrekt en onder de zoom van zijn grijze broek was dicht bij zijn enkel een litteken te zien.

'Wat is er met je enkel gebeurd?' vroeg Amir. Het enige wat hij van Behrouz kende waren zijn litteken en zijn liedjes.

Behrouz hield op met mompelen. 'Ik ben van mijn fiets gevallen toen ik klein was. Ik bleef aan de wond peuteren om ervoor te zorgen dat er een litteken bleef.'

'Waarom wilde je een litteken?'

Er was een moment van stilte, waarin Amir zich voorstelde dat Behrouz zijn schouders ophaalde.

'Als aandenken.'

Onder de blinddoek door zag Amir de vuile vingers van Behrouz naar zijn aandenken kruipen.

Wond. Pijn. Herinnering.

Amir wist dat hij binnenkort zo ziek van de herinneringen zou zijn dat zelfs het zetten van de kleinste stap een onmogelijke taak zou zijn. Herinneringen waren als slangengif: ze beslopen het lichaam en verlamden je ledemaat voor ledemaat.

Een van zijn herinneringen, die nog steeds naar vers bloed en zurige adem rook, was dat hij een antirevolutionair werd genoemd. Zijn ondervragers leken er veel genoegen in te scheppen hem een antirevolutionair te noemen, of een spion. Verschillende dreigementen gingen vergezeld van verschillende spotnamen, alsof de ondervragers alleen op hun eigen bestaan konden vertrouwen als ze hem in een hokje stopten. Door de gevangenen te blinddoeken hadden ze zichzelf tot onzichtbare wezens gereduceerd, man noch schaduw, stemmen slechts, met paren handen die slachtoffers en prooien nodig hadden om in leven te blijven.

Behrouz begon weer te zingen. Zijn stem vermengde zich met het geluid van gehoest aan de andere kant van de gang.

Amir lachte nerveus en drukte zijn handen op zijn knieën. Over zijn rug kroop een zweetdruppel.

Op een dag, net toen hij dacht dat ze hem aan zijn dierlijke instincten zouden overlaten, schroefden ze de vernedering nog een beetje op. Ze besloten hem te vertonen, hun kunstwerk, hun pijninstallatie, aan ogen die dat eigenlijk niet zouden moeten zien.

Ze besloten hem te breken.

De deur ging knarsend open en vanuit het eind van de gang kwam het onverschillige geklepper van lichaamloze, in slippers gestoken voeten. Ze bleven voor Amir staan.

Amir kon het dikke, zwarte haar zien op de tenen die uit-staken waar de grijze plastic slippers hun muil openden. Er werd geen woord gezegd. Een van de lichaamloze voeten werd opgetild en kwam tegen Amirs been aan.

'Sta op,' beval de stem die bij de slippers en de harige tenen hoorde.

Hij pakte het uiteinde van een pen vast die zich volgens de be-waker voor zijn borst bevond en Amir werd door een reeks laby-rintachtige gangen geleid. Vervolgens hoorde hij een deur open-gaan. Ze liepen naar binnen. Het rook er anders. Het was nog wel een beetje muf, maar het haalde het niet bij de stank van de goot waaraan Amir gewend was. Hij voelde de handen van de bewaker achter zijn vuile haar. En eindelijk, voor het eerst in vijfenveertig dagen, ging de blinddoek af.

Een tl-buis spuwde wit licht de kamer in. Amir bedekte zijn ogen en probeerde door zijn vieze vingers naar de ongrijpbare beelden en schaduwen om hem heen te kijken. Hij voelde zich licht in het hoofd en het duurde even voordat zijn ogen zich aan het licht hadden aangepast. Langzaam begonnen de schaduwen vorm te krijgen, alsof ze zich door een rookwolk heen persten, en toen kwam Maryam tevoorschijn, bleek als de dagmaan, hem aanstarend door het gat in haar zwarte hoofddoek.

Amir stond als aan de grond genageld. Hij voelde de dikke laag vuil op zijn lichaam, zijn lange, jeukerige baard, zijn pyjama-achtige uniform tot leven komen. Hij voelde het over zijn hele lichaam kruipen, het helemaal opeisend, geen ruimte voor ontsnapping latend. Hij wilde niet dat Maryam hem zo zag, aangevreten door zijn eigen vochtige, toenemende vuilheid. Hij zette een paar passen naar achteren en bracht zijn handen naar zijn gezicht alsof hij pijn had. In Maryams ogen zag hij de weerspiegeling van het vernederde dier dat voor haar stond.

Maryam zette een stap naar voren, haar armen wijd uitgestrekt, met een bibberlach om haar mond en nieuwe, plotselinge rimpels om haar ooghoeken. Wat hebben ze met je gedaan? De onuitgesproken vraag brandde in haar ogen.

'Waar ga je heen?' gilde de bewaker naar Maryam terwijl hij Amir in een stoel duwde. 'Ga zitten!' Terwijl de woorden uit zijn mond spoten, bleef zijn blik met onverwachte traagheid op Maryams uitpuilende buik hangen. In zijn ogen lag de nieuwsgierige twinkeling van iemand die nog nooit een zwangere vrouw heeft gezien. Maryam legde een beschermende hand op haar buik. De bewaker wendde meteen zijn ogen af. Hij liep naar de hoek van de kamer en bleef daar als de intimiderende schaduw van het gezag staan.

De kamer ademde om hen heen. Een wijzer van de klok versprong, een verstreken minuut aangevend.

Maryam rechtte haar nek, als een zwaan, zoals ze altijd deed wanneer ze bang was en dat niet wilde laten zien, wanneer ze voor hem sterk wilde zijn. Haar gezicht stond hard, bijna streng, op de roodomrande, enigszins gezwollen donkere ogen na. Amir verlangde ernaar zijn armen om haar heen te slaan; hij verlangde ernaar zijn handen naar haar toe te laten vliegen, over haar heen te laten zwerven, in de stilte van hun kamer, in het blauwe avondschemerlicht dat door het raam naar binnen sijpelde. Hij keek naar de blauwe aderen die uitpuilden op de ooit zo gave huid van haar handen. Hij zou er alles voor over hebben gehad om die aan te raken, om zijn lippen erop te drukken en de schaduw van leed uit alle poriën weg te kussen. Maar in dat helverlichte vertrek met zijn lichte tegels, zijn vochtige muren en zijn lamp die constant als een vlieg zoemde, was aanraken verboden. En als aanrakingen ontbraken, moesten woorden de leemte opvullen.

'Hoe is het met mijn mooie *banoo*?' wist Amir uiteindelijk uit te brengen. Hij probeerde te glimlachen, onverstoord te klinken, omwille van haar, omwille van hemzelf. Maar hij bracht het er vreselijk slecht van af en zijn stem klonk schor.

Maryam knikte; haar ogen flitsten naar hem. Een angstige blik vonkte in haar ogen, afgetobd, maar sterk, onbuigzaam, alsof ze in al haar ongerustheid weigerde het universum van deze gevangenis te aanvaarden als de enige keuze die haar man had. Je komt vrij, leken haar ogen hem te zeggen.

'Hoe is het met je rug?' vroeg ze.

Amir keek haar aan. Even wist hij niet wat hij moest zeggen. De vraag had hem plotsklaps teruggebracht naar hun huis en de geur van rozen in de tuin en de gele muren van hun kamer en de foto van een tekening van Victor Hugo op de muur en een gloednieuwe airconditioner die onder aan de trap stond te wachten om meegenomen te worden naar de kamer boven. Hij had zijn rug geblesseerd toen hij de airconditioner zelf naar boven had gedragen. Hij had Maryams voorstel om een paar mannen in te huren die het voor hen zouden doen, afgewezen. Hij kon het zelf wel. Het zou hun geld en tijd besparen. De pijn begon eindelijk minder te worden op de dag waarop hij werd gearresteerd en was na een paar dagen verdwenen.

Amir glimlachte. Hij had wel in Maryams armen willen kruipen en huilen totdat hij in haar omhelzing was weggesmolten. Hij besefte nu dat hij haar nooit had kunnen vertellen dat de pijn inderdaad weg was. Alles was onderbroken, doormidden gekliefd, alsof ze allebei in een andere tijdzone waren geslingerd. De zijne was van het ene moment op het andere in een nachtmerrie van handboeien en blinddoeken veranderd, terwijl de hare nog aan de laatste rafelige draadjes hing van een werkelijkheid met airconditioners en zonlicht, waarin pijn veroorzaakt kon worden door iets zwaars te tillen en door niets anders, een tijdzone vol onschuld waarin ze nog konden kibbelen om de vraag wie de airco ging dragen, waarin hij haar nog berispend tegen hem kon horen praten terwijl ze warme doeken op zijn rug legde waar het pijn deed. Het was een werkelijkheid waarvan hij zo abrupt, zo gewelddadig was afgesneden dat hij niet kon geloven dat het ooit zo eenvoudig zijn leven was geweest.

Hij wierp een blik op zijn vrouw. Maryam keek recht in zijn ogen, bijna alsof ze hem uitdaagde, en niet alleen hem, maar ook de bewaker, de gevangenis en God zelf.

Hij deed zijn armen wijd en sloot ze weer, zichzelf omhelzend. Een lachje rimpelde over haar lippen en hij wist het. Hij hield zijn adem in, huiverend van dankbaarheid. Met deze simpele vraag had Maryam zijn vroegere zelf tot leven weten te wekken dat in zijn geheugen begon weg te zakken. Ze was bij hem gekomen en had de laatste vijfenveertig dagen van zijn bestaan uiteengereten en hem teruggeworpen in dat andere leven van bemoedigende gewoonheid, van prachtige dagelijkse zorgen, van de vrijheid hebben om onverstandige keuzes te maken. Maryam had hem eraan herinnerd dat hij nog een man was, dat het oude leven nog niet voorbij was, dat ze er zou zijn, in een kamer die gekoeld was door de airconditioner, wachtend tot hij thuiskwam. Maryam was in staat geweest hem te vertellen dat deze smart slechts een tussenstop was, dat er vroeg of laat een eind aan zou komen. En daarom wist hij dat hij het zou redden zolang hij haar had.

'Ik maak het goed. Het gaat wel. De pijn is weg,' zei hij, terwijl hij dat uitdagende uit haar vingertoppen voelde druppelen, de goedkope, sobere tafel in, en zich door zijn botten voelde verspreiden. 'Hoe is het met het kind?'

'Het groeit,' zei ze. Het noemen van het kind deed haar weer glimlachen, deed hen allebei glimlachen. Haar mond opende zich in een vlaag van energie. Haar wangen kregen een blos. De contouren van haar gezicht leken een zekere zachtheid te krijgen. Haar huid was glad, vlekkeloos. 'Het is echt geweldig.'

Maar toen ging haar blik onwillekeurig naar de bewaker en de gloed verdween onmiddellijk uit haar wangen. Haar gezicht sloot zich als een onweerslucht. 'Vijfenveertig dagen.' De woorden tuimelden met zachte stem uit haar mond, en hoewel haar stem geen moment hoger werd, leek hij steeds zwaarder te worden terwijl hij wegstierf, haar leed ruim baan gevend. 'Vijfenveertig dagen zit je hier nu al en ik wist niet waar je was. Ik wist niet of je nog leefde. Ze wilden het me niet zeggen. Ik ben overal geweest.' Haar stem begaf het. Ze beet hard op haar lippen alsof ze ze wilde straffen voor hun trillende verraad. Haar eerdere uitdagende houding leek snel te verdwijnen toen ze zich herinnerde hoe bang ze was geweest hem te hebben verloren, een angst die nog steeds zichtbaar rauw was en op haar inhakte.

Ze zat op de rand van haar stoel, ongelijkmatig ademend;

haar handen lagen beverig, als omgevallen nestjes, op de tafel gevouwen. Ze leek niet te weten wat ze met haar handen moest doen, of met haar ogen, of met de snik die achter in haar keel bleef steken. Amir probeerde iets te zeggen. Hij kon het niet. Ook zijn keel voelde dichtgeknepen door de verwoesting die hem dreigde te overspoelen. Hij haalde diep adem.

'Ik kon je gezicht niet zien wanneer ik droomde,' zei hij ten slotte, voorover leunend, zo dicht bij haar als mogelijk was. Het was nu zijn beurt om sterk te zijn, voor haar, voor hemzelf. Ze kunnen me niet breken. Ze kunnen ons niet breken. 'Het was gewoon een lege ruimte, als een halo. Maar nu je hier bent, weet ik dat ik niet meer alleen zal zijn.'

Met een prachtige kleine trilling van haar hoofd keek Maryam naar hem op. Haar ogen glommen als vuurvliegjes in de nacht. 'Je bent nooit alleen. Ik ben altijd bij je.'

'En het kind?' Zijn hart zwol op van vreugde en hoop alleen al bij de gedachte aan zijn kind, hun kind, dat op komst was. Hij had Maryam wel willen vragen op te staan, zodat hij nog eens naar haar buik kon kijken, maar hij was bang dat de bewaker er ook naar zou kijken. Hij wilde niet dat de bewaker naar haar keek, met zijn bezoedelende blik binnendrong in iets wat alleen van hen was. 'Beweegt het?'

Op Maryams gezicht verscheen weer een lach. Wat zag hij haar toch graag met een lach op haar gezicht, wat verlangde hij ernaar de adem te ruiken die boven haar lippen hing!

''s Nachts blijft het maar schoppen, alsof het danst,' zei ze.

'Net als zijn moeder.'

'Ja.'

'Jij houdt ook van dansen.'

'Ja.'

Buiten werd een sleutel in het sleutelgat gestoken. De bewaker maakte een beweging in hun richting. Maryam en Amir keken elkaar aan. Hun ogen haakten in elkaar, trokken aan elkaar, alsof ze een stukje van de ander wilden meedragen op die veiligste, intiemste plek – in hun ogen.

'Sheida,' zei Maryam dringend. 'Als het een meisje is, zullen we haar dan Sheida noemen?'

De bewaker duwde Amir weg. De tien minuten waren voorbij.

Toen hij weer in de gang stond, zakte Amir bijna door zijn knieën.

Ze zaten met zijn veertigen in een kleine cel waar de verf in afgebladderde stroken aan de muren hing. De gevangenen waren samengeperst als bijen in een korf en moesten soms opzij stappen, soms over elkaar heen kruipen. De situatie werd 's nachts erger, wanneer elk lichaam een eigen slaapruimte probeerde op te eisen. Er waren momenten waarop er ruzie uitbrak en momenten waarop monden nerveus ingehouden vertrokken. Om ten slotte een einde aan de spanningen te maken besloten ze strepen op het dunne, goor ruikende kleed te trekken om voor elk lijf de grenzen te bepalen. Ze sliepen om en om, zonder een spier te bewegen, tegen elkaar aangekropen als kinderen die bang zijn voor onweer.

Kort voor het ochtendgloren deed Amir zijn ogen open. In het afgelopen jaar had hij er een principe van gemaakt elke dag wakker te worden voordat het geluid van de *azan* de cel in spoot om de gevangenen op te roepen tot gebed. Hij wilde in ieder geval dat de daad van het wakker worden zijn eigen keuze was. Hij wilde dat zijn dagen begonnen wanneer hij en alleen hij besloot zijn ogen open te doen.

Bidden hoorde in de nieuwe gevangenis bij hun opvoedingsprogramma. Ze waren hierheen gebracht om godvrezende mannen van hen te maken. Maar in die wereld van geweld en waanzin was God niet degene die Amir het meest vreesde.

Behrouz, die nu zijn slaapmaatje aan zijn rechterzijde was, snurkte zacht. Amir bleef bewegingloos liggen en keek naar het litteken van Behrouz en de teennagels die aan het eind opkrulden.

Even later wekte de roep van de azan, die Amir als vrij man altijd prachtig vond, maar nu, als gekooid man, verstikkend, de cel ruw uit zijn slaap. Maar de tekenen van het ontwaken kwamen langzaam. Van de andere kant, waar de deur van de cel was, kwamen de geluiden van gehoest, gegeeuw, een voet die over ruwe dekens gleed. Amir trok zijn benen op en sloeg zijn armen om zijn gebogen knieën.

Veertig mannen met verwarde haren rolden hun beddengoed op en stapelden het op langs de wand. Een voor een werden ze, schuifelend, naar de wc meegenomen en teruggebracht. Een voor een gingen ze in rechte rijen naast elkaar staan, klaar om tot God te spreken. Omgeven door goddelijke woorden boog en knielde Amir werktuiglijk, als een wanhopige marionet. Zwaar gefluister weerkaatste tegen de muren.

Toen ze klaar waren gingen ze allemaal op hun opgestapelde bedrollen zitten wachten op het ontbijt: een kop thee, twee suikerklontjes, een stuk brood en wat fetakaas. Vandaag, op de heilige vrijdag, kregen ze ook een lepel melkpoeder, een lepel jam, een paar vijgen en dadels. Wanneer er jam of dadels werden gegeven, waren er geen suikerklontjes.

Amir zat zijn thee te drinken toen de zware celdeur piepend openging en er een bewaker met een nauwelijks merkbare schaduw haar boven zijn bovenlip in de deuropening verscheen.

'Amir Ramezanzadeh,' riep hij uit, tevergeefs proberend de

hormonale onberekenbaarheid van zijn stem onder controle te krijgen.

Amir hoorde zijn naam uit de mond van de jongen rollen en dan openbarsten bij de 'za' van 'zadeh'. Hij voelde de moed in zijn schoenen zakken. Wanneer iemands naam werd geroepen, betekende dat lange uren van verdwijning en dan een uitgeput, gemangeld lichaam dat terugkeerde uit de verhoorkamer, waar zelfs God minder belangrijk was dan het lichaam, waar geen enkele bekentenis, ontkenning of verontschuldiging iets waard was. De ondervragers waren niet geïnteresseerd in woorden. Alleen het lichaam telde in die warme, donkere kamers waar geen lucht kwam. Het lichaam, gebroken ribben en het eindeloze, onbegrijpelijke geschreeuw in de oren.

Amir dacht dat ze uitverhoord waren, maar hij had het kennelijk mis. Hij liep naar de bewaker die de deur naar het schamele licht op de gang openhield. Hij stond stil toen de bewaker zijn ogen met de zwarte blinddoek bedekte en ze de cellen verlieten.

Opnieuw duisternis en kwetsbaarheid. Opnieuw beseffen hoe weinig greep hij nog maar op zijn leven had. Amir leidde geen eigen leven meer. Hij leidde het leven van iemand anders: geblinddoekt, zich vasthoudend aan een pen wanneer hij van de cel naar de verhoorkamer werd geleid.

Deze keer werd Amir niet naar de verhoorkamer gebracht, maar naar de 'binnenplaats', een vertrek waarvan het dak was weggehaald, en vervangen was door dreigende, naakte ijzeren tralies; hier sjouwden de gevangenen eenmaal per week een minuut of tien rond om hun longen met frisse lucht te vullen. De gevangenis bevond zich dicht bij de bergen. Dezelfde bergen waarvan Amir ooit een top door zijn huiskamerraam kon zien.

'Ga zitten,' beval de bewaker, terwijl hij de blinddoek afdeed.

Amir ging gehurkt op de grond zitten. Het regende. De geur van regen, vermengd met de bittere geur van asfalt, voerde hem terug naar zijn jeugd en de eerste schooldag. Verdwaald, zijn wangen nat van de hete tranen en koele regendruppels, had hij van de ene straat naar de andere gerend, zoekend naar de grote ijzeren deur van zijn school. Dat was een van zijn levendigste jeugdherinneringen: de eerste dag dat hij naar school zou gaan en niet op school was.

Even was er niets wat op de aanwezigheid van een bewaker leek. Het begon harder te regenen. Amir keek om zich heen. Hoe meer tijd er verstreek, hoe nerveuzer hij werd. Waarom hadden ze hem hierheen gebracht? Waarom was hij alleen? Was dit het eind van de rit? Waren dit de laatste momenten van zijn leven zonder dat hij het wist? Zittend op de natte grond, in een dakloos vertrek, wachtend op een tiener in bewakersuniform, die zijn leven in zijn handen hield als een verkreukeld sigarettenpakje.

Amir haalde diep adem en toen nog eens. Diep ademhalen kon je in leven houden.

Eindelijk verscheen de bewaker weer, nu met iets in zijn armen dat in dekens gewikkeld was. Hij liep langzaam op Amir af, terwijl hij zijn best deed hem niet in de ogen te kijken. Hij boog zich iets voorover en legde het geval in Amirs schoot.

'Hier is je kind,' zei hij.

Nog nooit was Amir zich zo bewust geweest van zijn eigen hartslag en het stromen van zijn bloed in zijn aderen als toen hij de deken opzijschoof en twee grote bruine ogen zag die hem aankeken, en het zachte zwarte haar dat net op haar voorhoofd viel. Er kwamen een paar regendruppels op haar gezicht terecht en ze knipperde snel met haar ogen en opende haar mond. Amir staarde haar verstomd aan. Hij hield haar vast zonder de minste beweging te maken, alsof hij plotseling verlamd was.

Drie minuten later kwam de bewaker haar uit zijn omhelzing halen. Trillend werd Amir teruggeleid naar zijn cel.

Amirs eerste rechtszaak duurde ongeveer vijf minuten. Er waren twee jaren verstreken. Een bewaker nam hem mee naar een kleine kamer waarin een moellah en een jongeman hem opwachtten. Hij moest zijn naam zeggen. Hij kreeg geen advocaat. Er was niet eens over gesproken. Het was nooit bij Amir opgekomen om een advocaat te vragen, het zou immers onmogelijk zijn. Hij had niet eens verwacht dat er ooit een rechtszaak zou komen.

Alles waarvan hij werd beschuldigd leek al bekend te zijn bij en duidelijk te zijn voor de moellah die het voorlas. Het enige wat Amir kon doen was ernaar luisteren en het vonnis aanvaarden dat werd uitgesproken. De moellah begon de aanklacht voor te lezen: 'Het oprichten van een marxistische groepering, het lid zijn van een marxistische groepering, het voorbereiden van een staatsgreep, het voorbereiden van de omverwerping van de Islamitische Republiek Iran, atheïsme...'

En hij las maar door. Amir werd van zoveel misdaden beschuldigd dat hij dacht dat hij beslist in aanmerking zou komen voor executie. Hij voelde een duizeligmakende beklemming in zijn borstkas. Zijn handpalmen werden klam van het zweet en hij dacht aan Maryam en Sheida en het leven dat er nooit zou zijn. Eindelijk was de moellah klaar met lezen. Amir wist alleen maar dat de straf voor atheïsme de doodstraf was. Dat was het enige waarvan hij zeker was. In de paar seconden die ze hem gaven zei hij: 'Ik ben moslim.'

Het duurde even voordat de jongeman zijn vonnis voorlas. Amir werd tot zes jaar gevangenisstraf veroordeeld. Hij keek naar de moellah en de jongeman. Hij ademde zo diep in dat het pijn deed aan zijn keel. Hij bleef in leven. De opluchting was zo krachtig dat hij bijna neerging. Hij moest zijn hand op de muur houden om niet te vallen. Nu had hij Maryam iets concreets te vertellen. Nu wisten ze allebei hoe lang ze moesten wachten. Zes jaar en dan zouden ze weer bij elkaar zijn. Zes jaar – dan zou dit alles voorbij zijn.

Hij werd naar een andere cel overgebracht en kreeg te horen dat hij daar de volgende zes jaar zou doorbrengen.

Amir stond met zijn voeten stevig op de twee zwart geworden ooit witte platforms aan weerszijden van het gat in de grond waarin dode kakkerlakken dreven. Hij stond met zijn rug naar de deur met het kapotte slot; de sloten op alle wc-deuren waren kapot. Dat maakte het gemakkelijker voor de bewakers om binnen te komen als dat nodig was, als iemand flauwviel of instortte of zelfmoord pleegde. De sloten waren kapotgemaakt zodat ze dat niet hoefden te doen als dat nodig was. Ze konden zomaar binnenwandelen, de bewakers, en een eind maken aan wat ook maar beëindigd diende te worden.

Amir stond wijdbeens te urineren op het tijdstip waarop men wilde dat hij urineerde.

Hij draaide zich om om weg te gaan, misselijk van de zware stank van verschaalde urine, toen hij een houten kistje op de grond zag staan. Het was ongewoon daar een kistje te zien. Vanuit de buitenwereld drong nooit iets tot in de gevangenis door, ook geen achtergelaten houten kistjes. Amir pakte het op en begon het te onderzoeken alsof het kostbaar antiek was. Zijn vingers gingen over de ruwhouten wanden en voelden de kop van een uitstekende spijker. Met zijn vingertoppen draaide hij eraan. De spijker zat losser dan het leek en kon er zo uit-gehaald worden. Hij stopte de spijker in zijn zak en verliet de wc.

De eerstvolgende keer dat hij tien minuten zijn wekelijkse dosis frisse berglucht mocht happen, begon Amir de kop van de spijker te slopen door hem over de cementen vloer te schrapen. Hij zat daar, onwrikbaar in zijn bezigheid, alsof hij, als hij maar stug volhield, de hele gevangenis zou kunnen wegschrapen. Hij zag hem duidelijk voor zich, de armband van dadelpitten, om het polsje van zijn dochter. Of misschien zou ze moeten wachten. Misschien zou Maryam hem eerst dragen en dan doorgeven aan hun dochter wanneer ze oud genoeg was. Er waren vele mogelijkheden. Zijn hart bruiste van opwinding en zijn lichaam werd warm toen een paar bescheiden herfstzonne-stralen tussen de ijzeren staven van het open dak door op zijn kruin vielen.

Op vrijdag ging hij met een lege melkpoederpot in zijn hand de cel rond. 'Niet jullie dadelpitten weggooien. Doe ze hierin.'

Er werden handen uitgestoken, vingers openden zich en dadel-pitten kletterden in de pot. Toen de pot halfvol was vulde Amir hem met water om de pitten zacht te laten worden.

Er gingen dagen voorbij. Amir hield de pitten in de gaten en terwijl hij wachtte, dag in dag uit, begon ongerustheid de plaats in te nemen van zijn eerdere opwinding. Stel dat hij niet genoeg tijd had? Stel dat zijn naam weer werd geroepen en het deze keer niet was om zijn dochter te zien? Stel dat degenen die moes-ten beslissen wat ze met zijn leven zouden doen, op andere ge-dachten kwamen voordat hij de tijd had om het af te maken? Voordat hij zijn dochter iets anders kon nalaten dan een ver-dampende herinnering?

Zijn hoofd bonsde. Voor de zoveelste keer die dag liep hij naar de pot om te testen hoe zacht de pitten waren. Hij wist dat het zinloos was: de pitten moesten nog een paar dagen weken. Maar hij kon er niets aan doen. Hij kon niet stilzitten. Hij liep als een roofdier door het vertrek, nauwelijks in staat het geklepper dat in de gang kwam en ging, te verdragen. Telkens dacht hij dat ze voor hem kwamen, dat zijn tijd om was.

Hij besloot geen tijd te verliezen en terwijl hij wachtte tot de pitten zachter werden, begon hij een schroevendraaier te maken door de spijker zonder kop in de halfgesmolten steel van zijn tandenborstel te steken. Hij greep de spijker stevig beet. Als hij hem maar stevig genoeg vasthield, zo dacht hij, zou zijn hand niet meer beven.

Er ging een nieuwe dag voorbij, weer een dag vol onzekerheid, van ieder onsje kracht verzamelen om niet met zijn hoofd tussen zijn handen in de cel rond te rennen, van constant een oor tegen de deur leggen en alles gauw in zijn zak stoppen wanneer het geklepper de cel naderde.

De volgende dag maakte hij een touwtje door bruine draden uit zijn sokken en die van Behrouz te trekken, die hem de zijne had aangeboden.

'Mijn dochter wordt door haar opa en oma grootgebracht,' zei Behrouz, de sokken in zijn handen houdend. 'Samen met haar neefje en nichtje. De kinderen van de zus van mijn vrouw, die ook in de gevangenis zit. Denk je dat ze op een dag met mijn dochter hierheen zullen kunnen komen, zodat ik haar kan zien?' Zijn ogen glinsterden in een soort smeekbede, alsof Amir alle antwoorden wist.

'Dat doen ze, natuurlijk doen ze dat,' zei Amir, naar Behrouz' bezorgde gezicht kijkend, bedenkend dat Sheida bofte dat ze bij haar eigen moeder was.

Amir wikkelde de draden om een tandpastatube, gevuld met hard geworden deeg, die hij als een spoel gebruikte om de draden met elkaar te verweven. Zijn voorhoofd was gerimpeld van de concentratie, zijn lippen waren stijf opeengeperst, zijn kin ging op en neer bij iedere beweging naar links en naar rechts. Hij probeerde niet te denken. Hij moest zichzelf afleiden en zich op de armband concentreren. Als hij de armband af kon krijgen en aan zijn dochter kon geven, zou hij uiteindelijk nergens bang voor zijn. Dan kon hij zich ontspannen in de wetenschap dat er buiten de gevangenis iets van hem was, van binnen naar buiten was gegaan, de vrijheid in, naar waar zijn dochter zou opgroeien; dat ze zou weten dat haar vader het nooit had opgegeven, dat het leven het nooit opgeeft.

Het werd donker. Amir ging slapen en hield de spijker en het touwtje in zijn zak. Ze zo dichtbij voelen stelde hem gerust; de helft van de klus zat er in ieder geval op.

Het eerste wat hij deed toen hij de volgende dag wakker werd, was zich tussen de slapende lijven door een weg banen naar zijn pot. 'Laat ze goed zijn,' mompelde hij zachtjes voor zich heen. De dageraad was nog niet aangebroken en de kamer was gevuld met een verstikkende, doorlichte duisternis. Hij kon de pitten niet goed zien; het enige wat hij zag waren kleine zwarte bobbels in de pot. Hij doopte zijn vinger in het koele, enigszins slijmerige water en viste er een uit. Er ontsnapte een warme uitademing aan zijn halfopen lippen. Het was zover.

Niet lang na het ochtendgebed begon hij met zijn schroevendraaier kleine gaatje in de dikke zijkanten van de pitten te boren. Terwijl hij boorde, voelde hij de greep van de benauwde cel om zijn nek verslappen, de zenuwen op zijn voorhoofd tot rust komen, de strakke spieren van zijn schouders zich ontspannen. Bij iedere dadelpit die hij tussen zijn vingers hield voelde hij hoe de niet-aflatende duizeligheid begon te verminderen.

Bij iedere dadelpit voelde hij zich een stap verder weg van de rand van de wereld, van de afgrond, waar de aarde onder zijn voeten wegviel. Misschien zat het hem inderdaad mee. Misschien zou hij toch niet alles kwijtraken.

Toen hij alle pitten doorboord had, begon hij ze aan elkaar te rijgen. Het was avond geworden. De kale lamp was aangegaan en verspreidde in de cel voor het eerst iets wat Amir een zachte gloed leek. Hij werd omgeven door het geroezemoes van stemmen. In de hoek van de cel hoorde hij Behrouz en een paar andere gevangenen een poëziespel spelen, waarbij de laatste letter van de regel van een gedicht gebruikt moest worden als begin van een nieuwe.

Met een lach op zijn gezicht pakte Amir een nieuwe pit. Iedere pit deed een klein dansje wanneer hij over het touwtje naar beneden gleed. De laatste pit gleed licht trillend naar beneden. Amir rilde van opwinding, als een marathonloper die voor het eerst de finish ziet.

Het was bijna tijd voor het avondeten toen hij de afwerkingsknopen aan de uiteinden van het touwtje aanbracht. Buiten de cel jammerde zachtjes de wind wanneer die tussen de kale tralies van de binnenplaats naar binnen blies. Amir legde het armbandje van dadelpitten voorzichtig op het kleed. Hij had er zijn hele levensdrang in gelegd en nu was het alsof hij geen kracht meer overhad. Hij hoorde de deuren van aangrenzende cellen opengaan; de bewakers kwamen dichterbij. Hij pakte de armband snel op en stopte hem in zijn zak.

De deur van de cel ging piepend open. Een emmer rijst ging van hand tot hand totdat hij bij Amir kwam. Hij was die avond belast met het verdelen van het avondeten.

Amir moest wekenlang wachten totdat hij de armband aan zijn dochter kon doorgeven – weken van ongeduld, eenzaamheid en wanhoop. Weken waarin hij de armband in zijn zak bij zich droeg, als een gekoesterd aandenken waarvan zijn hele wezen afhankelijk was, een gekoesterd aandenken dat de bewakers zeker aan flarden zouden rijten als ze haar ontdekten.

Eindelijk, op een sombere middag, werd hem een bezoek toegestaan. Deze keer was de bezoekersruimte een lange, smalle zaal met glazen schermen die de grens aangaven waar het ene leven ophield en het andere begon.

Maryam zat voor hem, achter het glas, met Sheida op schoot. Sheida was gegroeid. Ze leek nog maar weinig op het kind dat Amir op die regenachtige middag in zijn armen had gehouden. Zelfs de kleur van haar ogen was inmiddels veranderd. Ze waren donkerder, bijna zwart. Haar blik dwaalde door de zaal en bleef toen even op Amir rusten. Amir begon net te wennen aan de gedachte dat zijn dochter hem misschien herkende, toen haar ogen weer verder dwaalden, de hele zaal door, over de ziekenhuisgroene muren en het glazen scherm.

Glimlachend pakte Maryam Sheida op en liep op de deur af die naar de gevangenen aan de andere kant van de glazen schermen leidde. Bij de deur stond de bewaker die ze tijdens het eerste bezoek aan Amir hadden gezien. De lach verdween van haar gezicht. Haar stappen kregen een onzekere zwaarte, alsof ze niet meer wist hoe ze moest lopen.

De bewaker keek haar uitdrukkingloos aan toen ze hem Amirs naam en nummer vertelde, terwijl haar armen zich steviger om Sheida's lijfje sloten. Hij knikte en pakte Sheida beet. Zijn handen leken verbazingwekkend oud. Maryam zwaaide naar haar dochter toen die in de armen van de bewaker achter de deur verdween.

Aan de andere kant van het glazen scherm stond Amir te

wachten met zijn handen sterk maar onzeker in de lucht. De uitpuilende ader op zijn voorhoofd klopte fel. En daar kwam Sheida in zijn armen – ze was de grens overgestoken tussen leven en dood, tussen tijd en vagevuur, haar babyvoetjes bungelend in de lucht en haar ogen dansend als vlinders. Amir hield haar zo stevig vast dat ze het uitschreeuwde. Maryam lachte en veegde een traan weg die aan haar nieuwe rimpel hing. Sheida worstelde om overeind te komen. Amir keek om zich heen en verstopte de armband in Sheida's truitje.

De bewaker verscheen weer. Hij bracht Sheida, met haar geheime armbandje van dadelpitten warm tegen haar kloppende hart, terug naar waar het leven haar wachtte.

Amirs tweede rechtszaak duurde ook slechts een paar minuten. Drie jaren waren er verstreken sinds de eerste, en daarin had Behrouz zijn dochter eenmaal gezien. Op die dag leerde Amir hem een armband te maken, om het feit te vieren.

Toen Amir deze keer werd opgeroepen schonk hij niet veel aandacht aan dit tweede proces. Het baarde hem niet veel zorgen toen een bewaker hem naar een klein vertrek bracht waarin deze keer een moellah en twee in zwart pak gestoken mannen met strenge gezichten hem opwachtten. Ik ben al veroordeeld, dacht hij, ik hoef nog maar drie jaar. Dat, zo dacht hij, kon niemand hem afpakken.

'Bid je?' De moellah keek met zijn kleine, dreigende ogen op van een map die geopend voor hem lag. Hij leek moe, slechtgehumeurd.

'Ja,' zei Amir, vaag vermoedend dat dit het juiste antwoord was.

'Bidt je vader?'

'Ja.'

'Vast je tijdens de ramadan?'

'Ja.'

De vragen hielden op. Een van de in het zwart gestoken mannen schreef iets op. Niemand zei iets. Ze keken naar Amir en riepen de bewaker die hem terug moest brengen naar zijn cel.

Een week later, voor het aanbreken van de dag, werd Amir wakker door het geluid van snelle voetstappen die weerklonken in de gang. Hij opende zijn ogen en luisterde naar de geluiden buiten de cel, zich afvragend wat er aan de hand was. De deur knalde open en Amir werd, samen met een paar anderen, vastgegrepen voordat hij goed en wel overeind was gekomen. Behrouz was een van hen. Maar ze kregen niet de tijd om iets tegen elkaar te zeggen of zelfs maar een blik te wisselen. Weer ging er een blinddoek voor de geschokte, verwarde, slaperige ogen. Er werden handboeien vastgeklikt. Hij werd naar buiten gesleept en van links naar rechts door de gang geduwd. Er ging een deur van het slot; koude vroegeochtendlucht drong door tot op de huid. Overal was snel, onbegrijpelijk gemompel te horen. Amirs hart bonkte zwaar, het sloeg, sloeg, galoppeerde. Zijn geblinddoekte hoofd draaide en bewoog voortdurend in een poging om zich heen te kijken. Zijn mond was droog. De duisternis was onontkoombaar.

'Wat doen jullie?' hoorde hij Behrouz schreeuwen. 'Waar brengen jullie ons naartoe?'

Niemand gaf Behrouz antwoord. Zijn stemgeluid werd overstemd door het geschreeuw van anderen.

Amir werd door een paar handen achter zich hard naar

voren geduwd. Toen voelde hij de ruwheid van touw om zijn nek. Hij wilde iets roepen. Maar hij kon het niet. En dat was het laatste. Vervolgens stond de tijd een poos stil en toen was het, even plotseling als een lawine, voorbij.

2008

Teheran, Islamitische Republiek Iran

Twee dagen voordat Maman Zinat stierf aten zij en Forugh samen een granaatappel. Forugh maakte hem schoon terwijl Maman Zinat toekeek; ze zat in een brede leunsteul die hermetisch was ingepakt in een bloemetjeshoes. Haar knieën staken onder de pistachegroene deken uit als twee zachte, ronde hompen. Op de muur achter haar bevond zich een fresco van witte zwanen die op een blauwe rivier zwommen, omgeven door groene bomen en een heldere lucht met witte, wollige wolken.

Forugh hield de granaatappel aan de bovenkant vast, zette het mes er vlak onder het kroontje in en sneed hem in tweeën. Vuurrood sap liep op het witte blad en er was een zachte zucht te horen toen hij openspleet.

De televisie stond aan. Een satellietzender die werd geëxploiteerd door Iraanse emigranten in Amerika zond een Perzische muziekvideo uit.

'Ik hou van Mansour.' Maman Zinat zette het geluid harder. 'Hij is beleefd; niet zoals al die anderen die over het toneel springen en schreeuwen. Hij komt duidelijk uit een goede familie.'

Doorschijnende zaadrokken, als robijnen. Forughs handen dansten er onhandig omheen, haar vingers drijfnat van het kleverige sap. Ze zat op de rode bloemen van het handgeweven tapijt en keek blij op naar Maman Zinat, naar haar gladde huid, het lange zilverkleurige haar dat in een labyrintachtige wikkeling op haar achterhoofd was vastgezet, de roze huidplooi die over haar ogen viel en haar een slaperig aanzien gaf, naar haar handen, wit en droog, die op haar deken gevouwen lagen, met als enige luxe een eenvoudige gouden trouwring.

Forugh had haar oma al ruim twaalf jaar niet gezien. En daarom bekeek ze haar vol bewondering, met liefde, met een mengeling van vreugde en nieuwsgierigheid. Ze stond er versteld van dat Maman Zinat zo weinig veranderd was. De jaren hadden geen tol geëist van haar huid, van de sprankelende jeugd in haar ogen, van de kalmte in haar bewegingen.

De granaatappelzaden barstten onder de druk van Forughs vingers open en het sap spatte op haar blouse. Haar ogen zagen Maman Zinats hand snel de deken bij de schade weggrissen. Forugh lachte.

'Ik hoop dat ik uw genen heb, Maman Zinat.' Ze probeerde de rode vlekken met de achterkant van haar schone hand weg te wrijven.

'Hoezo?' vroeg Maman Zinat met de lach van een vrouw die precies weet waarom haar kleindochter haar genen zou willen hebben. Een vrouw die weet dat ze nog steeds mooi is.

'Uw huid heeft minder rimpels dan de mijne.'

'Jij hebt mijn genen niet nodig. Jij bent zo mooi als een bloem, als die bloemen aan de jacarandaboom.'

Het ochtendlicht verspreidt zich over de horizon en druppelt de smalle, langwerpige binnenplaats in; het breekt in het blauwe water van de porseleinen fontein en verspreidt zich als vocht onder Forughs huid. Ze staat onder de jacarandaboom en kijkt omhoog naar de paarsroze pluimen. Ze klemt haar handen in elkaar en trekt haar schouders krom. Ze laat haar hoofd hangen en haar tranen druppelen op haar gele zijden blouse, zilte vlekken achterlatend. Ze zakt ineen naast de fontein waarin goudvissen rusteloos rondzwemmen voor het slapengaan. Haar lichaam rust deels op de modder, deels op de keitjes die tot aan het bloembed reiken. Ze schreit.

Ze voelt een hand op haar schouder en heft haar roodomrande ogen op.

'Maman Zinat was dol op deze boom,' zegt Khaleh Leila terwijl ze haar hand naar de bladeren uitstrekt en ze streelt.

'Ik had eerder moeten komen. Ik ben gekomen toen het te laat was.'

'Je bent tijdens haar laatste levensdagen bij haar geweest. Ik weet zeker dat ze gelukkig gestorven is. Dat is het enige wat telt.'

Het laatste beeld dat Forugh van Maman Zinat heeft, is van haar koude lichaam dat op bed is neergelegd, bedekt met een wit laken. Maman Zinats hart was in de vroege ochtend opgehouden met kloppen. Forugh had het laken weggehaald om naar haar te kijken. Maman Zinat hield haar hand tegen haar borst geklemd alsof ze haar hart wilde uitrukken en naar buiten smijten. De rug van haar andere hand lag roerloos op haar voorhoofd; haar mond was vertrokken van pijn, haar strakke blik maakte een geterroriseerde, ongelovige indruk, alsof ze niet kon geloven dat de dood met zoveel gemak kon toeslaan.

Forugh zag geen geluk op Maman Zinats gezicht, en ook geen rust. Ze zag alleen maar pijn. De pijn van naar het hart grijpen wanneer het plotseling ophoudt met kloppen. De pijn van voor zonsopgang de dood onder ogen te moeten zien. Alleen.

Dante zet de bladen met dadels en halva op de cementen vloer en belt aan. De zachte bries is beladen met de geur van stof en cement die opstijgt van de bouwwerkzaamheden in het huis aan het eind van het steegje. Terwijl hij staat te wachten, ziet hij de deur van het aangrenzende huis opengaan en een vrouw in een zwarte chador in de deuropening verschijnen. Een jongetje duwt haar bijna opzij en springt naar buiten. Hij houdt geld in zijn hand. Hij rent langs Dante naar de straat. Zijn moeder roept hem iets na, zegt dat ze daar op hem zal staan wachten. Terwijl hij wegrent glijdt een van zijn slippers van zijn voet. Even lijkt hij niet te begrijpen wat er net is gebeurd, wat hem in zijn vaart heeft gestuit. Hij ziet de plastic slipper achter zich, dicht bij het stroompje halverwege. Hij laat zijn voet er weer in glijden en begint weer te rennen. Hij blijft staan en keert zich om naar zijn moeder. 'Alleen maar limonade, hè?'

Ze knikt en hij rent het steegje uit en de straat op.

Het jongetje en de manier waarop hij wegrent doen Dante aan zichzelf als kind denken. Hij rende ook altijd zo telkens als Maman Zinat of Khaleh Leila hem eropuit stuurde om iets te kopen bij de kruidenier verderop in de straat. Hij rende tot hij bij de winkel was, kocht wat hij kopen moest, en rende terug. Hij liep nooit. Kleine jongens lopen nooit. Ze rennen voortdurend, alsof ze door zwenkende en zwiepende tijdstromen achterna worden gezeten. Zijn blik blijft het jongetje volgen totdat hij de winkel binnengaat.

De moeder van de jongen kijkt naar Dante, die knikt en gedag zegt.

'Gecondoleerd,' zegt ze rustig, de chador voor haar gezicht straktrekkend.

Dante bedankt haar en ze sluipt het huis weer in en verdwijnt uit het zicht. Hoewel hij haar niet meer kan zien, weet hij dat de moeder er nog is, achter de deur, wachtend op haar zoon. Dat zij de eerste is die haar zoon zal aantreffen wanneer hij naar huis is teruggerend.

Dante wendt zijn ogen weer naar de blauwe deur en belt nog eens aan. Hij wil hier niet zijn. Hij houdt niet van begrafenissen. Hij is hier alleen maar omwille van de twee vrouwen met hun grijze haar en geur van het verleden. De twee vrouwen die hem hebben opgevoed, hem van de ene warme omhelzing naar de andere hebben doorgegeven, hem liefdesverhalen hebben verteld over Perzische prinsessen en hun arme, mooie minnaars. De twee vrouwen om wie hij bittere tranen schreide toen zijn moeder, ontslagen uit Khomeini's gevangenis, hem mee naar huis wilde nemen.

Nu is een van die vrouwen dood, maar Dante kan niet huilen. Hij is woedend op de stralende zon aan de wit-blauwe hemel. Hij begrijpt niet waarom tragedies zich altijd voordoen op prachtige, zonnige dagen.

Aan de andere kant van de blauwe deur wordt het geluid hoorbaar van hoge hakken die snel op de keitjes tikken. Dante spitst zijn oren. Dat kunnen de voetstappen van Khaleh Leila niet zijn. Die hoge hakken. Dat snelle. De nadering van de staccatoachtige, onbekende weerkaatsing ontmoedigt hem.

Een vrouw doet de deur open. Een hartvormig gezicht; gedurfd lange wimpers omlijsten bruine ogen; krullend zwart haar valt over haar schouders. Ze strijkt het haar met een kleine hand naar achteren en glimlacht. Het licht van haar lach, de snit van haar jurk, de vrij vallende haardos geven haar iets buitenlands.

Dan weet hij het weer. Forugh!

Dante stelt zich stamelend voor en pakt snel de bladen van de grond. Forugh lijkt zijn naam niet te hebben opgevangen. Ze maakt een ongeconcentreerde indruk. Haar ogen zijn verontrustend sensueel van verdriet. Ze pakt een van de bladen van hem aan, maar stelt zich niet voor.

Dante loopt achter haar aan naar binnen en buigt zijn hoofd om door de deuropening te kunnen. Het is stil in huis. Hij vraagt zich af waar Khaleh Leila is. Hij kijkt op naar het huis en zijn blik gaat onwillekeurig naar de kamer van Maman Zinat. Hij ziet de gesloten ramen, de dichtgetrokken gordijnen en er schiet een felle pijn door hem heen.

Forugh loopt voor hem uit. Ze draagt een zwarte jurk die tot onder haar karamelkleurige knieën reikt. De haardos deint op en neer op haar schouders terwijl ze met een bezittersair over de binnenplaats loopt, zelfverzekerd en op haar gemak. Het maakt hem nerveus, haar manier van lopen. Hij krijgt een gevoel alsof ze hem van iets gaat beroven, hoewel hij niet kan zeggen wat. De hakken van haar schoenen komen als harten- kloppen op de grond neer.

In het huis, met zijn oude muren en lage blauwe deur, die het misplaatst doen lijken tussen de nieuwe flatgebouwen die het nu omgeven, hebben Leila en Maman Zinat jaar in, jaar uit samen gewoond, tussen schaduwen en gefluister; ze hebben er Leila's scheiding en Aghajaans dood meegemaakt. Ze waren de laatste bewakers van het verleden. Dit huis was hun territo- rium, het reliek van hun jeugd. Niemand had hen eruit kunnen lokken. Geen belofte van comfort in een kleiner appartement, geen belofte van geld voor een reis, naar Mekka misschien, of naar Duitsland om Forugh en haar moeder te bezoeken, kon hen overhalen. Zolang het huis nog overeind stond en zij erin woonden, waren ze de baas over hun eigen lot.

Op de dag van Forughs aankomst vroeg Leila, die een fel-

gele zijden sjaal in haar hand hield, aan Forugh haar te blinddoeken. Maman Zinat lachte zachtjes. Haar ogen glinsterden
geamuseerd.

Geblinddoekt liep Leila met korte, zelfverzekerde passen van
de ene kamer naar de andere, waarbij ze haar vingers over het
ongelijke oppervlak van de muren liet gaan, als een blinde vrouw
die leest. Ze stond voor iedere kamer even stil en vertelde het
verhaal ervan. Waar iemand was geboren. Waar iemand was
gestorven. Waar iemand zijn of haar huwelijksnacht had door-
gebracht.

'Hier,' zei ze tegen Forugh, naar een deur wijzend, haar geblinddoekte hoofd erheen wendend, 'is je moeder geboren.'

Ze kon Forughs gezicht niet zien, kon alleen maar haar adem
sneller horen gaan. Toen de rondgang klaar was nam ze de blinddoek af en glimlachte triomfantelijk. Maman Zinat applaudis-
seerde. Forugh lachte, vond hen allebei misschien gek. Dat was
nog maar een paar dagen geleden, voordat Maman Zinats hartslag zo licht als een kiezelsteentje in de fontein verdween.

Leila laat een zucht ontsnappen. Wat is ze snel oud geworden. Ze zit onderuitgezakt op de grond, met haar rug naar het
raam. Haar ogen, die prikken en branden, zijn gesloten. Ze
wordt overmand door zo'n neerslachtig gevoel dat ze zich
nauwelijks kan bewegen. Ze denkt dat ze de deur heeft horen
opengaan maar weet het niet zeker. Zouden dat Omid en Sara
al kunnen zijn? Ze heeft hen vanmorgen in hun hotel in Shiraz
gebeld om hun het nieuws te vertellen. Ze had Omid niet zo
luid horen snikken sinds hij klein was. Hoe had Sara gereageerd? Leila had niet met haar gesproken. Parisa was bij hen.
Ze was geschokt. Ze kon geen woord uitbrengen. Einde
familievakantie. Leila knijpt haar ogen dicht. Arme stakkers.
Ze zeiden dat ze het eerste vliegtuig terug naar Teheran zouden nemen. Ze vertelde hun over Forugh, over haar terugkeer.

Ze leken haar niet te horen. Hun oren waren gevuld met de dood.

Leila gaat steeds verzitten. Ze zou graag willen weten of er iemand is aangekomen. Maar ze heeft niet de kracht om naar Forugh te roepen en het te vragen. In plaats daarvan laat ze zich nog meer zakken en luistert naar de vogels die buiten kwetteren.

Forugh luisterde niet naar Dante toen hij zich aan haar voorstelde. Hij leek te jong, te nerveus, te haastig met zijn introductie, zodat ze meteen haar belangstelling verloor. Ze zag hem voor de een of andere beheerder aan die een handje kwam helpen met de middagceremonie. Maar nu ziet ze ongerust hoe hij door het huis loopt, lang en pezig, met de vrijheid en zekerheid van iemand die ieder plekje kent. Zonder haar te raadplegen loopt hij naar de kelder en brengt de zilveren kraantjespot, de glazen kopjes met gouden rand, de geurige thee uit Lahijan, de bladen en de suikerklontjes naar boven, naar de keuken. Hij loopt snel de keuken in en uit, de logeerkamer in en uit, de kelder in en uit. Hij lijkt geen beheerder maar een man die terugkeert naar het huis van zijn jeugd. Het brengt haar van haar stuk, dat hij zo vertrouwd is met het huis. Hij loopt rond alsof het het huis uit zíjn jeugd is, alsof híj 's avonds de twee vrouwen liefdesverhalen over Perzische prinsessen en hun arme, mooie minnaars heeft horen vertellen, alsof híj is opgegroeid tussen de adem en herinneringen van de vrouwen.

Dante loopt met een tafel de trap op. De smalle spieren van zijn armen en borstkas puilen uit onder het gewicht. Zacht zwart haar danst op zijn voorhoofd terwijl hij tree voor tree de trap op gaat.

Forugh weet niet wat ze met zichzelf aan moet. Ze zou graag willen helpen, de indruk willen wekken dat ze alles onder controle heeft, hem nogmaals willen vragen wie hij is. Hij is kennelijk geen beheerder. Maar ze moet tot haar schande bekennen dat ze de eerste keer niet heeft geluisterd. Ze loopt achter hem aan door het huis en neemt dingen in haar handen waar ze heel weinig van weet. Dingen die ze jaren niet gezien heeft. Dingen die hij goed schijnt te kennen. Dat hij hier duidelijk thuis is intimideert haar, maakt haar kwaad. Ze voelt zich nutteloos, te veel, afgunstig. Ze rent op hem af om hem met de tafel te helpen, maar hij slaat haar aanbod beleefd af. Met een glimlach op zijn gezicht. Ze vindt zijn lach arrogant.

Hij behandelt me als een gast, denkt Forugh, en ze probeert de boze snelheid waarmee haar hakken op de met tapijt belegde trap roffelen wanneer ze naar Khaleh Leila's kamer rent, te bedwingen. Ze weet niet waarom ze daarheen gaat. Ze voelt zich als een kind dat bij haar moeder gaat klagen over de jongen die haar niet met hem laat spelen, maar schaamt zich daar wel een beetje over.

Khaleh Leila ligt op de grond met haar hoofd op een wit kussen en haar oogleden gaan schuil onder een laag komkommerschijfjes. Forugh weet dat ze de hele ochtend heeft gehuild.

'Die man is er.' Forugh is buiten adem. Ze is te snel de trap op gerend.

Khaleh Leila haalt de schijfjes van haar ogen. Ze is een schriele vrouw met brede zwarte ogen en een smalle, strenge mond. Haar dikke krulhaar is precies als dat van Forugh. Ze ziet er ouder uit dan ze is. 'Ik dacht al dat ik de deur hoorde.' Haar stem is zwak, onvast. Zonder haar hoofd op te tillen tast ze naar een bordje waarop een smalle komkommer kwetsbaar naakt ligt. Ze pakt een stukje en vervangt de oude op haar ogen. 'Hij is Marziehs zoon, Dante. Herinner je je Marzieh nog?'

Forugh krijgt een flits van een jongetje dat voetballend op de binnenplaats rondrent. Een jongen met grijze ogen en vlezige wangen. Dat was toen Forugh met haar moeder op bezoek kwam. Hoewel ze ongeveer even oud waren, leek de jongen veel jonger dan Forugh. Ze was niet geïnteresseerd geweest in een kennismaking.

'Hoe komt het dat hij Dante heet?'

'Om dezelfde reden als waarom jij Forugh heet. Zijn vader was een grote fan van de Italiaanse dichter. Precies zoals jouw moeder van Forugh en haar poëzie hield en jou naar haar vernoemde.'

'En ze lieten zijn ouders hem Dante noemen?'

'Natuurlijk niet. De naam die op zijn geboorteakte staat is Hossein.' De bries tilt de gordijnen op, laat ze vallen. 'Zeg tegen hem dat hij alles voor de thee moet klaarzetten. Hij weet waar het is.'

'Hij heeft alles al gehaald.'

Khaleh Leila tilt haar in komkommer gehulde gezicht een beetje op en glimlacht.

In die lach schuilt een zekere intimiteit. Forugh vraagt zich af of Maman Zinat ooit zo heeft geglimlacht wanneer ze aan Dante dacht. Ze sluit pruilerig de deur, maar let wel op dat ze hem niet dichtslaat.

Ze staan voor elkaar en houden de punten van het witte tafelkleed vast en wuiven ermee en slaan het uit in de lucht. Het kleed bolt op en wordt weer vlak, als de zanderige uitloper van een golf.

'Wanneer ben je aangekomen?' vraagt Dante terwijl hij Forugh met toegeknepen ogen de twee punten van het tafelkleed ziet controleren en een van de zijkanten iets naar beneden ziet trekken. Dante glimlacht om haar precisie. Ze ziet de lach maar lacht niet terug.

'Dinsdag.'

'Als je een paar dagen eerder was geweest zou je met Nieuwjaar hier zijn geweest.'

'Ik weet het.'

'En je nicht en neef? Weet je wanneer zij komen?'

'Waarschijnlijk vanavond.'

Dante tilt de kraantjespot van de grond en zet hem op de tafel. Zijn blik valt op haar fijne handen die de kreukels gladstrijken, met korte rukjes heen en weer gaan over het tafelkleed alsof ze een onzichtbare vlek wil wegvegen. Ze heeft een Europese manier van haar handen bewegen. Terwijl hij een zekere frustratie in zich voelt groeien, stoot Dante heel persoonlijk in één keer door naar de kern van zijn pijn, hun pijn. 'De laatste keer dat ik Maman Zinat heb gezien was ongeveer een week geleden.'

Glazen kopjes tinkelen tegen de schotels terwijl Forugh ze op het zilveren blad rangschikt.

'Ze kwamen bij ons eten. Ze lachte om iets wat Khaleh Leila had gedaan. Dat is het laatste wat ik me van haar herinner. Hoe ze lachte.' Dante zwijgt even. Hij haalt diep adem en probeert het onverwachte brok dat zich in zijn keel heeft gevormd weg te slikken. 'Er leek niks met haar aan de hand. Ik begrijp niet wat er gebeurd is.'

Op de bries die door het openstaande raam binnenkomt, waaien geluiden mee: het kraken van een deur, het kloppen van een kleed, het verre slaan met een hamer.

'Het was een hartaanval.' Forugh slaat haar ogen naar hem op; haar handen liggen nu onbeweeglijk op de goudgerande kopjes. 'Vroeg in de morgen. De dokter zei dat het acuut was.'

Dante wendt zijn blik af en kijkt door het raam naar de bloemen die zich koesteren in de warmte van de late ochtendzon. Hij wou dat hij ergens anders kon zijn, misschien hoog in de bergen bij Darband, uitkijkend over de stad, ver weg, onbereikbaar. Hij staat daar te luisteren naar Forugh die suikerklontjes in het bakje stort, overspoeld door een ontregelend en verdovend verdriet. Hij wou dat Forugh naar hem lachte.

Nadat Forugh Iran had verlaten en met haar moeder en Naser, haar moeders tweede echtgenoot, naar Duitsland was vertrokken, las Dante jarenlang Forughs brieven hardop aan Maman Zinat voor. Brieven die niet meer deden dan nieuws geven en die toch een en al droefheid waren. Brieven die geschreven waren in een net, behoedzaam handschrift, dat niet van vorm veranderde, niet rijpte en in de loop der jaren ook niet verbeterde of verslechterde. Een handschrift dat getuigde van het stilstaan van de tijd in die verborgen uithoek van de geest waarin herinneringen bleven hangen.

Soms zat er, weggestopt in het hart van een brief, een tekening van een rivier met daarin zwemmende zwanen. Net als het fresco in de gele kamer, maar toch anders. Het leek een tekening van wat Forugh zich van het fresco herinnerde. Andere keren waren er foto's van Forugh die in stilstaande beelden door het leven wandelde: verjaardagen, diploma-uitreikingen, jaarwisselingen. Dante leerde Forugh kennen door de verstarde illusie van haar glimlach in een omgeving die voor hem even wezensvreemd en ontzagwekkend was als alles wat Forugh zelf vertegenwoordigde in haar hartvormige gezicht en bruine ogen.

Nu hij voor haar staat beseft hij dat hij dat deel van zijn leven, het deel dat als een navelstreng met dit huis en de vrouwen erin verbonden is, geleid heeft onder de schaduw van de beelden, woorden en herinneringen van deze vrouw. En nu gunt ze hem niet eens een blik. Hij zou haar graag willen vertellen over de brieven, over de tekeningen.

'Laten we het fruit hier schikken,' zegt ze, of liever: beveelt ze. Met lange, elegante passen loopt ze naar de deur.

'Alles is boven in de koelkast,' roept hij haar na. 'Daar bewaren ze het fruit meestal.'

Forugh keert zich om met een blik die zo koud is als versplinterd ijs. Plotseling voelt hij zich in haar bijzijn als een kind, alsof ze hem met één blik, met één fluistering, met één glimlach kan wegvagen. 'Ik weet het,' zegt ze. 'Ik heb hier namelijk jarenlang gewoond.'

'Dat weet ik,' zegt Dante, geschrokken. Zijn mond is droog. 'Ik vertelde je alleen maar waar het fruit is omdat er twee koelkasten zijn.'

'Dat is goed. Zullen we het dan maar gaan halen?' Ze lijkt snel zijn blik te willen ontvluchten.

'Goed, laten we gaan.'

Zijn ogen volgen haar wanneer ze in de gang verdwijnt. Hij had deze plotselinge vijandigheid niet verwacht. Hij recht zijn rug en wuift met zijn hand alsof hij de lucht wil schoonvegen. Hij wil niets te maken hebben met wat er aan haar zenuwen knaagt. Hier niet en vandaag niet. Hij gaat liefkozend langs de rand van een van de schotels die netjes op het blad zijn neergezet en wacht even voordat hij haar volgt naar de keuken.

Leila slentert de gang in, daalt via de treetjes af naar de keuken, loopt langs de muur die Maman Zinat altijd had willen slopen maar nooit heeft gesloopt, en blijft staan bij het raampje dat uitziet op het weerkaatsende licht in de blauwe fontein.

Ze ziet hen werken, met de ruggen naar elkaar toe gekeerd. Forugh wast de minikomkommers in de wasbak, Dante laat de inhoud van een zak goudgele druiven ronddraaien in een bak met water.

Daar zijn ze, haar kinderen, de kinderen die ze nooit heeft gehad, in hetzelfde licht. De kinderen die ooit zonder moeder en vader waren – ze waren van haar en ze waren van Maman Zinat. Toen kwamen de moeders hen wegnemen. Ze moederden over hen en ineens viel alles in stukken. Ze moederden over hen en toen sloop de eenzaamheid binnen en verdween hun gelach door de blauwe deur. Haar hart knijpt samen wanneer ze aan Omid en Sara denkt. Ze kan niet wachten tot ze er zijn. Waarom duurt het toch zo lang?

Leila heeft zelf nooit kinderen gehad. Na die middag met Ahmad, die een herinnering werd die geen fysiek spoor naliet, verlangde ze er niet meer naar. Ze wilde in het huwelijk dat volgde en dat drie jaar standhield, geen kinderen van haar man. Misschien liep haar huwelijk daarom op de klippen. Maar het kon haar niet schelen. In dat stadium deed het er niet meer toe.

Is het leven, zo denkt ze, niet één lang dromerig lied over van elkaar gescheiden zijn?

Dante is de eerste die haar ziet. Met wijd open armen komt hij op haar af en ze geeft zich over aan zijn omarming. Wat is hij groot geworden, denkt ze, zoals ze altijd denkt wanneer hij haar omhelst, en de tranen stromen over haar wangen. Hij drukt een kus op haar hoofd. Ze blijft in zijn armen tot ze gekalmeerd is. Ze maakt zich los en kijkt hen aan.

'*Elahi bemiram khasteh shodid.*' Ik hoop dat ik nog eerder sterf dan je vermoeid zie.

Ze glimlachen en hun ogen staan triest. '*Khoda nakone!*' God verhoede het!

Leila doet de ijskast open en neemt er een kristallen kan uit. 'Kom, laten we een glas kersensorbet drinken.'

Forugh pakt de kan en schenkt het robijnrode vocht in drie glazen. Dante komt naar voren; het water druipt van zijn vingers. Ze reikt hem een glas aan. Hun blikken haken zich in elkaar. Het geluid van vrolijk mussengetsjilp komt door het raam. Hun blikken maken zich los.

Leila schuift een stoel bij en trekt het blad met dadels naar zich toe. Ze neuriet een droevig lied terwijl ze de dadels met haar duimen openmaakt, de pit eruithaalt en een stukje walnoot in het zoete binnenste stopt. Ze sluit de dadel weer en legt hem op het blad. Geleidelijk daalt er rust in de keuken neer, als in een moskee wanneer iedereen na het gebed vertrokken is.

Forugh en Dante werken samen. Wanneer de een wast, droogt de ander. Wanneer de een schoonmaakt, poetst de ander. Wanneer de een de porseleinen borden uit de kast haalt, zet de ander ze op tafel. Wanneer de een met de hand over de tafel strijkt, kijkt de ander toe. Wanneer de een ademt, luistert de ander.

'Maman Zinat was zo dol op dadels,' zegt Leila dromerig, melancholiek. 'Ze kocht ze met dozen tegelijk. En dat met haar suikerziekte! Het was toch zo'n zoetekauw. Ze heeft eens een keer vijftien meloenen tegelijk gekocht. De fruitverkoper kwam voorbij. Zodra ze hem hoorde roepen, zei ze dat ik hem moest aanhouden. Dat was nadat ze haar knie had gebroken. Vijftien kocht ze er. Ik zei steeds maar dat we maar met zijn tweeën waren en dat we ze nooit op zouden krijgen. Maar ze luisterde niet. Overal waren meloenen, in de koelkast, op de koelkast, achter de koelkast, onder de koelkast. En toen ze doorkreeg dat ze begonnen te bederven, ging ze twee meloenen per dag eten. Ze heeft ze allemaal in een week opgegeten.' Leila grinnikt. Forugh loopt naar haar toe en pakt haar hand. Dante houdt op met werken en komt voor hen staan.

'En hoeveel meloenen heb jij gegeten, Khaleh Leila?' zegt hij plagend, haar toelachend.

Ze gooit de dadelpit opzij en haar ogen glinsteren. 'O, misschien een paar.'

Forugh glimlacht en streelt Khaleh Leila's peper-en-zoutkleurige haar.

'Ik heb altijd geprobeerd zoetigheid voor haar te verbergen,' vervolgt Leila, 'maar ze vond die toch. Er was geen plekje veilig in dit huis.'

'Ze heeft mij weleens dadels voor zich laten kopen,' zegt Dante. 'Ze zei dan dat ik ze in mijn tas moest verstoppen zodat jij ze niet zou zien en ze meteen naar haar kamer moest brengen.'

'O, en deed je dat? Foei!'

'Wat had ik dan gemoeten? Maman Zinat kreeg altijd haar zin. Ik kon geen nee zeggen.'

Ze moeten allebei lachen. Forugh houdt op met Leila's haar strelen. Leila voelt de gespannen zwaarte van haar onbeweeglijke hand op haar hoofd.

'Onze Forugh heeft er zelf ook de nodige gegeten. Houd je nog steeds zo van meloen?'

'O, ja.' Forugh laat een kort, geforceerd lachje horen. 'Ik zou er zó vijftien op kunnen eten.'

Leila klopt op Forughs hand. 'Wanneer jullie hier klaar zijn, moeten jullie maar eens het album doorkijken om een leuke foto van Maman Zinat te zoeken die op de tafel bij de ingang kan staan.'

'Dat doe ík wel,' zegt Forugh, Dante niet aankijkend. 'Waar liggen de albums?'

'Er is er maar een. Het ligt in de kledingkast in mijn kamer. Ik denk dat je er ook wel een lege lijst vindt.'

'Ga je gang maar,' zegt Dante. 'Ik maak het hier wel af.'

Forugh loopt de keuken uit. Leila kijkt op naar Dante, die zich van haar af wendt.

Forugh zit met het album op schoot in Maman Zinats leunstoel. Ze bekijkt de foto's aandachtig, een voor een, en laat haar vingers over de gekreukelde, vergeelde cellofaan hoesjes gaan die de foto's beschermen. Het lukt haar nog steeds niet te geloven dat Maman Zinat er niet meer is. Het voelt onwerkelijk, onmogelijk, absurd, haar afwezigheid. Haar vingertoppen strijken over Maman Zinats gezicht, haar halfgesloten ogen op de ene foto, haar lachende mond op de andere, haar hand die een bord druiven vasthoudt. Forughs ogen worden omfloerst. De hoesjes ritselen wanneer ze de bladzijden openpeutert die in de loop der jaren aan elkaar zijn gaan kleven.

Ze herinnert zich Maman Zinat het meest thuis, voor het fresco zittend. Toen ze nog klein was kamde Forugh altijd Maman Zinats haar wanneer ze met een stoomwolk achter zich aan uit de douche kwam. Ze gingen dan in Maman Zinats kamer op de grond zitten met de ramen open, uitkijkend op de geraniums op de binnenplaats. Maman Zinat zat met één been gebogen en het andere recht voor zich uit. Forugh zat achter haar, turend naar Maman Zinats naakte benen met de mollige knieën. Men zei tegen Forugh dat ze de knieën van Maman Zinat had, datzelfde ronde, diezelfde zachte zijkanten. Forugh keek naar haar eigen knieën en vroeg Maman Zinat dan of het echt waar was dat ze dezelfde soort knieën hadden.

Maman Zinat schoof heen en weer tot ze lekker zat op de witte handdoek onder haar. Een handdoek onder haar en een om haar robuuste schouders geslagen, nauwelijks haar weelderige borsten bedekkend.

'Natuurlijk,' zei ze dan. 'Knieën en nog veel meer.'

Het lange natte haar droop op haar schouders en de druppels gleden over haar rug naar beneden. Forugh haalde de kam door de dikke haarmassa, helemaal tot beneden aan toe, terwijl het water in haar gezicht spatte.

Nu tilt de bries een paar haarslierten op en laat ze op haar wang vallen. Ze veegt het haar weg, kijkt op en staart door het raam naar de binnenplaats. Die is veel kleiner dan ze zich herinnert. De muren zijn lager, zelfs nu er een afrastering op zit. Ze herinnert zich hoe ze tijdens zomernachten om aan de hitte te ontsnappen allemaal op de binnenplaats sliepen: Forugh, haar moeder Simin, Khaleh Parisa, Sara, Omid, Maman Zinat en Khaleh Leila. Alleen Aghajaan sliep binnen. Hij hield er niet van in de openlucht te slapen. Maar nu kan ze zich niet meer voorstellen dat ze er allemaal in gepast hebben. Waar sliepen ze allemaal?

Toen ze haar moeder had verteld hoe klein ze de binnenplaats had gevonden, had haar moeder lachend gezegd: 'En wat dacht je van de tuin?'

Aan de linkerkant van de binnenplaats staat alleen de dadelpruimboom; de takken zijn kaal, oud en somber. Het is niet meer de boom die ze zich herinnert, met takken die doorbogen van de bladeren en het fruit. Maar ze moet wel bedenken dat het niet het seizoen is. Ze had eerder moeten komen. In hetzelfde bloembed staat een frambozenstruik. In haar herinnering is de struik meer een boom, met Omid bovenin, die zittend op een tak frambozen plukt. Met vlekken op zijn witte overhemd, paarse vlekken, frambozenvlekken. Maar dat alles kan onmogelijk gebeurd zijn. Frambozen groeien niet aan bomen.

Ze herinnert zich ook een schommel die doelloos boven kleine steentjes hing. Ooit liet Simin Naser, een vriend van haar vader, die een paar jaar later Forughs stiefvader werd, Forugh op die schommel duwen. Ze dacht waarschijnlijk dat het Forugh blij zou maken als ze op de schommel zat, of misschien dacht ze dat de schommel Forugh en Naser dichter bij elkaar zou brengen.

Forugh weet nog dat ze heel hoog ging op de schommel. Naser bleef haar maar hoger duwen. Forugh weet nog dat ze bang was, zo bang dat ze niet eens haar ogen dicht kon doen. Haar moeder was binnen. Ze lag met de rug van haar pols op haar ogen. Forugh was te bang en te verlegen om haar moeder te roepen. Dus beet ze maar op haar tong, daarna op haar lippen en toen op de binnenkant van haar wangen. Het smaakte allemaal naar bloed.

Ze herinnert zich de rauwe woede die ze jegens haar moeder had gevoeld omdat ze Naser haar zo hard had laten duwen. Ze weet nog dat ze doodsbang was en had willen huilen. Haar moeder had waarschijnlijk gedacht dat Forugh het fijn zou vinden op de schommel, dat Forugh het leuk zou vinden om door de lucht te vliegen. Maar Forugh had alleen maar angst gevoeld, en wanhoop dat er niemand was die ze kon roepen.

Dantes voetstappen in de deuropening onderbreken haar gedachtestroom. Hij draagt een enorme schaal met fruit. Forughs ogen rukken zich los van de binnenplaats en schieten terug naar het album.

'Heb je de juiste foto gevonden?' vraagt hij, terwijl hij de schaal op tafel zet.

Forugh aarzelt even. 'Nog niet.' Uit haar ooghoek ziet ze Dante naast de tafel staan; hij kijkt naar haar. Ze merkt dat ze het plezierig vindt door hem gadegeslagen te worden en voelt de warmte naar haar wangen stijgen. Ze tilt haar kin op maar kijkt hem niet aan.

'Er is een foto van Maman Zinat die ik heel mooi vind,' zegt hij.

Forugh laat even een stilte vallen en vraagt dan: 'Welke?'

'Ze staat hier op de binnenplaats voor de pruimenboom. Het is herfst en de boom zit dus vol vruchten, niet zoals nu. Ze kijkt niet naar de camera en lacht.'

'Zit hij hierbij?'

'Nee,' zegt hij glimlachend. 'Ik heb hem in mijn porte-feuille.'

Dantes hand glijdt in zijn achterzak en haalt er een porte-feuille uit. Hij zoekt er even in en haalt er dan een foto uit.

'Hier.' Hij loopt naar haar toe, de foto in zijn uitgestrekte hand. Forugh kijkt hem niet in de ogen, die vriendelijk staan, en kijkt ook niet goed naar zijn lach, die droevig is en haar een schuldgevoel geeft dat ze niet wil erkennen. Ze pakt de foto aan, half nieuwsgierig, half boos op zichzelf omdat zij geen foto van Maman Zinat in haar portemonnee heeft zitten. Hij is inderdaad mooi. Misschien de mooiste afbeelding die ze ooit van Maman Zinat heeft gezien. Maman Zinat zoals ze zich haar herinnert, zoals ze zich haar wil herinneren, met haar luide, heldere stem en stille lach en haar onbehaaglijke gevoel wanneer er een foto genomen wordt.

Ze bekijken de foto zwijgend. Forugh legt haar hand op het album om het trillen tegen te gaan. Het dunne cellofaan hoesje voelt warm tegen haar huid.

'Khaleh Leila heeft het lichaam gewassen,' zegt ze zonder haar ogen van de foto te halen. 'Ze heeft niemand in de bad-kamer gelaten – mij niet en ook niet de vrouw die het kwam doen. We hebben voor de deur staan wachten voor het geval ze ons nodig had. Dat gebeurde niet. Ze riep pas toen ze klaar was. Ze had Maman Zinat in een witte jurk en hoofddoek gekleed. Die vrouw moest de lijkwade mee terugnemen.'

Dante leunt licht tegen de leunstoel. 'Maman Zinat heeft altijd gezegd dat ze nooit in een lijkwade gehuld wilde worden.'

'Ze was bang voor lijkwaden.'

'En voor alleen zijn.'

En ze maakte zich altijd zorgen, denkt Forugh. Ze maakte zich zorgen wanneer ik moe was. Ze maakte zich zorgen wanneer ik verdrietig was.

Ze maakte zich zorgen wanneer ik niet wilde eten. Ze maakte zich zorgen wanneer ik niet wilde slapen.

Ze maakte zich zorgen toen ik niet met mijn moeder mee wilde gaan.

Ze maakte zich zorgen toen ik met mijn moeder meeging.

Een verzameling witte wolken schuift voor de zon en zet de fontein en de helft van de pruimenboom kort in de schaduw. Dan zweven de wolken verder en heeft de zon weer vrij spel.

'Vertel me eens over de laatste dag waarop je haar gezien hebt,' zegt Forugh. 'Ze lachte?'

'Ja.' Hij lijkt verbaasd door haar plotselinge openheid. Ze begrijpt die zelf niet en wil er ook niet te lang over nadenken. Ze wil hem gewoon horen praten. Ze wil dat hij iets over Maman Zinat vertelt. 'Ze lachte om Khaleh Leila.'

'Waarmee had Khaleh Leila haar aan het lachen gemaakt?'

'Ze was met mijn moeder aan het kibbelen over het recept voor een gerecht en Maman Zinat moest gewoon om Khaleh Leila lachen omdat ze zich zo opwond en helemaal rood aanliep.'

Dante gaat naast haar op het kleed zitten, zijn armen om zijn knieën geslagen, zijn ogen twinkelend. Forugh voelt dat haar lichaam zich spant door de nabijheid van zijn lichaam daar bij haar voeten.

'Ze was heel blij dat jij kwam,' zegt hij. 'Ze had het er de hele tijd over.'

'Ik was lang weggeweest,' zegt Forugh, en ze denkt aan de brede straten van Berlijn, de kleurige gebouwen van Kreuzberg die zo markant afstaken, zo opvielen tegen de vroeg donker wordende middaglucht. Aan de eerste schooldag, toen ze omringd werd door kinderen met blauwe ogen die barstten van de nieuwsgierigheid en die haar vroegen hoe ze heette. Forugh, die het niet begreep en zo bang was dat ze er bijna duizelig van werd, had gezegd: ik weet het niet.

'Ja, inderdaad,' mompelt hij peinzend. 'Maman Zinat had het over alles wat ze met je wilde doen, alle gerechten die ze voor je wilde bereiden. Ik had haar in lange tijd niet zo opgewonden gezien.'

Forugh verlegt het album op haar schoot en gooit de lange haarstrengen over haar schouder. 'De dag na mijn aankomst nam ze me mee naar de markt en vroeg me welk fruit ik wou. Ze kocht wat er maar te koop was op de markt, alsof ze dacht dat ik nog nooit fruit had gegeten.'

Dante trekt zijn benen dichter tegen zijn borst aan. De huid van zijn onderarmen is glad, de kleur van goud. 'Ze wist dat je erg van granaatappels hield. Ze bewaarde ze voor je in de vriezer.'

Ze lacht. 'Dat was het eerste wat ze me gaf. Op de dag waarop ik aankwam.'

De bloemblaadjes van de geraniums fladderen als vlinders in de bries. Een kraai roept terwijl hij over de binnenplaats vliegt. Forugh geeft Dante de foto terug.

'Je mag hem gebruiken als je dat wilt,' zegt hij.

'Ik denk dat ik een andere kies.' Forugh slaat de bladzij

om; ze is plotseling nerveus, voelt zich bedreigd. 'Deze is te klein.'

Even is het stil. Dante komt overeind en vertrekt zonder één woord te zeggen.

Het was Leila die het lichaam vflowooroverliggend op de grond aantrof. De laatste adem verdampte door de roze en groene knopen van het kleed.

Leila greep naar haar buik en brulde het uit op de binnenplaats. Luid jammerend wankelde ze tussen de geraniums door. Even later verschenen de buren op terrassen, op daken en op balkons die van het ene huis naar het andere leidden. Kinderen met slaperige gezichten klommen over de muren. Mannen stuurden eerst hun vrouw en kwamen toen zelf, want Leila bleef maar brullen. Forugh stond bij het raam, zo bleek als maanlicht, naar adem te snakken. Een paar vrouwen namen Leila bij de schouders en riepen dat iemand suikerwater moest komen brengen. Een van de vrouwen nam haar gouden ring van haar vinger, liet die in het glas vallen, roerde erin met een lepel en drong er zachtjes bij Leila op aan ervan te drinken; de gouden ring lag als een verloren schat op de bodem.

In hun armen zakte Leila ten slotte in elkaar. Ze legden haar op een houten bank tegen de muur, hielden haar hoofd omhoog en wreven over haar schouders. Met trillende lippen nam ze een paar slokken van het suikerwater. Haar keel kon geen geluid meer voortbrengen. Ze sloot haar ogen en het eerste zachte daglicht blonk in haar tranen.

Later, toen iedereen weg was, sloot ze zich op in de kamer die al naar de giftige stank van eenzaamheid rook en deed wat ze jaren niet had gedaan, niet sinds die dag met Ahmad: ze huilde.

Zwarte gordijnen, lang, elegant. Dante komt ermee binnen; ze zijn over zijn uitgestrekte armen gedrapeerd, zodat ze niet zullen kreuken. Leila is minstens een uur bezig geweest ze te strijken. Forugh stopt een foto in de lijst. Ze sluit hem aan de achterkant, keert hem om en inspecteert hem. Ze ziet hem binnenkomen, maar vraagt hem niet naar zijn mening. Hij weet niet welke foto ze heeft gekozen. Hij legt de gordijnen op de grond.

'Wat zijn dat?' vraagt Forugh, terwijl ze opstaat met de lijst tegen haar borst geklemd.

'Gordijnen.'

'Gordijnen?' Ze doet een stap naar voren. 'Maar ze zijn zwart.'

'Khaleh Leila wil de witte gordijnen door deze vervangen.'

Het witte kant zwiept tegen het raam wanneer Dante de koorden die ze bijeenhouden losmaakt. Het smetteloze wit. Maman Zinats gordijnen. Smetteloos als zijzelf. Dante denkt aan Maman Zinats geur, de geur van schoon. Hij hangt nog in haar kamer. Hij ruikt hem telkens wanneer hij er voorlangs loopt; hij treuzelt, lichaamloos, als een geest die niet kan wegkomen.

'Herinner je je de geur van Maman Zinat nog?' zegt hij, vervuld van een weemoed die hij niet kan bedwingen. 'Ze rook altijd zo schoon.'

Forugh kijkt naar hem. Het zonlicht schijnt door het kant en ze knippert met haar ogen. Haar bruine ogen zijn in het licht goudkleurig. Ze trekt haar wenkbrauwen op en maakt haar ogen groter, waarin, heel even maar, een spottend lachje zweemt, alsof ze niet kan geloven dat hij kan weten hoe Maman Zinat rook.

Ze drijft de spot met me, denkt Dante, terwijl hij overvallen wordt door een gevoel van uitputting en irritatie. Hij voelt de woede als een golf in zijn lichaam opstijgen, hij heeft er genoeg van. Hij wil niets meer met haar gecompliceerde drang hier thuis te horen te maken hebben. Hij wil met rust gelaten worden, haar met rust laten. Hij is plotseling moe.

'Inderdaad,' zegt Forugh, en ze strijkt met haar hand over de zwarte gordijnen en stapt op een ander onderwerp over. 'Ik weet alleen niet of zwarte gordijnen wel zo'n goed idee zijn. Ze maken de kamer donker.'

Met haar andere hand houdt ze de lijst nog steeds tegen haar borst geklemd. Dante vraagt zich af of ze hem zo vasthoudt omdat ze niet wil dat hij hem ziet. Hij merkt dat dat klemmen hem tegen de haren in strijkt, dat bezitterige dat ervan uitgaat, dat lachje, dat lompe afwijzen van zijn attenties.

'Ik weet zeker dat Maman Zinat die gordijnen niet zou willen,' verzekert Forugh hem.

'Maar als Khaleh Leila ze wil, dan doe ik dat en hang ik ze op,' zegt Dante nijdig, zijn woede de vrije loop latend. Hij voelt ergens diep vanbinnen schaamte, maar hij zet door. Hij is het zat mee te moeten voelen met haar verlies terwijl zij het zijne luchthartig wegwuift. Hij is het zat afgewezen te worden. Alsof het zijn schuld is dat ze ergens anders was en niet hier. Ze kan niet na al die jaren terugkomen en het heden voor zich opeisen, het zich toe-eigenen. Het leven is niet een ongeoefend handschrift dat nooit verandert.

'Ze zullen de kamer niet te donker maken; het is tenslotte kant,' vervolgt hij, terwijl hij op zijn tenen gaat staan om het gordijn van de stang te trekken. Als hij betuttelend klinkt dan

moet dat maar. Ze is een volwassen vrouw. Ze kan het hebben. 'En bovendien zijn zwarte gordijnen toepasselijker bij begrafenissen. Maman Zinat zou willen wat toepasselijk is. Dat
zou jij moeten weten.'

Forugh gaat een pas achteruit. Hij denkt dat hij haar adem
hoort stokken, maar hij weigert haar aan te kijken. De herinnering aan dat minachtende lachje, aan Forughs nerveuze
vijandigheid, zit hem nog steeds niet lekker.

Even later komt Forugh dichterbij en pakt de zijkanten van
het witte gordijn terwijl hij het op de grond laat zakken. Het
zonlicht blikkert door het raam terwijl Dante verdergaat met
het andere. Het gordijn ruist in Forughs handen terwijl ze het
opvouwt. Ze legt het op tafel en neemt het andere van hem
aan.

Wanneer ze de gordijnen op elkaar op tafel heeft gelegd,
legt ze even haar handen op elkaar alsof ze niet weet wat ze
nu moet doen. Dante slentert naar de plek waar de zwarte
draperieën op de grond liggen, als een indolente vrouw die in
bed ligt. Nu hij zijn woede kwijt is, voelt hij zich nog ver-
moeider. Hij zou op de gordijnen willen gaan liggen en slapen. Wie ben ik dat ik kan beslissen wie wat kan opeisen?
Denkt hij.

Forugh helpt hem; ze houdt het zwarte gordijn vast terwijl
hij de stang door de bovenkant steekt. Hij kijkt haar stiekem even aan. Ze heeft haar hoofd over de stof heen gebogen. Hij kan niet voorbijzien aan de droefheid die door de
krans van haar wimpers piept. Terwijl hij de stang voorzichtig weer in de bronskleurige metalen houders schuift,
wou Dante dat hij houvast kon vinden in de mêlee van
emoties die hij voelt voor deze mooie, trotse, aanmatigende
vrouw, die haar handen langs de zijkanten van het gordijn
laat gaan en loslaat.

Door het zwarte kant zijn, als liefdesbeten, de paarsroze pluimen van de jacarandaboom te zien.

De gasten zijn gearriveerd. Het zijn allemaal vrouwen. De
paar mannen die eerder zijn gekomen, zijn na een ceremonieel
halfuurtje vertrokken. Want dit is geen plek voor mannen. Dit
huis is een vrouwendomein. Sinds de dood van Aghajaan hebben er in dit huis vrouwen geheerst zonder dat iemand of iets
hun in de weg stond. In de loop der jaren zijn vrouwen uit
naburige huizen er hun toevlucht komen zoeken. Vrouwen die
nergens heen konden. Ze zijn allemaal in dit huis terecht-
gekomen: jonge vrouwen die een echtgenoot ontvluchtten,
meisjes die van huis wegliepen, vrouwen die niet wisten wat
ze met hun kinderen aan moesten. Het huis was hun toe-
vluchtsoord, waar niemand hen kon komen lastigvallen.

Vrouwen met wijd open, glimlachende ogen waar de tranen
uit druppelen doen hun zwarte chador uit, waarna grijs haar,
soepele rondingen en verweerde handen tevoorschijn komen.
Ze gaan op roodfluwelen kussens op de grond zitten, om
Khaleh Leila heen. Hun geweeklaag weergalmt door het huis.

Dante zet borden met halva en dadels voor hun gekruiste
benen op het kleed neer. Forugh gaat de gele kamer in voor de
thee, maar daar wacht haar een ramp. Ze treft de elektrische
kraantjespot hijgend en puffend aan, krachtige stoomwolken
uitblazend. Ze is vergeten hem op een lagere temperatuur te
zetten. Ze holt de kamer door en tilt het stalen deksel op. Een
heftige stoomaanval komt tegen haar pols aan. Ze trekt met
een ruk haar hand terug, waarbij ze met een harde klap het
deksel op tafel gooit. De zachte huid is pijnlijk roze geworden. Ze blaast op de schrijnende pijn. Al het water in de pot

is verdampt – er zijn alleen nog maar boze, onstuimige stoom-uitbarstingen.

In de keuken zet ze de kraan open en houdt haar gloeiende pols onder de stroom koud water terwijl de tranen op de loer liggen. Ze pakt een plastic kan van de plank en kijkt naar het water dat erin stroomt terwijl er in haar lichaam een golf van angstgevoelens opstijgt. Er zijn twee volle kannen nodig om de kraantjespot weer te vullen.

Wanneer ze weer in de gele kamer is, herschikt ze de kopjes op het zilveren blad. De roze brandplek op haar pols is vuur-rood geworden en haar handen trillen. Door de smalle deur met glas-in-loodramen die naar het gastenvertrek leidt, zijn wanstaltige schaduwvormen te zien die bij elkaar tegen de muur aan zitten. Forugh luistert naar de gesmoorde geluiden van verdriet. Ze kan Khaleh Leila's gesnik onderscheiden. Inmiddels herkent ze de rauwe verstikte klank, alsof sterke handen voortdurend in haar nek knijpen en haar snikken terugduwen in haar keel.

Forugh denkt aan Maman Zinats zachte lach en hoe haar schouders daarbij op en neer gingen. Ze denkt aan haar eigen moeder, die op dit moment in een ziekenhuisbed ligt te wach-ten tot haar nierstenen verwijderd worden, alleen, zonder haar dochter. En nu zonder moeder. Simin had aan de telefoon zo hard gehuild toen Forugh haar vertelde dat Maman Zinat dood was, dat het voelde alsof de telefoon in haar oor uiteen zou spatten. In het ziekenhuisbed kon ze zich niet bewegen, maar Simins stem was even sterk als altijd, zo sterk als die van haar moeder. Wanneer ze aan haar denkt, wordt Forugh ge-grepen door een oneindig verdriet en een oneindige eenzaam-heid.

De deur gaat open en Marzieh, Dantes moeder, komt bin-nen. Ze heeft grote, vriendelijke ogen die nat zijn van de tranen. Ze snuit haar neus in een roze papieren zakdoekje en lacht Forugh ongelukkig toe. Ze ziet eruit als iemand die niet kan ophouden met glimlachen, zelfs niet wanneer de dood wenkt. Wanneer ze naar haar kijkt, krijgt Forugh een nijpend gevoel in haar borstkas. Haar blik flitst over Marziehs gezicht heen, springt van links naar rechts. Forugh merkt dat ze in de natte, aan elkaar geplakte wimpers, de warrige wenkbrauwen, de zachte mond, de scherpe, sterke kaak, de zachte groene ogen naar een afspiegeling van Dante zoekt. Ze begrijpt zichzelf niet. Ze kan er niets aan doen. Ze kijkt naar de moeder en zoekt naar het beeld van de zoon. En doordat Dante voor haar geestesoog vorm krijgt, voelt ze ergens in de diepste lagen van haar lichaam, op een moment dat ze dat het minst verwacht, de aarzelende rimpelingen van verlangen.

De kraantjespot begint even later weer witte stoom uit te blazen. Deze keer zet Forugh hem laag. Ze giet de thee uit de ketel in de kopjes en schuift een van de kopjes onder de tuit van de kraantjespot en draait de kraan open. Er spuit kokend water in het kopje, waardoor roodgouden schuim opborrelt.

'Dit is net Dantes tweede thuis,' zegt Marzieh met een handgebaar naar de kamer. Een gebaar dat alles aanduidt: de glas-in-looddeur, de plank met daarop de spiegel met porseleinen omlijsting, het fresco, de kraantjespot, het kleed onder hun voeten. 'Hij woonde hier toen ik met jouw tante Parisa in de gevangenis zat. Toen Parisa vrijkwam, zei ze dat ik Dante hierheen moest sturen. Ze wist dat ik niemand had bij wie ik hem kon achterlaten. Toen leefde je opa ook nog. Ze namen hem op alsof hij hun eigen kleinkind was. Net als jou en je neef en nicht.' De tranen wellen weer in Marziehs ogen op. Haar stem wordt beverig. Het roze zakdoekje danst om haar gezicht. 'Ik zal die vriendelijkheid nooit vergeten.'

Forugh staart haar aan. Ze herinnert zich nu het jongetje en een bejaard echtpaar dat hem bracht. Simin had hem een paar maal genoemd. Hoe kon ze dat zijn vergeten? 'Ik was vergeten dat Dante hier had gewoond,' mompelt ze. Ze voelt dat ze rood aanloopt.

Marzieh knikt terwijl ze haar neus snuit. 'Dat was een paar maanden nadat jij naar Duitsland ging. Ik heb hem eerst naar mijn ouders gestuurd, maar die konden niet voor hem zorgen. Mijn moeder had kanker. En mijn schoonfamilie had mijn man verstoten vanwege zijn politieke activiteiten. Ze wilden niets meer met hem te maken hebben. Leila en jouw grootouders hebben mijn leven gered. Ze namen hem op alsof hij hun eigen zoon was. Hij heeft hier twee jaar gewoond.' Dan roept Marzieh plotseling, handenwringend naar de kraantjespot kijkend: 'Pas op!'

Forugh keert zich om. Het kokende water loopt over de rand van het kopje het blad op. Forugh draait gauw het kraantje dicht.

Dante loopt naar de glas-in-looddeur. Hij heeft al tweemaal dadels en halva geserveerd terwijl iedereen zat te wachten op de thee. Ten slotte stuurde zijn moeder hem naar Forugh om haar een handje te helpen.

'Ze is niet aan dit soort dingen gewend,' fluistert zijn moeder in zijn oor. 'Ze morste thee over de hele tafel. Ga haar maar een beetje helpen.'

Forugh is druk bezig de kopjes met een theedoek af te drogen wanneer hij bij haar komt. Hij sluit de deur en gaat ervoor staan.

'Heb je daar hulp bij nodig?' zegt hij. Hij houdt zijn stem

vlak, afstandelijk, vast van plan niet meer aan haar toe te geven.

Ze kijkt naar hem op. Heel even verzacht de blik in haar ogen zich. Ze ziet er kwetsbaar uit, broos. Hij voelt de drang haar kleine lijf te omhelzen, haar fragiele handen vast te houden, haar voor de wereld te verstoppen. Hij begint aan een beweging, het uitsteken van zijn hand. Dan ziet hij iets flikkeren, vlak voordat ze haar blik abrupt afwendt. Iets wat op verharding lijkt. Het gebeurt zo snel dat Dante niet goed weet of het geen verbeelding is. Zijn hand trekt zich bliksemsnel terug.

'Nee, het gaat wel,' zegt ze. 'Bedankt.'

'Iedereen zit namelijk al een hele tijd op de thee te wachten. Ik heb tweemaal dadels en halva geserveerd. Het is tijd om met de thee te komen.'

Forugh knijpt haar lippen samen. Haar kaken zijn op elkaar geklemd en puilen iets uit. Hij ziet dat hij haar boos maakt. Haar boosheid maakt hem plotseling bang. Haar onderlip is iets naar voren gestoken. De gladde, vlezige ronding stoort hem. Hij probeert niet naar haar mond te kijken, of naar de enorme ogen die naar hem terugflitsen. Hij leunt met zijn rug tegen de muur en slaat zijn armen voor zijn galopperende hart over elkaar.

Forughs gezichtsuitdrukking heeft iets wat Dantes haren te berge doet rijzen. Zij brengt hem acuut terug naar een nacht lang geleden, toen hij voor het eerst leerde wat het betekende om met een eenzame moeder te leven. Het was een week voor Nowruz. De hele stad gonsde van de laatste voorbereidingen voor Nieuwjaar. Goudvissen zwommen rond in kommen met water, de tarwe- en linzenkiemen lagen in kleurige aardewerken schalen met rood-roze linten eromheen, hyacinten geurden in ovale kristallen vazen, moeders sleepten vermoeide kinderen achter zich aan en deden de laatste bood-schappen. Er was overal feestverlichting. Straat na straat, win-kel na winkel, overal schenen de pinkellichtjes die de nacht als kleurige dauwdruppels omhelsden.

Marzieh had net een auto gekocht, een oude, crèmekleurige Peykan. Er was bijna weer een jaar voorbij waarin Dantes vader nog steeds in de gevangenis zat. De avond was koud, de lucht helder. Dante zat aan de eettafel zijn huiswerk te doen, toen zijn moeder de kamer binnenkwam en met een klap een krant op tafel legde. 'Laten we naar de lichtjes gaan kijken,' zei ze, met haar kleine hand op de tafel steunend.

'Maar ik moet huiswerk maken.'

'Kom op. Het duurt niet lang. We rijden alleen maar wat rond hier in de buurt.'

'Ik moet het afmaken. Ik heb nog veel te doen.'

Dante zag een nieuwe schaduw van woede in zijn moeders ogen exploderen, woede, donker in zijn wanhoop, een zwer-vende wanhoop, die nu en dan vertrok, maar altijd terug-keerde, donkerder en destructiever dan ervoor.

'Wat heb je dan de hele dag zitten doen? Dit is geen tijd om huiswerk te maken. Dit is de tijd om iets met je moeder te doen.'

Dante keek weer naar het opengeslagen schrift, terwijl de klauwen van zijn moeders eenzaamheid zijn keel dichtkne-pen. 'We rijden iedere dag langs de lichtjes,' protesteerde hij zacht, onzeker naar haar opkijkend. Hij miste Maman Zinat en Khaleh Leila nog steeds en huilde iedere nacht in zijn slaap.

Marzieh hield haar mond. Een zenuw trok onrustig onder haar oog. Haar groene ogen glinsterden bij het gele licht in de kamer. Er school een lawine in, klaar om zich naar beneden te storten en hen te bedelven. Haar gekwetste zwijgen maakte de lucht kil. 'Ik zal je nooit meer ergens om vragen.' Ze keerde zich om en vloog de kamer uit, een wolk droevige parfum achterlatend.

Dante bleef even zitten. In hem sloeg een sterk schuldgevoel zijn enorme vleugels uit. Hij stond langzaam op, sloot zijn boeken en stapelde ze op de hoek van de tafel op. Buiten zag hij zijn moeders silhouet in de auto, de handen om het stuur geklemd. Dante opende het portier en stapte in. Hij weet nog dat zijn moeder hem niet aankeek. Ze staarde voor zich uit naar een onbekend punt tussen de schaduwen en de wind. Het was heel stil. Na een poosje zette ze eindelijk de motor aan en de stille tocht langs de Nowruz-lichtjes begon.

'We mogen in deze stad dan misschien niets hebben,' verbrak Marziehs stem eindelijk de klamme, verstikkende stilte, 'maar we kunnen in ieder geval naar de lichtjes kijken.'

Kleine lichtjes gleden langs. De verwarming zoemde treurig. Dante weet nog dat hij naar zijn moeder keek, maar niet naar haar ogen. Hij was bang voor wat die zouden zeggen, voor de beklemmende behoefte aan hulp. Hij keek naar zijn moeders mond en de transpiratie die op haar bovenlip glinsterde in het vrolijke licht. Om hen heen raasde stil de overduidelijke eenzaamheid.

En nu hij naar Forugh kijkt, ziet hij dezelfde blik. Een blik die zowel trots als geknakt is.

De deur gaat open en Dante ziet zijn moeders hoofd om de deur heen gluren. 'Forugh, jaan, we zitten nog steeds op de thee te wachten. Duurt het nog lang? Zal ik het komen doen?'

Forugh doet haar mond open. Ze lijkt iets te gaan zeggen. Maar ze doet hem weer dicht en vervalt in een gespannen, vijandige stilte. Dante ziet haar kin trillen. Ze blijft naar het blad staren zonder een spier te vertrekken, zonder één woord te zeggen. Haar borstkas gaat op en neer. Haar hand gaat naar de kop thee die ze zojuist heeft gevuld. Dante en zijn moeder zien haar haar vingers om de kop leggen en hem oppakken. Ze kijkt hen geen van tweeën aan. Ze tilt haar arm op en smijt de kop tegen het fresco, waar hij versplintert.

De rode theedruppels spatten over het blauwe meer. De zwanen zien eruit alsof ze bloeden.

Haar ogen staan wild, haar mond is vertrokken alsof ze naar lucht hapt en Forugh maakt een geluid, een gejank, een gejammer, een verstikte snik. Het is moeilijk te zeggen. Ze rent de kamer uit.

Dante rent achter haar aan.

Glazen weckpotten met in azijn ingelegde knoflook, bloemkool, wit en glanzend in zout water, bruine, langhalzige flessen met citroensap erin en olijven gemarineerd in granaatappelsap met fijngemaakte walnoot.

De geur van azijn prikt in haar neusgaten wanneer Forugh de reusachtige treden naar de kelder afloopt. Een kaal peertje boven de trap verspreidt wazig geel licht. De lucht in de kelder is koel, zuur en vochtig. Alle vaten, potten en bakken staan keurig tegen de grijze muur of op de twee planken die er in een ronde uitsparing in zijn gezet. Sinds haar terugkeer is Forugh niet hierbeneden geweest. En toch was dit vroeger haar veilige haven. Waar ze kwam om na te denken, of te spelen, of zich te verstoppen wanneer er een vreemde in huis was: een buur, een vriend of de elektricien. Ze slentert de lange, smalle kelder door en snuift de azijngeur van haar jeugd op.

Ze loopt langs de flessen, glazen vaten en plastic bakken, langs zakken rijst, roze plastic zakken met aardappels en uien, potten jam, langs ongebruikte potten en pannen, die opgestapeld staan op een plek waar geen licht komt en alles in duis-

ternis gehuld is. En terwijl ze daar loopt komt het oude vredige, beschermde gevoel geleidelijk weer over haar. Ze gaat
op een betegelde plank zitten en slaat haar armen om haar
knieën. De muur voelt koel tegen haar schouders. Ze zit in
het donker, een eenzame vrouw die terugkijkt op de grijswitte muur van haar jeugd.

Ze denkt terug aan de dag waarop ze haar moeder voor
het eerst zag. Ze was vijf. Omid en Sara waren al weg. Forugh
wist dat zij ook gauw aan de beurt zou zijn; gauw zou de dag
aanbreken waarop ook zij weg zou moeten.

Forugh wilde de nacht niet bij haar moeder doorbrengen.
Ze klemde zich vast aan de rokken van Maman Zinat en Khaleh Leila. Ze huilde hard. Ze brulde het uit. Ze schopte. Ze
was bang voor de vrouw die tegen haar zei dat ze haar 'moeder' moest noemen. Een broodmagere, verloren vrouw, met
glanzende ogen die gloeiden van verwijt, van onuitsprekelijke
pijn, en met een vreemde, krakerige klank in haar stem, als een
vuur dat aan het uitgaan is.

Nadat ze tevergeefs urenlang had geprobeerd Forugh in
haar armen te lokken met lachjes, liefkozingen en kussen,
kneep Simin Forugh ten slotte in haar dij. Haar gezicht verwrongen van pijn, woede en wanhoop. 'Kom in mijn armen,'
beval ze. Ze smeekte. Forugh jammerde nog luider. Simin
kneep haar weer, terwijl haar eigen tranen wedijverden met
die van haar dochter.

Die nacht sliep Simin zonder haar dochter. Forugh bracht
haar laatste nacht door in de beschermende warmte van de
lichamen van Maman Zinat en Khaleh Leila.

De volgende ochtend praatte Aghajaan eerst lang met Forugh;
hij zei dat ze van haar moeder moest houden en blij moest zijn
omdat haar moeder nu altijd bij haar zou zijn, en dat Maman
Zinat er ook zou zijn, en hij en Khaleh Leila en Omid en Sara

ook, en dat Forugh nooit alleen zou zijn, omdat er zoveel mensen waren die van haar hielden. Forugh besefte dat ze geen keus had. Ze zweeg in de onbekende, vervreemde omhelzing van haar moeder, die haar zacht op schoot hield en probeerde haar niet te stevig vast te houden, haar niet bang te maken. Ze vertelde haar dat ze nu was teruggekomen, dat ze samen veel plezier zouden hebben, dat ze nu naar het park zouden gaan en een ijsje zouden eten.

'Zou je dat leuk vinden?' vroeg haar moeder, met een klein stemmetje, als van een kind. 'We kunnen chocolade-ijs nemen, of aardbeienijs, of welke smaak je maar lekker vindt.' Toen ze langs de paarsroze bloemen liepen en door de blauwe deur vertrokken, keerde Forugh zich om om naar haar twee geliefde vrouwen te kijken. Ze hieven langzaam hun arm op en zwaaiden naar haar.

Forugh pakt een van de jampotjes op en draait het open. Oranjebloesem in saffraankleurige suikerstroop. Ze doopt er haar vingers in: de jam is kleverig en zacht.

Ze mist de warmte van haar moeders handen.

Haar moeder, die haar iedere avond vasthield en slaapliedjes voor haar zong, ook toen ze al naar school ging. Die fruit voor haar in stukken sneed en haar haar waste zonder de shampoo in haar ogen te laten branden. Die haar leerde zwemmen in het kleine zwembad bij hun huis en toen het zwembad dichtging, samen met haar op haar buik op de grond lag en slagen met haar oefende, zich samen krom lachend. Die, haar smalle vingers steeds verstrengelend en losmakend, Forugh een jaar later vertelde dat haar vader dood was.

Ze mist haar, mist het geluid van haar voetstappen in huis.

De deur boven aan de trap gaat zachtjes piepend open. Forugh heft haar hoofd op en luistert. De ene na de andere stap versterft achter de vlakke echo van aarzelende voetstappen.

Ze denkt erover op te staan, maar doet het niet. Ze zet de jam terug op de plank, leunt tegen de muur en sluit haar ogen. Ze ademt diep in, voelt de koele lucht op haar huid, het kippenvel op haar benen.

En ineens zit Forugh, omringd door al haar herinneringen aan liefde en angst, te hopen, vanuit de diepste, tederste laag van haar hart, dat het de voetstappen van Dante zijn die dichterbij komen. Haar hart gaat tekeer in haar borstkas.

Dante vindt Forugh in elkaar gedoken tegen de muur in de doorschijnende duisternis. De koele lucht is gezwollen van het vocht. Hij haalt zijn hand over het stof dat op de flessen met azijn en de potten met jam ligt. Hij kent de flessen en de potten stuk voor stuk. Hij heeft er vele helpen vullen. De avonden waarop hij de twee vrouwen kwam bezoeken, die ingelegde groenten en jam bleven maken alsof ze de hele buurt moesten voeden, stuurde Maman Zinat hem naar de kelder om een pot jam te halen terwijl zij het warme brood in stukken sneed. Dan gingen ze met zijn drieën op de houten bank op de binnenplaats naast de fontein zitten. Er was boter en jam en thee in de kopjes met de gouden rand. De geur van natte aarde steeg op uit de bloembedden die Khaleh Leila pas water had gegeven.

Forugh kijkt naar hem. De stilte in de kelder stort zich op hen en sluit hen in. Maar het is nu een ander soort stilte, een frisse, gewichtloze, die naar azijn ruikt en naar verwachting en verlangen. Aanwezig is.

'Ik weet nog dat ik me hier een keer heb verscholen.' Hij wijst naar de plek waar de potten en pannen staan. 'Er stond daar vroeger een grote kast. Ik heb me erin verstopt.'

Forugh glimlacht. 'Eén keer maar? Ik verstopte me er de hele tijd.'

Er lopen naast haar mond twee volmaakt gebogen lijntjes die zich verdiepen wanneer ze lacht, lijntjes die lang blijven nadat ze opgehouden is met lachen. Het fluweel van haar ogen schijnt nog stralender in het schemerdonker. 'En waarom verstopte jij je hier?' vraagt ze.

'Mijn moeder was uit de gevangenis vrijgelaten en kwam me mee naar huis nemen.'

Forugh staart hem met een gloed in haar ogen aan.

'Wilde je niet met haar meegaan?' De stem die uit haar keel komt lijkt een verstrikt gemompel.

Dante glimlacht bedroefd. 'Ik kende haar niet. Ze was een vreemde voor me.'

'En je vader? Waar was hij?'

'Hij is veel later vrijgelaten.'

Forugh houdt met haar vurige, doordringende blik de zijne vast. 'Het is een vreemd gevoel, wanneer ze je vertellen dat iemand je moeder is en je alleen maar angst voelt omdat je enkel en alleen een vreemde ziet. Later ga je pas beseffen dat zij de enige is die je hebt.'

De kelder ademt om hen heen, over hen heen, door hen heen. De ademhaling van de kelder dicht de afstand tussen hen.

'Ik heb gehoord dat je moeder in het ziekenhuis ligt,' zegt Dante. Zijn tong voelt droog en slap in zijn mond. 'Dat vind ik echt rot voor je.'

'Er moest een niersteen bij haar verwijderd worden. Het is een heel pijnlijk proces.' Een treurige glimlach beeft om haar mond. 'Maar het komt goed. Ze wordt binnenkort ontslagen. Ze was blij dat ik hier was en Maman Zinat nog zag voordat het te laat was. Ze komt ook zodra ze zich beter voelt.'

'Het moet heel moeilijk voor je zijn geweest.' Hij voelt berouw om de manier waarop hij eerder tegen haar sprak.

Forugh staat op en loopt op hem af. 'Kom, ik zal je iets laten zien.' Ze pakt zijn bezwete hand. Haar hand ligt klein en fijn in zijn greep, zo fragiel als kant.

Naast de grootste pot ingemaakte knoflook knielt ze op de grond terwijl ze zijn hand blijft vasthouden en steekt haar andere hand achter het vat. Ze tast rond in het duister en het stof. Eindelijk haalt ze er iets achter vandaan. Het is een klein, plat doosje met een doorzichtig deksel, dat schuilgaat onder een dikke laag vuil. Ze recht haar rug en laat zijn hand los om, triomfantelijk glimlachend, het deksel open te doen. Er zit een kleine libelle in die op een vergeeld stukje papier is geprikt.

'Ik moest hem hier verstoppen omdat Khaleh Leila nooit zou hebben toegestaan dat ik hem hield. Je weet hoe ze is met insecten. Ze zou hebben gedacht dat het een kakkerlak was of zo.'

Dante lacht. Hij lacht omdat hij weet hoe Khaleh Leila is met insecten. Hij lacht omdat Forughs stem zo intiem klinkt. Hij lacht omdat Forugh naar hem lacht.

Hij raakt met zijn vingertop de rug van de libelle aan. Hij voelt droog aan, als een stukje hout. Forugh doet het deksel dicht. Dante pakt de doos uit haar hand en stopt hem terug achter de pot.

'Ik mis Maman Zinat,' fluistert Forugh. Onder haar lange wimpers komen de tranen tevoorschijn. Ze drukt haar smalle lichaam tegen het zijne.

'Ik mis haar ook.' Dante verbergt zijn hoofd in de zwaarte van haar haar en houdt haar vast.

Het daglicht is aan het wegsterven wanneer Leila de binnenplaats op loopt. Ze draait de kraan open en sleept de tuin-
slang naar de bloembedden. Ze kijkt toe terwijl de aarde
drinkt.

Het huis is in stilte gedompeld. Marzieh is de laatste gast die
vertrekt. Ze vertelt Leila wat er in de gele kamer is gebeurd,
vertelt haar over de glassplinters en de bloedende zwanen,
over de verwilderde blik in Forughs ogen, over Dante die
achter haar aan is gerend.

Leila zegt niets wanneer ze met Marzieh naar de deur loopt.
Ze roept niet naar de kinderen en gaat ook niet naar hen op
zoek. Ze voelt plotseling de behoefte hen tegen de buitenwereld te beschermen, alsof ze een geheime hunkering zijn. Ze
laat hen voor elkaars wonden zorgen.

Ze ziet een zwerm zwaluwen de oranje-gele lucht in klimmen. Ze gaat het huis weer in en doet haar slippers uit. Ze
gaat op een van de rode fluwelen kussen zitten die tegen de
muur gerangschikt zijn en wacht op de kinderen, op haar
kinderen, Maman Zinats kinderen.

Even later verschijnen er twee schaduwen in de deuropening. Ze glimlachen bedeesd, alsof ze bereidwillig hun straf
tegemoet gaan. Forugh en Dante komen met frisse, rode
wangen op haar af. Ze gaan zitten. Leila wordt geflankeerd
door hun lichamen die geuren naar de mysterieuze rimpelingen van liefde en pijn, van breken en bloeien, van verleden en toekomst.

'De zwaluwen zijn aan hun trek begonnen,' zegt ze.

De twee lichamen rekken zich uit en leggen hun hoofd op
Leila's schoot, ieder aan een kant. Ze strekt haar handen uit
naar de jeugd van hun haar en streelt hen. Ze geven zich aan
haar liefkozing over als dorstige bomen aan water. Haar stem
komt langzaam uit haar keel en verspreidt zich in de kamer,

vertelt hun het liefdesverhaal over Perzische prinsessen en hun arme, mooie minnaars.

De schemering daalt neer over de takken van de jacaranda-boom.

1983-2009

Teheran – Turijn

1988, Teheran

Toen ze de telefoon opnam en zijn stem hoorde, zonk de moed haar in de schoenen. Hij stelde zich niet voor, zei alleen waar hij vandaan belde. Maar ze wist het voordat hij ook maar iets gezegd had. In het harde van zijn stem waren verre, gesmoorde schreeuwen. Hij droeg haar op naar de gevangenis te komen om de bezittingen van haar man af te halen. Ze legde de telefoon rustig neer en jammerde toen zo luid dat de ramen ervan rammelden.

Ze had haar man al maandenlang niet gezien. Alle bezoeken waren plotseling afgelast. Niemand wist iets en iedereen vreesde het ergste. Later hoorde ze van families die iemand in de gevangenis gingen opzoeken en in plaats daarvan bezittingen overhandigd kregen. Ze kregen te horen dat die persoon er niet meer was.

Dat hij nergens meer was.

Er lag een papier op het bureau. Eerst zei het papier niets. Later sprak het. Over de dood, zij het stilzwijgend.

Ze kregen opdracht met trillende handen te schrijven:

Mijn man is nergens meer.

Mijn vrouw is nergens meer.

Mijn zoon, mijn dochter, nergens meer.

Zo werd de dood aan een familie overhandigd. Op een vel

papier en met een zak halfvol splinters van een leven, met de vraag of ze even wilden tekenen.

Ze kreeg te horen dat ze geboft had. Niet iedereen was gebeld. Ze had geboft dat ze wist dat hij dood was, dat ze gewaarschuwd was.

Zij had niet het gevoel dat ze bofte. Ze voelde zich zo leeg als een grot.

Die dag hield ze zijn dood voor zichzelf. Ze zat tussen zijn kleren die op het bed waren uitgespreid. Ze kon zich niet verroeren; het was alsof haar lichaam in slaap was gevallen. 's Nachts ging ze op zijn kleren liggen. Ze rook aan zijn overhemd, rook eraan en jankte, rook eraan en vervloekte ze, rook eraan en schreeuwde zijn naam, en vervloekte ook hem. Ze was boos op hem, zó boos dat ze hem, als hij er was geweest, te lijf zou zijn gegaan.

Midden in de nacht hoorde ze gehuil in de kamer naast haar. Het werkte als een wekker. Ze opende haar ogen. Zijn overhemd onder haar huid was nat van de tranen, alsof haar gezicht was gekrompen en met de stof was versmolten. Met haar handen hees ze zich overeind om zich naar de andere kamer te slepen, waar haar kind wanhopig snikte. Ze nam haar in haar armen, zacht 'ssjt' fluisterend, het kind zachtjes op haar rug kloppend. Maar in feite probeerde ze zichzelf te kalmeren, op te monteren. Het geringe gewicht van het lijfje van het kind joeg haar angst aan, net als haar kwetsbaarheid en de ontroostbaarheid van haar gekerm.

Op dat moment besloot ze dat ze haar kind nooit iets over de dood van haar vader zou vertellen; over hoe hij was gestorven. Al was het het laatste wat ze deed, nooit zou ze haar dochter dit leed laten weten. Het kon haar niet schelen welke leugens ze moest opdissen of welke geheimen ze moest bewaren. Het enige wat ze wist was dat ze de geschiedenis op een afstand moest houden, haar kind veiligheid moest bieden, haar moest beschutten met ijzeren muren waar het bloed niet doorheen kon sijpelen. Ze legde haar dochter over haar benen en wiegde haar zachtjes totdat ze allebei in slaap vielen.

❧

De troosteloosheid in haar ogen moest als een bezwering gewerkt hebben. Niemand durfde haar tegen te spreken, te proberen haar op andere gedachten te brengen, behalve zijn moeder. Bij haar was het niet gemakkelijk. Zijn moeder weigerde fel, noemde het onmenselijk. Ze stond erop dat het kind het wist. 'Op deze manier sta je hen toe hem tweemaal te doden,' zei ze. Zijn ziel zou nooit rust vinden, waarschuwde ze; zijn lichaam zou trillen in het graf.

'Je bent het hem verschuldigd,' zei zijn moeder. 'Je bent het aan zijn nagedachtenis verplicht.'

Ze had tactvoller moeten zijn, maar in die tijd was tact niet haar sterkste punt. Woede was dat wel.

'Ik ben hem niets verschuldigd!' riep ze uit, trillend van woede. 'Hij is mij alles verschuldigd! Hij is mij het geluk verschuldigd dat hij me had beloofd. Hij heeft me erin laten geloven, en hij heeft gefaald. Hij heeft mij tekortgedaan. Hij heeft zijn dochter tekortgedaan. Ik laat hem haar niet van me afnemen. Hij heeft alles kapotgemaakt!'

Zijn moeder huilde. Ze had een zoon verloren, haar enige zoon.

Ze had niet zo wreed mogen zijn.

Zijn moeder bleef erom verzoeken, bleef haar vragen haar verzegelde lippen te openen. Toen zijn moeder stierf, schreef ze haar dochter een brief met een bekentenis erin en verstopte die in de lijkwade van de overleden vrouw. De brief werd samen met de oude vrouw begraven.

Turijn, 2009

Er is haast niemand op het vliegveld. De rij bij de veiligheidscontrole is kort en beweegt snel. Maryam wil zich net omdraaien en door het glazen scherm naar de hal kijken, wanneer de beveiligingsbeambte een blauwe bak naar voren schuift. Ze legt haar handtas, jasje en instapkaart in de bak en kijkt naar hem op. Hij heeft een bol voorhoofd en linzenkleurige ogen.

'*Le scarpe,*' zegt hij, naar haar schoenen wijzend.

Zelfs haar schoenen! Ze bukt zich met een gezicht dat al vuurrood is van schaamte en een gevoel van onhandigheid. Ze maakt haar schoenveters los en zet haar nu onbeschermde voeten heel behoedzaam op de grond, alsof ze op een mijnenveld stapt. Ze loopt door de metaaldetector; de vloer is koud en glanzend onder haar voeten. De metaaldetector piept als een bezetene. Ze strekt haar armen uit voor een roodharig meisje dat, nadat ze niets gevaarlijks of verdachts heeft ontdekt, haar na een opnieuw piepende hoepel eindelijk laat gaan.

Ze keert zich om, laat haar blik over de menigte aan de andere kant van de glazen grens glijden, en ziet Sheida een hand opsteken. Sheida ziet er heel jong uit in een witte jurk, met dat fijne gezicht waar de kwetsbaarheid van afstraalt. Maryam slikt de kluwen van bedwongen klanken en tranen in haar keel weg en zwaait terug. Ze meent glinsterende tranen te hebben gezien, maar Sheida is ver weg en Maryam weet niet zeker of het tranen zijn of gewoon de reflecties van lichten in het zwart van haar dochters ogen.

Ze loop weg bij de metaaldetector en zijn herhaalde alarmkreten, bij de glazen wand, bij haar dochter aan de andere kant. Ze slentert langs een aaneenschakeling van kledingstukken, souvenirs en taxfreewinkels waarin het personeel maar wat rondhangt, niet wetend wat het aan moet met een halflege luchthaven. Ze komt bij haar gate aan en slaakt een diepe zucht terwijl ze zich op een van de gele stoelen laat zakken. Ze is moe en haar rug doet pijn. Ze zet alles op de stoel naast haar en vouwt haar handen in elkaar, als een vrouw die op een zegening wacht, gehuld in een trieste gloed.

Als kind huilde Sheida altijd zodra Maryam uit het zicht verdween. Nu huilt Sheida nog maar zelden, zelfs niet wanneer hun wegen zich scheiden naar twee continenten. Maryam wou dat Sheida had gehuild. Ze wou dat ze zeker had geweten dat er tranen waren. Ze zouden haar getroost hebben. Het is het enige houvast dat ze heeft. En toch is het beeld van die tranen lastiger te hanteren dan de tranen zelf.

Ze pakt een zakdoekje uit haar tas om het zweet van haar bovenlip te vegen. Er is iets aan hun band wat haar niet meer overtuigt. Ze heeft het gevoel dat hij afstandelijk is geworden, dat hun intimiteit is vervangen door een soort vriendelijke genegenheid. Ze heeft het gevoel dat Sheida haar niet alles vertelt. Ze heeft de neiging haar vragen weg te lachen en haar bezorgdheid van zich af te schudden als een boom die zijn dode bladeren afschudt. Maar wat had Maryam dan verwacht? Ze kan onmogelijk op dezelfde hechte band rekenen als ze in Iran hadden, nu Sheida in een ander land woont. Dat zou naïef van haar zijn, louter wensdenken. Sheida is nu een volwassen vrouw, geen kind meer. En per slot van rekening heeft Maryam Sheida zelf meegenomen naar Italië.

Het was niet gemakkelijk geweest. Maryam had jarenlang op visums gewacht. Ze waren al een keer afgewezen, omdat Maryams zus, die in Italië woonde en er een aanvraag voor had ingediend, problemen had met haar bankrekeningen.

Maar Maryam liet zich daar niet door hinderen. Ze zwoegde voort en zette haar zus bij iedere gelegenheid onder druk; ze legde geld opzij, totdat hun visums eindelijk binnenkwamen toen Sheida bijna zeventien was.

In al die jaren waarin ze gewacht hadden, had Maryam heilig geloofd dat ze als ze maar de grens over waren, veilig zouden zijn, dat als ze haar dochter zo ver weg bracht, het de ultieme stap zou zijn om haar te behoeden voor het verleden, de dood, het bloed. Zo ver van Iran zouden ze in vrede kunnen leven, Sheida's geluk zou gegarandeerd zijn en op de een of andere manier zou alles gemakkelijker zijn. Maar Maryam leed onder haar eigen impulsiviteit. Haar verlangens raakten op de een of andere manier altijd in de knoop. Haar beslissingen werkten tegen haar. Op een keer, toen Sheida vijftien was, had Maryam gedreigd dat ze Sheida zou doden als ze haar ooit verliet. Dat was voordat ze Iran verlieten, voordat ze haar dochter afzette in een ander land. Ze had niet verwacht dat zijn dood hen zou achtervolgen, haar zou achtervolgen, helemaal tot daar. Maar algauw kreeg ze door dat herinneringen zwaarder wogen dan haar wil om door te leven. Een deel van haar was nog steeds daar op dat kerkhof, wegrottend samen met Amirs levenloze lichaam. Iedere nacht in haar kleine woning in Turijn, met uitzicht op het plein met zijn prachtige achttiende-eeuwse fresco van Maria met haar kind, droomde Maryam over het kerkhof dat ze nooit had bezocht en dat toch een beeld was dat haar geen nacht met rust liet. Zulke nachtmerries had ze nog nooit gehad, zelfs niet in het begin. Maryam leed nu ze zo ver van die gevangenis verwijderd was, zo ver van dat kerkhof. Ze moest dicht bij hem zijn. Ze kon hem niet alleen laten in dat vijandige land; ze moest naar hem terugkeren.

Maar wilde dat niet zeggen dat ze hem boven haar kind verkoos? Dat ze liever weduwe dan moeder was? De vragen kwelden haar nacht na nacht. En toch kon ze het antwoord erop niet vinden. Maryam was vormloos geworden op de dag waarop ze het nieuws van Amirs dood had gehoord. Ze was een karikatuur geworden van de vrouw die ze ooit was. Iets in haar was verdwenen en ze raakte voor altijd aan dat land en kerkhof geketend. En hoe ze ook haar best deed, hoe vaak ze ook overeind kwam, vast van plan om niet meer te vallen, hoe ze ook worstelde om de sterke moeder te zijn die haar dochter nodig had, ze struikelde telkens weer. En ze was moe. De wereld had haar lang geleden verslagen. Het enige wat ze had gedaan was proberen zich te handhaven. Ze kon zich er niet langer tegen verzetten. Ze kon alleen maar overeind blijven door dicht bij hem, dicht bij haar verleden te zijn. Zonder hem zou ze uiteenvallen. Ze had geen keus; ze moest haar wereld redden.

Vier jaar na hun emigratie naar Italië, toen Maryam er zeker van was dat Sheida's baan in de boekwinkel stabiel was en ze voor zichzelf kon zorgen, besloot ze terug te gaan naar Iran. Sheida bleef. Ze wilde niet terug, zei ze. Maryam liet Sheida achter in die koude, raadselachtige stad aan de voet van de Alpen, denkend, hopend, dat de lijm tussen hen nooit zou loslaten. Nu heeft ze het gevoel dat Sheida stiekem is gegroeid, dat de lijm geleidelijk heeft losgelaten. Maar Sheida treft geen blaam. Die heeft gedaan wat haar moeder voor haar had gepland. Ze heeft aan haar moeders wensen voldaan. Maryam was degene die vertrokken was.

Ze vouwt haar handen open en staat op. In de wc wast ze met precisie haar handen, zoals haar eigen moeder ook altijd deed. Ze zeept ze tweemaal in, elk stukje bedekkend. Ze houdt iedere hand driemaal onder de waterstraal. Eronder houden en weghalen, eronder houden en weghalen, eronder houden en weghalen, dan de andere. Het is als een rituele reiniging.

Een anonieme stem kondigt aan dat het instappen gaat beginnen. Maryam zoekt snel haar spullen bij elkaar, droogt in
het langslopen haar handen en rent de toiletruimte uit.

Sheida blijft even achter het glazen scherm staan kijken naar
de metaaldetector. Maryam is weg, maar Sheida heeft zich nog
niet kunnen losmaken. Haar lichaam voelt als een afzonderlijk
wezen, bewegingloos geworden, zoals vroeger wanneer haar
benen gingen tintelen doordat ze in kleermakerszit op de grond
van haar oma's huis de vissen had zitten tellen in het blauw-
zilveren patroon van het kleed. Haar lichaam weigert in beweging te komen. Ze weet niet wat ze ermee aan moet.

Het is een hete, bewolkte middag. Het parkeerterrein voor
de luchthaven is bedekt met een drukkende laag vochtige
lucht. Hij besluipt Sheida zodra ze uit de met airconditioning
gekoelde hal stapt; hij kringelt om haar armen, haar benen,
haar witte jurk, hij kruipt omhoog, om haar schouders en nek,
en omwikkelt haar als een zware, natte handdoek.

De bus terug naar Turijn zit halfvol met bleekvermoeide,
stoffige gezichten van reizigers. Sheida laat zich achterin op
een stoel vallen, bij het raam. De buschauffeur sluit de deur.
Die puft wanneer hij opzijschuift en zich weer dichtdrukt,
waardoor de lucht naar buiten wordt geperst. De bus rijdt langzaam weg.

Vandaag is haar vrije dag. Meestal heeft Sheida voor deze
dag veel gepland, van klussen doen tot vrienden en vriendinnen
bezoeken, maar vandaag heeft ze nergens zin in. Haar moeders
vertrek heeft een leegte bij haar achtergelaten. Ze zou graag
iets willen bedenken, een manier om eraan te ontkomen, een
manier om hem niet te hoeven meemaken. Wat zou het leuk

zijn als we gewoon op de doorspoelknop konden drukken en een dag konden overslaan, denkt ze. Ze zou naar huis willen gaan, haar hoofd onder een kussen willen stoppen en wakker worden wanneer de dag voorbij is.

Tegen de tijd dat Maryam op het drukke vliegveld van Teheran aan zal komen, is het nacht. De gedachte aan, het inmiddels uitgeholde beeld van, de luchthaven maakt Sheida zenuwachtig. Het is jaren geleden dat ze voor het laatst in Iran was. Ze gaat er niet meer heen zonder echt te weten waarom. Ze heeft het te druk met haar leven.

De weg doorsnijdt groene vlakten die zich uitstrekken tot de voet van de Alpen, die vervagen in de natte, treurige lucht. Grijze wolken zweven boven de vlakten, zo laag dat ze bijna het gevoel heeft dat ze een hand kan opheffen en de dikke, wollige plukken uit elkaar kan trekken.

Het beeld van haar moeder die neerknielt en haar schoenveters losmaakt komt ineens weer boven. Ze leek zo klein, bijna een kind. En dat is wat ze steeds meer wordt, telkens wanneer ze op bezoek komt: een kind. Precies zoals ze was in die eerste vier jaren waarin ze samen in Italië woonden. Het was alsof haar stevigheid het begaf. Ze raakte de oude kracht kwijt, het oude gezag; altijd wachtte ze tot Sheida besloot waar ze heen zouden gaan, wat ze zouden doen, wat ze zouden eten. Ze veranderde in iemand anders, werd bijna infantiel. Na al die jaren is Sheida nog steeds niet aan deze nieuwe, onaantrekkelijke versie van haar moeder gewend.

De bus rijdt voorzichtig de schaakbordvormige stad in. De lichtroze en -gele barokgebouwen rijzen op tegen de laaghangende bewolking. Ze stapt uit bij de rivier de Po, die door het centrum van Turijn slingert en de doorgang naar de heuvels afsnijdt. Staand op de brug kijkt Sheida naar de rivier die zachtjes onder haar voeten door stroomt. Er zijn roze en paarse viooltjes geplant in aardewerken potten die in een groene stellage op de brugleuning staan. Ze haalt diep adem en vult haar longen met het vocht en de geur van groen water en de vochtige zomerbladeren die nog aan de takken van de oude bomen zitten die langs de rivierbedding staan.

Thuis is het eerste wat Sheida doet de radio aanzetten. De muziek stroomt de kleine huiskamer in, met zijn crèmekleurige muren, witte gordijnen en niet-ingelijste filmposters. Ze trekt haar schoenen uit, gooit haar tas op de bank en zet het raam open. In de gootsteen staat een kop halfvol met thee; haar moeders lipafdruk zit nog op de rand. Haar geur is er nog, warm in de halve leegte.

Een vrouw in het gebouw aan de overkant schreeuwt on-barmhartig tegen haar kinderen. Haar gekrijs zwelt aan op de binnenplaats en breekt open in de kamer. Sheida zet de radio wat harder om de hysterische, doordringende kreten te overstemmen.

Maryam heeft nooit tegen haar geschreeuwd. Maryam heeft nooit haar stem verheven.

Midden in de kamer, luisterend naar het lied, met een lichaam dat vanbinnen pijn doet maar vanbuiten onverstoord lijkt, be-gint Sheida te dansen. Haar lichaam beweegt licht heen en weer, gestaag, alsof ze haar evenwicht probeert te vinden. Het lied versnelt zijn tempo en Sheida beweegt sneller. Ze springt op en stampt met haar voeten op het kleed. Haar armen houdt ze wijd uitgestrekt in de ruimte die zindert van de muziek, het geschreeuw en de jasmijngeur van haar moeder die nog in de lucht hangt. Haar zware borsten dansen op en neer, haar jurk meenemend. Ze danst roekeloos en zwaait met haar armen en benen als een vrouw die zich uit een dwangbuis wurmt. Haar wangen beginnen te gloeien van het toestromende bloed en de tranen die zacht over haar gezicht rollen. Hoe hoger ze springt, hoe sneller de tranen rollen. Haar snikken tuimelen het lied in en maken van de tekst een rommeltje van onbegrijpelijke, gorgelende klanken.

Haar moeder is niet gelukkig. Ze is nooit gelukkig geweest. De stilte heeft niet gewerkt. Het heeft alles alleen maar moeilijker te verdragen gemaakt. Ze hebben niets anders dan een handvol niet-uitgesproken woorden, verraderlijk als gif, iedere dag een beetje verder opkruipend, overal in dringend. Het bederft elk laatste restje eerlijke intimiteit dat ze ooit hadden. Ze dragen hier allebei schuld aan. Ze hebben beiden al het mooie dat ze ooit hadden, vernield.

Sheida wankelt terug naar de bank, werpt zich erop en veegt haar tranen weg. Het geschreeuw aan de andere kant van de binnenplaats is bedaard. Ze zijn zich nu waarschijnlijk op het avondeten aan het voorbereiden. Langzaam staat Sheida op en zet de radio zachter. Ze snuit haar neus en kijkt naar buiten. Op het balkon van de buren trillen de viooltjes in de bries. Een kat loopt behendig over de vensterbank en springt op het terras van een andere buur. Sheida keert zich om en loopt naar de telefoon. Haar hart gaat sneller kloppen bij het vooruitzicht Valerio's stem te horen. Ze heeft hem niet meer gezien sinds Maryam kwam. Ze had zich er nog niet klaar voor gevoeld hem voor te stellen, bang als ze was voor al haar moeders bezorgde, irritante vragen. Misschien de volgende keer, had ze tegen hem gezegd.

Ze houdt de telefoon aan haar oor en nestelt zich op de bank; ze trekt haar knieën tegen haar borst en omhelst zichzelf alsof ze de stukjes en beetjes van zichzelf wil verzamelen die verspreid over de vloer liggen en in de lucht hangen en aan de hoeken van het raam trekken. Alsof ze ze wil verzamelen en weer tot een herkenbare vorm wil opstapelen voordat ze hem spreekt.

Valerio neemt op. Wanneer ze zijn stem hoort, sluit ze haar ogen en zucht van opluchting.

Een spreeuw landt op de stang voor haar raam. Onder de vochtige lucht lijken de geraniums buiten adem. De avondschemering zet langzaam in. Achter haar computer zittend neemt Sheida een slok van de ijsthee die ze heeft gemaakt met de Iraanse gedroogde theebladeren die Maryam haar een paar maanden geleden heeft gestuurd. Sheida houdt van de geur van de bruine kartonnen dozen die uit Iran komen. Ze ruiken naar stof en herinneringen. Dit is de geur van Iran, zei ze ooit tegen Valerio. Ze rook de thee, het paar groene handschoenen dat haar tante voor haar had gebreid, het pakje zuurbessen en het briefje van Maryam dat haar eraan herinnert ze voor het gebruik een paar maal te wassen, dat Sheida nooit weg heeft kunnen gooien.

Haar computer snort slaperig onder haar vingers. Ze laat de tekst over het scherm rollen en neemt vluchtig het nieuws van een online Perzische krant door. Sinds de opstand tegen de frauduleuze verkiezingen in juni en het daaropvolgende harde optreden van de regering gaat het meeste nieuws dat uit Iran komt over de protesten, de massale arrestaties, aanvallen op universiteitsslaapzalen, schietpartijen op straat, martelingen in gevangenissen, gevangenen over wie al maandenlang geen nieuws is en demonstranten die mogelijk zijn omgekomen en over wie nog steeds niets bekend is. Er zijn ook videoopnamen die door betogers ter plaatse op het internet zijn gezet. Sheida heeft ze stuk voor stuk bekeken, opnamen van betogers die door de straten rennen. Sommige maken zich uit de voeten voor de oproerpolitie met hun kogelvrije uniformen en knuppels, en andere rennen juist naar hen toe, terwijl ze stenen gooien en tegen het regime gerichte leuzen roepen. De beelden op het scherm vullen Sheida telkens weer met onrust, alsof ze ergens te laat voor is, of wordt achtergelaten, buitengesloten. Ze is afgunstig op de jonge uitbarsting van energie in die menigte, op het feit dat het allemaal gebeurt zonder haar, op het feit dat haar plaats in dat historisch belangrijke tij onbezet blijft. En tegelijkertijd is ze bang, voor de bebloede gezichten en de kogelwonden en de met knuppels zwaaiende motorrijdende leden van de oproerpolitie.

Ze klikt op een video die gaat over strijdkreten die 's nachts op daken geroepen worden. *Allah Akbar*, hoort ze aan alle kanten, Allah Akbar. De gebouwen en de daken waarop onzichtbare mannen en vrouwen luidkeels staan te roepen, zijn in diepe duisternis gehuld. Het enige wat ze ziet zijn de lichtjes die door gesloten ramen schemeren. Maar hun geroep, en de furieuze kracht die erin doorklinkt, wordt steeds luider, alsof men probeert de wolken te bereiken en ze open te scheuren. Sheida kijkt toe met een zo wild kloppend hart dat haar ogen er pijn van gaan doen, terwijl de nacht zich over de gebouwen uitspreidt en de schaduwen van de reciterende lichamen bedekt die in het kleine blikveld van de camera gevangen worden. De extase van dit alles, de pure harmonie ervan, slaat haar met stomheid. Vrouwen en mannen, jong en oud, zwak en sterk, zingen leuzen tegen het onrecht dat hun wordt aangedaan. Ze roepen om rechtvaardigheid, voor zover ze zich daar nog iets van herinneren. Achter haar computer zittend fluistert Sheida mee met hun woorden, hun strijdkreten, hun roep om verzet. Hun aanroeping van God. Hun vraag aan God om hen te helpen bij hun verzet tegen de dictator. Haar moeder had haar verteld dat de daken op gaan en Allah Akbar zingen iets was wat ze dertig jaar geleden tijdens de revolutie deden. Het was een vorm van protest. Het was veilig, symbolisch, iets wat iedereen kon doen. En nu is het weer teruggekomen. 'Wanneer verder niets helpt, kun je altijd nog "Allah Akbar" roepen,' had haar moeder er droevig, berustend hoofdschuddend aan toegevoegd.

Maar Sheida voelt zich niet droevig. Ze voelt zich jubelend en klein, onvergeeflijk klein tegenover de pracht van dat waanzinnig ontzagwekkende maar toch wanhopige roepen van leuzen. Ze voelde hun geroep haar omgeven en hun nachtelijk duister onder haar huid kruipen, hun fantastische, compromisloze stemmen in haar aderen, in haar longen zwellen. Ze kan bijna hun God zien, kan bijna hun stemmen horen die Zijn naam aanriepen, terwijl ze hun rug rechtten en steeds luider schreeuwen: 'Allah Akbar', hun angst afschuddend, de blauwe nacht in. Het voelt alsof ze een onherroepelijk deel van het ritme van haar ademhaling aan het worden zijn. Hun stemmen roepen haar. Ze kan zichzelf bijna op een dak zien staan, haar vuist naar de lucht gebald.

Wanneer de video is afgelopen slaakt Sheida een zucht. Ze voelt zich licht in het hoofd en leunt achterover in haar stoel. Ze neemt nog een slok ijsthee. De ijsklontjes bewegen alle kanten op en komen tegen haar lippen aan. Ze klikt terug naar de homepage en zoekt naar andere video-opnamen die ze kan bekijken, wanneer haar oog op een kop onder aan de webpagina valt. Dat is deze weken al de tweede keer dat ze een artikel over de postrevolutionaire gevangenneming en executies ziet. Ze weet niet of het toeval is, of dat er nu, twintig jaar later, zoveel mannen en vrouwen in de gevangenissen van Teheran en andere steden zitten dat het verleden weer naar boven komt, bijna als een onheilspellende voorbode.

Toch is er iets anders dat Sheida naar deze artikelen met hun verhalen over gevangenissen, geweld en dood trekt. Ze doen haar denken aan gelijksoortige verhalen die door haar oma werden verteld de paar keer dat Sheida en Maryam haar in Hamedan opzochten. Wat Sheida opving waren flarden van verhalen die uit haar oma's mond rolden wanneer ze niet wist dat Sheida hen afluisterde terwijl Maryam en oma alleen in de kamer waren. Sheida zag door het sleutelgat haar oma een ander mens worden. Haar meestal luide stem verviel tot een zacht gefluister en ze depte haar betraande ogen, die zich onzeker afwendden van die van Sheida's moeder, die daar zat met een gezicht dat zo onbewogen was als steen. Maryams stilzwijgen en haar starende, lege blik gaven Sheida een onbehaaglijk gevoel. Het voelde alsof haar moeder in die stilte iets verborg, het met haar lege blik verdedigde. Op zo'n moment wilde Sheida alleen maar weg bij die stilte. Ze was verstikkend. En toch hield de smart die van haar oma's gezicht straalde haar staande achter de deur, terwijl ze haar oren spitste om iets van haar gefluister op te vangen.

Waarom is oma zo verdrietig? vroeg Sheida zich af. En dan probeerde ze nog beter te luisteren, de woorden te verstaan waarvan ze het gevoel had dat ze die eigenlijk niet mocht horen, want ze voelde het kwaadaardige en de pijn erin. Ze verzamelde ze als een bij die rond verboden bloemen vliegt, de zoete nectar opnemend. Ze wilde zoveel mogelijk horen, wilde begrijpen over wie die verhalen gingen. Maar het was moeilijk, want er werd geen naam genoemd en oma's stem bleef maar wegsterven. Sheida wist dat ze haar moeder er niet naar kon vragen, want dan wist ze dat haar kind hen had afgeluisterd. En toen ze het later aan haar oma vroeg, kwam er een wanhopige uitdrukking op oma's gezicht, wanhopig en zo diepverdrietig dat Sheida er bang van werd. 'Ik kan niet spreken,' had haar oma herhaald. 'Ik kan niet spreken.' En met die woorden moest Sheida het doen toen ze haar oma's kamer verliet.

Slechts eenmaal lukte het Sheida een antwoord van Maryam te krijgen op haar vraag waarom haar oma zo verdrietig was. Maryam had haar even aangekeken. Haar blik leek langs haar heen te gaan, alsof ze haar niet echt zag. 'Dat is om je Baba, oma heeft verdriet om haar zoon,' zei ze ten slotte na een tijdje.

'Maar wat heeft Baba met de gevangenis te maken?' vroeg Sheida, en terwijl ze dat zei, voelde ze de warmte naar haar wangen stijgen, want ze besefte dat ze zich verraden had.

Maryam keek haar boos aan, een boze blik die Sheida nooit zou vergeten. 'Het is allemaal één grote gevangenis, Sheida. We zitten allemaal in één grote gevangenis.'

Hij was zo immens, oma's pijn, denkt Sheida nu, terwijl ze leest:

Ongeveer vier- à vijfduizend jonge mannen en vrouwen werden in de maanden juli en augustus van het jaar 1988 geëxecuteerd, hetzelfde jaar waarin de oorlog tussen Iran en Irak beëindigd werd. De regering vormde comités van drie personen, die later bekendheid kregen als 'Doodscomités', om in elke gevangenis de zuivering ter hand te nemen. Elk comité bestond uit een aanklager, een rechter en een vertegenwoordiger van het ministerie van Informatie. Het comité ondervroeg alle politieke gevangenen en gaf opdracht degenen die 'niet berouwvol' werden bevonden te executeren.

De gevangenen werden in groepen op vorkheftrucks gezet en aan kranen en balken opgehangen met tussenpozen van een halfuur. De anderen werden gedood door vuurpelotons. Rond middernacht werden de lijken weggebracht en begraven in massagraven in het Khavaran-kerkhof, wat destijds het kerkhof voor religieuze minderheden was. De lichamen zijn daar begraven in geulen, waarna de grond is aangedrukt, zodat het onmogelijk werd de graven te herkennen. Alles wat op een grafsteen leek, werd herhaaldelijk vernield...

Sheida staart naar de woorden en voelt het zweet zich verspreiden over haar nek en onder haar oksels. Het woord 'massa' galmt in haar hoofd. Lijken en nog eens lijken, bebloed, vormloos, het ene lijk op het andere. Het eerste artikel dat ze over de executies had gelezen was niet zo gedetailleerd geweest. Ze wist niet dat er zoveel slachtoffers waren, wist niets van de massagraven. En tegelijkertijd doemt er een herinnering op. Een herinnering waarvan ze niet wist dat ze hem had. Ze ziet haar moeder schreeuwen, de hele nacht hard huilen, en iemand die achter haar verschijnt en de deur dichtdoet. De herinnering is vaag, als een droom waarvan je je maar weinig herinnert. Maar dat gebrul, dat gehuil kan ze nog horen. Maar was het wel haar moeder? Zou het oma geweest kunnen zijn?

Sheida zet het glas thee neer. Haar bewegingen zijn afgemeten, alsof ze bang is iets te laten vallen. Ze balt haar hand tot een vuist en opent hem weer, likt aan haar lippen. Haar keel voelt droog en schrijnt. Uit de naburige woning komt het gedempte geluid van de televisie. Sheida's ogen keren terug naar het scherm en ondanks haar pogingen kalm te worden, schiet haar blik over de lange rijen namen van slachtoffers die in het artikel zijn opgenomen; de leeftijden staan erbij. Sommigen zijn nog geen achttien.

De lijst gaat maar door, als op een herdenkingsmuur. Ze laat de tekst over het scherm rollen; haar ogen raken omfloerst en transformeren de namen tot ontstellende glimpen van een nachtmerrie. Wat veel slachtoffers, wat jong! Het artikel heeft Sheida in de wilde stroom van het verleden van haar land gestort. Een woeste stroom waarvan ze het bestaan niet wist, althans, niet in die omvang. Ergens in dat land zijn de botten van jonge mensen verpletterd onder duizend andere botten. Ergens in dat land zijn duizenden lijken als bergen afval gedumpt in de zuigende muil van de aarde. 'Het vervloekte land' noemt het artikel het gebied waar de massagraven zich bevinden.

Sheida leunt achterover in de stoel, dodelijk vermoeid, niet in staat haar ogen van de dodenlijst af te wenden, de tekst over het scherm bewegend. En dan duikt plotseling een naam op die haar hart bijna stil doet staan. Even lijkt alles om haar heen ademloos tot stilstand te komen. Het gezoem van de computer, het bleke gezicht van de maan, de gele lichtdeeltjes die vanaf de binnenplaats de kamer in dwarrelen. Ze staart naar de naam, drukt haar linkerhand tegen haar keel, waar een slagader trekt en trilt. Daar voor haar, midden op de pagina, staat de naam van haar vader:

Amir Ramezanzadeh, 27

Het staat er duidelijk, zo duidelijk als een kreet die door verlaten straten schalt. Sheida voelt haar lichaam volslagen roerloos worden. Haar handpalmen zijn nat van het zweet, ze voelt haar armen en benen slap worden. 'Er moet een vergissing gemaakt zijn,' mompelt ze voor zich heen, terwijl haar blik strak op het scherm gericht blijft. Het gegrom van een auto die op de binnenplaats parkeert vult de kamer.

Valerio opent de deur en komt de flat binnen die in blauwe duisternis gehuld is. Om hem heen ademt stilte, warm en onheilspellend. Hij roept Sheida; er komt geen antwoord. Hij staat in de deuropening te luisteren en hoort een stilte zo puur, zo oorverdovend, dat hij even niet verder durft te gaan. De warme lucht komt zijn ogen binnen en vult hem met een akelig voorgevoel.

In de huiskamer treft hij Sheida zittend op de grond aan, met haar rug tegen de bank. Ze houdt haar hoofd tussen haar handen en haar haar hangt verward op haar schouders.

'Wat is er gebeurd?' Hij doet het licht aan en loopt snel op haar af. Hij heeft het gevoel dat hij op iets afloopt wat hem levend zal opzuigen. Drijfzand, zonder waarschuwingsbordje.

Sheida doet haar gezwollen ogen op en knijpt haar ogen tot spleetjes tegen de lichtschok. Ze strekt haar armen naar hem uit. Hij laat zich op de grond zakken en pakt haar koude handen beet. Ze stopt haar hoofd in het zachte kuiltje van zijn schouder en blijft zo liggen.

Dan, na een paar minuten, begint ze langzaam te spreken. Ze vertelt hem van het artikel; ze staat op en laat hem de naam van haar vader op het computerscherm zien. Ze gebaart wild, alsof ze geen controle over haar handen heeft. Terwijl hij naar haar luistert voelt Valerio zich gebombardeerd door een vlaag losse gedachten. Hij kijkt naar haar betraande gezicht en zijn maag kolkt van hulpeloosheid. Hij laat haar op de bank plaatsnemen en gaat naast haar zitten. Hij streelt zachtjes haar hand.

Lange tijd zegt Sheida niets. Haar gezicht is bleek, haar lippen getuit. Ze ziet er op de een of andere manier klein, gekrompen uit.

'Zou het geen fout kunnen zijn?' zegt Valerio.

Ze kijkt hem niet aan. Ze schudt haar hoofd. Haar gezicht verhardt zich. 'Ik weet het niet,' mompelt ze.

'Je moet met je moeder praten. Het zou gewoon een fout kunnen zijn.'

Sheida reageert niet. Haar blik verdwijnt ergens onder de gordijnen. Ze maakt haar hand los van de zijne en klemt haar handen stevig samen. Valerio staart haar aan en ziet dan, of hij wil of niet, dat er een vreemde uitdrukking op haar gezicht ligt. Een uitdrukking die hij eerst niet herkende, maar waarvan hij nu beseft dat die de hele tijd op haar gezicht heeft gelegen: de uitdrukking van een vrouw die inwendig met iets worstelt. Iets wat veel groter is dan zij, groter dat alles wat hij ooit heeft gekend.

Er verstrijken enkele minuten. Het avondgeroezemoes van de straten druppelt de kamer in. Uit de gang komt het rumoer van de buren die de trap aflopen en luid kletsen.

'Sheida, weet je zeker dat je vader aan kanker is gestorven?' Valerio weet niet waarom hij deze vraag stelt en waarom zijn hart even stilstaat wanneer hij dat doet. Misschien is hij bang voor wat ze zou kunnen zeggen. Het is niet zo vaak gebeurd dat Sheida over haar vader praatte, en die weinige keren hebben Valerio altijd de indruk gegeven dat ze behoedzaam om een open wond heen liep waarnaar ze niet lang wilde kijken. Aan de rand van haar blik, aan het eind van haar stem was altijd iets onzekers, en dat gaf Valerio de indruk dat ze zich niet bepaald op haar gemak voelde wanneer ze het over haar vader of zijn dood had.

Even zegt Sheida niets. Ze blijft hem niet aankijken. Aan de zijkant van haar ogen is een lichte zenuwtrekking zichtbaar. Ze strekt haar vingers en kromt ze weer. 'Dat is wat mijn moeder me verteld heeft,' zegt ze ten slotte.

De onverwachte kalmte in haar stem brengt Valerio van zijn stuk. Haar eerdere paniek, de alertheid lijken voorbij te zijn, haar lichaam lijkt tot rust te zijn gekomen. Hij staart haar aan, wensend dat hij haar gedachten kon lezen. Maar hij kan niet blijven aandringen. Er is iets aan haar gezichtsuitdrukking wat hem niet het recht geeft nog meer vragen te stellen. Hij weet niet wat hij anders moet zeggen dan: 'Dan zal dat de waarheid zijn.'

Sheida haalt haar handen over haar gezicht. Dan slaat ze haar ogen op en kijkt hem aan. 'Ik had het je niet moeten vertellen.'

'Waarom niet?' Valerio neemt haar gezicht tussen zijn handen. 'Je kunt me alles vertellen. Dat weet je.'

Ze schenkt hem een zwak lachje.

'Het is zo lang geleden,' zegt ze. 'Ik heb je gemist.'

Ze klinkt alsof ze graag verder zou willen gaan, dit moment, de spanning die de lucht bezoedelt, achter zich zou willen laten. Hij begrijpt niet hoe ze dat alles zo gemakkelijk, zo snel achter zich kan laten. Hij vraagt zich af of ze hem niet vertrouwt. Waar ze bang voor is.

Sheida slaat haar armen om hem heen en trekt hem nog dichter tegen zich aan, en Valerio weet dat ze hem verder niets meer zal vertellen. Hij geeft het op en nestelt zich in haar omhelzing.

Haar lichaam zet uit en zweeft wanneer hij haar omvat.

Ergens komt een snik los. Verbrokkelt een stem.

Haar vingers boren zich met duizelingwekkende kracht in zijn nek en ontvangen hem met alles wat ze te bieden heeft, met het hele gewicht van de geschiedenis die in haar is opgehoopt. Zijn handen vinden haar onderrug en hij hoort een gekerm, een gesmoorde snik, een zucht aan haar lippen ontsnappen.

De hele nacht volgt Sheida met haar ogen de barsten in het ge-aderde plafond van de kamer. Ze kan ze niet dichtdoen; het is alsof haar oogleden in haar schedel zijn opgedroogd. Ze heeft haar vaders graf nog nooit bezocht: Maryam was er altijd tegen. Ze wilde niet herinnerd worden aan het feit dat hij dood was, zei ze altijd, het was beter hem zich te herinneren zoals hij was. Sheida ging niet tegen haar moeder in. Ze aanvaardde haar uitspraken als algemene feiten. Maryams vrees voor het kerkhof werkte besmettelijk. Sheida was blij dat haar de som-berheid van de begraafplaats werd bespaard. Maar niet naar het kerkhof gaan houdt nog niet in dat je vader is geëxecu-teerd. Toch?

Ze ligt nerveus te draaien in bed. Zijn voornaam, achter-naam, leeftijd. Ze komen allemaal exact met de feiten over-een. De tranen wellen weer op. Ze stikt onder de lawine van onzekerheden. Haar geest flitst heen en weer en zoekt op de onmogelijkste plaatsen. Ze kan zich aan niets vastgrijpen. Haar handen tasten rond in de leegte.

Ze heeft maar één duidelijke herinnering aan haar vader. Aan toen ze klein was. Ze herinnert zich dat ze over een gla-zen scherm in de opgeheven handen van een man werd getild die haar vader moet zijn geweest. Ze herinnert zich de zwarte ogen, de ruige, ongeschoren huid en de zwarte snor. Ze herin-nert zich ook zijn geur; het was de geur van achterblijven, van geen frisse lucht inademen. Ze weet nog dat ze dacht: Waar is mijn moeder? Wie zou haar nu uit de handen van deze man redden? Deze onbekende? Ze huilde toen hij haar in de lucht hield en haar op de wang kuste. Het was warm. Hij lachte. En zijn lach klonk droevig.

Haar moeder heeft Sheida nooit gevraagd of ze zich iets van haar vader herinnerde. Als kind wachtte Sheida stil op een teken om uiting te mogen geven aan haar beangstigende behoefte om te weten, om over haar vader te spreken. Maar er werd haar geen teken vergund. Ze leed eronder dat ze geen herinneringen had, leed onder de leegte. En haar moeder vroeg haar nooit waarom. Ze had het nooit geweten. En ze dacht aan die vele keren dat haar moeder stil met haar hoofd tegen de muur zat, in gedachten verzonken. Sheida had die lange geheimzinnige perioden van stilzwijgen die Maryam doormaakte nooit kunnen verdragen. Ze was jaloers op die stilte, op de gedachten die zich in Maryams hoofd vormden, gedachten die ver van haar af stonden. Ze kwamen uit een wereld waarin zij geen plaats had. Het was een deel van haar moeder dat zij nooit had bezeten, een deel van haar waarvan ze wist dat ze het nooit zou bezitten. En daar wilde ze juist heen, achter het prikkeldraad van stille, kapotte herinneringen.

Het was het ergst wanneer Sheida probeerde vragen over haar vader te stellen. Een paar vragen waren al genoeg om Maryam de rest van de dag in haar kamer te laten doorbrengen, in bed, omringd door volslagen duisternis met alle ramen en luiken dicht, kreunend van wat zijzelf migraine noemde. Sheida ging dan stilletjes de kamer binnen, waar de geur van eenzaamheid en wanhoop zo dik als stof in de lucht hing. Ze hield haar moeders hoofd vast wanneer ze boven het toilet moest overgeven. Ze gaf haar pijnstillers, stopte haar in bed, zorgde ervoor dat alle gordijnen dicht waren. De lucht om haar moeder was zwaar van de verlamming, van het inwendige breken, als een marmeren beeld dat bezwijkt onder de slagen van een hamer. Meestal wist Sheida niet hoe snel ze uit die kamer moest wegkomen. De zwaarte was ondraaglijk, de pijn onbarmhartig. Op zo'n moment begreep Sheida dat hoe vaak en op welke manieren ze ook probeerde iets over haar vader te weten te komen, haar moeder nooit over hem zou spreken. Ze zou haar altijd onderbreken, altijd op een ander onderwerp overstappen. Sheida had geen keus: ze moest er langzaam in berusten dat ze het nooit zou weten.

Sheida staat op en loopt op blote voeten naar het bureau naast het raam. Ze opent een van de laden. In de dunne laag licht die vanuit de straat naar binnen zweeft, rommelt ze in papieren, documenten, foto's en kaarten. Half uitgeput, half buiten zinnen wroet ze in de papieren stukjes en brokjes van haar leven, graaft erin met haar blote handen. Ze knipt de bureaulamp aan.

Valerio wordt wakker en komt ook bij het raam staan. Buiten is het harder gaan waaien. De wind suist door bomen, gebouwen en wolken.

'Ik zoek de foto van mijn vader,' mompelt ze. 'Mijn moeder zei dat het de laatste opname van hem is. Ik moet hem vinden.'

Ze vinden de foto. Een jongeman met vol zwart haar, donkere, glanzende ogen, en een snor.

Sheida keert de foto om. Er staat niets op de achterkant.

De koffie is klaar. Valerio doet het gas uit en pakt twee witte kopjes uit de kast. Hij schenkt de koffie in terwijl hij Sheida vanuit zijn ooghoek gadeslaat. Sheida heeft haar armen om haar knieën geslagen en haar voeten op de rand van de stoel gezet. Ze kijkt niet naar hem. Haar blik zwenkt weg, naar verre oorden, naar de blauwe lucht, waar de zon laag hangt.

Wat zal Sheida gaan doen, vraagt Valerio zich af terwijl hij de kop koffie voor haar op tafel zet. In hem woedt een vreselijk gevoel. Hij voelt een sterke drang iets in elkaar te slaan. De muur, een boom, wat dan ook. Stel dat het waar is? Een vader die geëxecuteerd is, begraven in een massagraf. Aan zoiets hangt zo'n gewicht aan geschiedenis dat Valerio er week van wordt. Hij heeft nog nooit iets dergelijks meegemaakt, en ook niemand die hij kent. Voor hem behoorden massagraven tot het verleden, tot boeken over de Spaanse burgeroorlog en films over de tijd van het fascisme. Maar niet nu, niet in dit leven, niet zo dichtbij, niet met Sheida; je verwacht de geschiedenis niet in je eigen huis.

Sheida's vader was drie jaar jonger dan hij nu. Hij vindt dat een verbijsterend feit, kan de gedachte niet uit zijn hoofd zetten. Dacht haar vader dat de dood nabij was toen hij zevenentwintig was? Of was hij misschien zo optimistisch dat hij meende dat verzet plegen tegen een regering niet per se hoefde te leiden tot begraven worden in een massagraf. Het ontluisterende van massagraven. Het vernederende. De schande!

Hij werpt een blik op Sheida, die er heel moe en bleek uitziet. De damp van de koffie stijgt op en verdwijnt ergens tussen de witte rand van de kop en Sheida's handen die om haar benen zijn geklemd. Ze kijkt naar de koffie en maakt haar handen los; ze legt haar benen languit op de vloer. Valerio omhelst haar, in de hoop dat hij wat warmte in haar lichaam kan overbrengen. Hij voelt de kou van haar handen in zich prikken als de koude snede van een zwaard en worstelt met de vreemde gewaarwording tekort te schieten die in hem aan het ontstaan is. Hij voelt zich plotseling alleen nog maar een toeschouwer, zonder rol. Sheida heeft een eigen wereld waarin hij niet thuishoort en waarin hij zich ook geen plek kan veroveren. Hij is plotseling jaloers op de moeder, het land en de onbekende vader die zijn plaats hebben ingenomen, jaloers en geïntimideerd door al die geschiedenis die Sheida met zich mee torst.

Hij stelt voor een wandelingetje te maken, wat frisse lucht te happen. Maar Sheida heeft geen behoefte aan een wandeling.

'Ik moet met mijn moeder praten,' zegt ze.

'Is dat een goed idee?'

Ze kijkt hem aan. 'Er zijn heel wat jaren verstreken. Als ik het nu niet doe...' Ze maakt de zin niet af, ze gebaart met haar hand in de lucht. Valerio ziet hoe ze zich omkeert, de andere kamer in loopt en de telefoon pakt.

🌿

Sheida trilt wanneer ze de warmte van Maryams stem hoort. Ze stelt zich voor dat ze dicht bij haar is. De geur van haar moeder vult bijna haar neusgaten. Ze opent haar mond om iets te zeggen maar doet hem meteen weer dicht en probeert het kloppen van haar hart tot bedaren te brengen. Maar aan de andere kant van de lijn pikt haar moeders gevoelige radar onmiddellijk signalen op zodra ze de verstiktheid van Sheida's stem hoort. Ze vuurt allerlei vragen op haar af. Gaat het goed met haar? Heeft ze een ongeluk gehad? Is er iets op haar werk gebeurd? Is ze ziek? Er klinkt angst door in Maryams stem, de hulpeloze angst van een moeder wier kind te ver weg is om iets voor haar te kunnen doen als er ooit iets misgaat.

Sheida is weer in de verleiding haar woorden in te slikken, niets te zeggen, door te leven zoals daarvoor, haar moeder te beschermen, de bescherming van het ongezegde. Ze sluit haar ogen en opent nogmaals haar mond.

De waarheid heeft zoveel kanten.

'Heeft Baba na de revolutie ooit in de gevangenis gezeten?' vraagt ze, en terwijl ze dat doet voelt ze het donkere schip van angst en nog een ander gevoel dat aan spijt grenst, in zich groeien en wegvaren.

Het is lang stil. De draden vibreren.

'Nou?' vraagt Sheida, moeizaam slikkend, want nu realiseert ze zich dat ze het verhaal dat haar vader aan kanker is gestorven nooit echt heeft geloofd. In de betraande ogen van haar oma en het onbewogen gezicht van haar moeder zag ze iets wat verderging dan de eenvoudige dood van een echtgenoot en een zoon. Iets verontrustends. Iets heel groots dat al het andere verstikte en slechts een schaduw achterliet.

Aan de andere kant, duizenden kilometers ver weg, zwijgt Maryam. En dan zegt ze: 'Hoezo?'

'Ik heb iets gelezen en ik moet weten of het waar is.' Sheida's stem beeft.

'Wat heb je gelezen? Waar heb je het over?' De dochter kan de paniek van de moeder voelen. Ze heeft dit al zo vaak zien gebeuren.

'Het is een artikel. Het gaat over de executies van 1988. Er is een lange lijst met namen.' Sheida's stem is ondraaglijk hoog, ze gilt bijna. 'Zat hij nou in de gevangenis of niet? Maman, je moet me de waarheid vertellen. Was het zo?' Sheida zwijgt even. 'Je mag niet tegen me liegen.'

Het is heel lang stil aan de andere kant. Dan is Maryams stem er weer, heel zacht.

'Wat? Ik kan je niet verstaan.'

'Ja.' Sheida hoort haar moeder bijna fluisteren en dan haar keel schrapen. 'Ja, dat klopt,' herhaalt Maryam.

Sheida schiet vol. Ze heeft niet verwacht dat haar moeder het zo gemakkelijk, zo snel toegeeft. Ze haalt ratelend adem, alsof er te veel lucht in haar longen zit. Ze zakt zwaar in de bank weg, haar vingers verliezen hun greep op de telefoon.

Is dan eindelijk het moment aangebroken? Gaat nu alles instorten, gaan nu de dijken doorbreken?

Het duurt even voordat Sheida zich heeft herpakt en weer kan spreken. 'Waarom heb je me dat nooit verteld?'

'Er viel niets te zeggen.' Haar moeders stem heeft een diepe, vermoeide klank gekregen, alsof hij uit een oude, kapotte radio komt. 'Je vader stierf voordat je hem leerde kennen en dat is wat je altijd geweten hebt.'

'Je zei tegen me dat het kanker was. Je hebt me laten denken dat hij ziek was.'

Aan de andere kant deint de stilte op en neer, vermengd met het zware ademen van haar moeder.

'Mijn vader is geëxecuteerd,' zegt Sheida. Haar armen en benen voelen alsof ze aan het verdampen zijn. 'En je hebt me dat nooit verteld. Ze hebben hem vermoord. Zijn naam staat op de lijst. Ik heb zijn naam op de lijst zien staan. Iedereen kan het weten, Maman.'

Ze hoort haar moeder een diepe zucht slaken, een zucht zo zwaar als een oud geheim.

'Ik weet het,' zegt ze. 'Ik weet het.'

Teheran, 1988

Ze kreeg de verkeerde tas, het verkeerde overhemd, de verkeerde tandenborstel, de verkeerde pyjama.

Ze wist het omdat zij het overhemd, de tandenborstel en de pyjama voor hem had gekocht. Ze wist het omdat ze ze zelf had ingepakt en zijn naam en gevangenisidentificatienummer op het pakpapier had geschreven, zorgvuldig, nauwgezet, alsof iemand haar zijn testament dicteerde.

Ze wist het omdat ze zich zo leeg als een graf voelde toen ze de tas openmaakte. Er zat een gat in haar. Dat was wat de dood in een verkeerde tas met je kon doen. Een gat in je borstkas graven zo groot als je vuist. Een gat dat je je de rest van je leven verdoofd deed voelen.

Ze trilde van angst en een gevoel dat nog veel verlammender

was, haar nog veel meer pijn bezorgde, toen ze de bezittingen van de dode aanraakte.

De verkeerde dode. De verkeerde bezittingen.

Iemand anders moest zíjn spullen hebben. Een andere echtgenote raakte op dat moment het overhemd van háár man aan.

Ze huiverde, gooide alles weer in de zwarte tas en deed de rits met een ruk dicht.

Buiten hingen de boombladeren lusteloos aan de takken, onder de felle zonnestralen. De lucht was helder, eentonig.

De tas tegen zich aan klemmend rende ze weg. De drukke straat door, waar niemand iets wist, iets zag, of haar kreten hoorde.

Ze rende voort als een schaduw die niets anders had dan een tas met de bezittingen van een dode erin.

Met haar andere hand greep ze haar zwarte hoofddoek vast om te voorkomen dat hij afviel en haar vroegtijdig grijze haardos tevoorschijn zou komen. Ze rende langs het donkere water dat door de brede goten stroomde, langs krantenkiosken, langs een blinde die gesmokkelde pakjes sigaretten verkocht, langs de groezelige muren van scholen, langs de groezelige muren van flatgebouwen, langs de groezelige muren van supermarkten en banken, langs een oude vrouw die zware plastic tassen droeg en de zijkant van haar chador tussen haar tanden geklemd hield, langs een lange rij arbeiders die lunchpauze hielden op een bouwterrein.

Onder het rennen voelde ze een scherpe pijn in haar borst, een ijskoude vuist in haar, die heftig kneep. Haar mond vertrok. Ze pakte de ruwe stof van haar mantel vast en greep naar haar borstkas.

Ze hijgde. Haar mond was droog, haar gezicht stond in brand. Haar lippen voelden gezwollen. Zweetdruppels gleden over haar rug. Haar voeten voelden alsof er duizend naalden tegelijk in werden gestoken. Maar ze kon niet stilstaan. Haar adem brandde in haar keel. Haar hand gleed over de strijdkreten die met ongelijke letters op de muren geschreven waren. Ze struikelde. Haar vingers krasten over de dikke huid van de stad. Ze wankelde, haar benen bogen waar ze niet hadden moeten buigen.

De tas in haar hand viel op de grond en deed een trieste stofwolk opstijgen.

Teheran, 2009

De melodieuze klanken van het Farsi zweeft het vliegtuig in wanneer moeders met dikke tailles hun kinderen aanmanen stil te zitten. Vaders met pasgeschoren gezichten en brillen duwen handbagage de lockers in, terwijl ze de rusteloze kleine reizigers vragen of ze iets uit de tassen nodig hebben. Ergens in de hoogte cirkelt het geluid van gelach, dat bungelt aan de schermpjes boven de stoelen. Sheida sluit haar ogen. De spanning van de afgelopen dagen glijdt langzaam uit haar lichaam. Haar gedachten dwalen af naar Valerio, naar de zwarte stilte die over de woning viel sinds haar gesprek mat Maryam en haar besluit terug te gaan naar Iran. Valerio was ongewoon stil, alsof er emoties op hem drukten waarmee hij zich geen raad wist en alsof hij iets wilde zeggen; misschien verwachtte hij dat ze hem zou vragen waar hij aan dacht, of dat ze hem zou toevertrouwen waar zij aan dacht. Maar ze kon dat niet opbrengen. Ze was niet meer geïnteresseerd in wat er om haar heen gebeurde. Haar verdriet en woede hadden in haar het gevoel ontstoken geestelijk los te staan van de wereld om haar heen. Ze voelde zich zelfs vervreemd van de lucht die ze inademde. Ze wist dat Valerio leed wanneer zijn pogingen haar terug te

brengen naar zijn wereld van dagelijkse worsteling en nachtelijke ontspanning afketsten op de mistige muur van haar af-
standelijkheid. Ze wist dat hij meer van haar wilde, dat hij
wilde dat ze hem er meer bij betrok dan ze had gedaan. Maar
ze had het gevoel dat ze hem niets te bieden had, niet op dit
moment, nog niet.

Terwijl haar gedachten van haar wegdrijven, heeft ze het gevoel dat er langzaam iets in haar loskomt; er verspreidt zich
een aangename verdoving in haar armen. Het zachte rumoer
van de passagiers en het vliegtuig dat door de ruimte suist,
streelt haar oren.

Het lijkt of ze maar een paar minuten heeft geslapen, wanneer ze wakker wordt van de krakerige stem van de gezag-
voerder die hun vertelt dat ze Teheran naderen. Er is een lichte
beroering in het vliegtuig wanneer hoofddoeken en mantels uit
lockers worden gehaald. De vrouwen moeten zich voordat ze
aankomen voorbereiden. Sjaals zwaaien door de lucht, liggen
als een fluistering op het haar, verbergen een lichte coupe soleil,
accentueren de ogen, de wenkbrauwbogen. De halzen worden
korter, de schouders breder. De kinderen lachen om hoe hun
moeder er nu uitziet. Echtgenoten kijken toe. Moeders glimlachen. Hun handen jongleren met hun hoofddoeken. De eerste
paar minuten lijkt het allemaal een spel, luchtig en grappig.

Sheida kijkt uit het raam naar de enorme zee van lichtjes die
zich uitstrekt tot in de verte. Teheran ligt onder haar voeten,
reikend tot zover het oog kan zien. Een angstige misselijkheid
rijst in regelmatige samentrekkingen op in haar lichaam. Ze
voelt zich beroerd van opwinding en angst. Ze nadert haar thuis,
haar stad, haar straat, haar huis.

Het vliegtuig maakt een keurige landing en een paar mensen
klappen. Na een paar lange minuten beginnen ze langzaam uit
te stappen. Sheida's neusgaten vullen zich met de prikkelende

geur van smog wanneer ze over de drempel van het vliegtuig stapt en de mobiele trap betreedt. Ze loopt met knikkende knieën de trap af, stevig de leuning vasthoudend, waarop de blauw-oranje schemering weerkaatst.

Een man met een geel jasje aan en een baard van drie dagen dirigeert de passagiers naar de bus.

'*Befarmaid khanoom*,' – 'De bus staat klaar,' zegt hij tegen Sheida, die om zich heen kijkt alsof ze niet weet waar ze is. Ze keert zich stralend naar hem toe. Hij kijkt haar verbaasd aan en zegt niets.

In het gedeelte van de hal waar ze haar bagage kan ophalen klinkt geroezemoes van de mensen die pas zijn aangekomen. Drommen vrouwen, nog niet gewend aan hun nieuwe uitdossing; mannen die bang zijn te worden opgehouden bij de paspoortcontrole; kinderen die als eenzame sleutels aan de reusachtige ouderlijke sleutelhanger bungelen; kruiers, die in hun gele uniform en met een voorhoofd dat glinstert van het zweet heen en weer rennen over de glanzende vloer en boven het oorverdovende, onduidelijke lawaai uit tegen elkaar schreeuwen.

Bij de paspoortcontrole bekijkt een man met een marineblauw overhemd aan dat tot zijn uitpuilende adamsappel is dichtgeknoopt, aandachtig Sheida's paspoort.

'Waar komt u vandaan?' vraagt hij met een effen stem.

'Italië.'

'Hoelang bent u weggeweest?'

'Acht jaar.'

'De reden voor uw bezoek?'

De reden voor haar bezoek. Ze voelt alle eerste opwinding uit zich wegvloeien. Waarom is ze hier? Waarom is ze teruggekomen? Omdat haar vader geëxecuteerd is. Omdat haar moeder haar hele leven tegen haar gelogen heeft. Omdat ze niet weet wat ze moet voelen en wat ze moet denken en wat ze moet doen. Omdat de geschiedenis haar eindelijk heeft ingehaald.

'Om mijn moeder te bezoeken,' zegt ze.

Buiten voor de uitgang staan links en rechts van het pad rijen witte en gele taxi's. De chauffeurs rennen naar voren wanneer de automatische glazen deuren openschuiven en nerveuze reizigers en verweerde kruiers uitspuwen. Een van de taxichauffeurs grijpt Sheida's koffer. Onder zijn onderlip zit een klein dotje haar. De zilveren ringen aan zijn vingers glinsteren onder de tl-verlichting van de parkeerplaats. Ze loopt achter hem aan de blauwe avondwarmte in. Hij vraagt haar het adres.

Terwijl ze zich door de herrie en smog heen zwoegen, langs de enorme betonblokken in de vorm van hoge gebouwen met kleine ramen, vangt Sheida een glimp van de top van de Damavand op. Ze voelt haar keel dichtsnoeren bij het zien van deze trieste, met sneeuw bedekte glorie. Ze legt een hand op het raampje, alsof ze het beeld wil vastpakken en op haar handpalm wil afdrukken. Met haar hand op het raam en haar adem gevangen in haar keel houdt ze dat beeld als een plotseling opborrelende regel poëzie vast.

Het rusteloze, chaotische verkeer flitst voorbij en laat een aanhoudend nest van rook achter. Vrouwen rennen over straat, de uiteinden van hun lange zwarte chadors over de grond slepend, autobanden rakelings passerend, de uitlaatgassen langs hun lichaam de lucht in zwiepend. Telkens wanneer Sheida een zwarte chador ziet langskomen, slaat haar hart over bij de gedachte dat het lange uiteinde onder de banden klem kan komen te zitten.

Er zoeft een motorfiets langs met twee politieagenten erop. Een man laat zijn portefeuille vallen. Een zwaluw strijkt neer op de tak van een moerbeiboom. De lach van een kind vliegt de auto in. Aan het eind van de straat krijgt Sheida nog een politiejeep in de gaten; er staan drie gardisten naast. Wanneer de taxi de groen-grijze jeep achter zich laat, blijft de angst die hij bij Sheida heeft opgeroepen aanwezig. Het is alsof de stad een militaire zone is geworden, altijd ogen die kijken, observeren, de wapens en knuppels altijd klaar om toe te slaan.

Geleidelijk krijgen de straten om haar heen een bekende kleur. Het koffietentje op de hoek is er nog, met zijn brede houten deuren en rolluiken voor de ramen. De ijzerwinkel ernaast is aan het sluiten voor de avond. Een oude man trekt de rolluiken naar beneden. Hij houdt met zijn ene voet het rolluik neergedrukt en tilt de andere op, die in de lucht blijft hangen. Een vrouw staat voor een kledingzaak te kijken naar de etalage met zijn uitstalling van jurken op verminkte poppen, onthoofd, de borsten als ongewenste bobbels afgehakt.

Ten slotte komen ze bij de blauwe deur van Maryams woning. Sheida stapt uit en loopt met haar kleine koffer op wieltjes achter zich aan over de stoep. Ze haalt diep adem en belt aan.

'Wie is daar?'

Sheida's stem trilt. 'Ik ben het, Maman, Sheida.'

Stilte en dan een gil: 'Sheida?' Vervolgens het continue gezoem van de deur die elektrisch wordt ontgrendeld.

Sheida duwt de deur open. Maryams voetstappen komen de trap afgerend. De een rent met haar koffertje omhoog en de ander rent met blote voeten en onbedekt haar naar beneden. Ze omhelzen elkaar alsof ze niet door een gemene wind omvergeblazen willen worden. Maryam raakt ongelovig het gezicht van haar kind aan en neemt haar handen in haar trillende vingers.

'Wat doe je hier?' roept ze lachend uit. 'Mijn God, wat doe je hier?'

Sheida huilt. Ze had het niet verwacht, maar ze snikt zo luid

218

dat ze niets kan zeggen. Maryam veegt haar tranen met de muis van haar hand weg. 'Azizam, azizam,' herhaalt ze.

Ze gaan naar boven, de armen om elkaar heen geslagen. In de woning is niets veranderd: de bruine bank, de foto's van haar als kind op de muur, de flinterdunne gordijnen, Maryams rood-witte porseleinen huwelijksspiegel met zijn gehavende rand. Sheida had dit verwacht. Ze wist dat er in Maryams onwrikbare wereld niets zou zijn gewijzigd. Ze wist dat Maryam zou willen dat ze alles precies zo aantrof zoals ze het had achtergelaten als ze op een dag zou besluiten terug te komen.

Maryam laat haar de planten op het balkon zien. De filodendron is gegroeid: de bladeren zweven de tafel af en hangen tot op de grond. Toen Sheida klein was, leerde Maryam haar hoe ze de hartvormige bladeren moest schoonmaken. Ze pakte ze een voor een vast en veegde het stof er met vochtige watten af. Precies zoals Maryam haar gezicht altijd schoonmaakte wanneer ze uit haar werk kwam. Ze goot warm water op een schoteltje en ging op de grond zitten, met haar rug tegen een kussen, en doopte de watten in de schotel. Strepen water over haar gezicht. Sheida zag de watten zwart worden.

Dat waren de mooiste momenten van hun leven samen, wanneer haar moeder bij haar thuis was, naast haar zat, haar hielp met haar huiswerk, terwijl er een vredige stilte om hen heen zweefde, op het gezoem van de verwarming na waarop haar moeder hun eten warm hield tot het tijd was om te eten. Dan aten ze, keken naar hun lievelingsserie op de tv, allebei met een kop thee in hun handen en met oma's zelfgemaakte quilt op hun benen. Sheida herinnert zich de vermoeide, maar serene uitdrukking op haar moeders gezicht die de rimpels glad leek te strijken terwijl ze Sheida knuffelde, haar ernstig aankeek en tegen haar zei dat haar ogen de mooiste waren die ze ooit had gezien, dat ze gloeiden alsof er draken in zaten die vuur spuwden, dat ze niet één, maar twee rijen wimpers had aan weerszijden van haar ogen. En dan giechelde Sheida, blij en trots.

En nu ze in deze woning staat waarin ze ooit zowel de droevigste als de vrolijkste momenten van haar leven heeft meegemaakt, heeft Sheida het gevoel alsof ze nooit is weggeweest. Ze is nog steeds dat kleine meisje wier moeder, ondanks al haar fouten en tekortkomingen, het enige stevige centrum vormt dat ze ooit heeft gekend.

Er staat een blauwe aardewerken vaas midden op tafel, met narcissen erin. Ze worden op de straathoeken verkocht, bij stoplichten, in bossen, verpakt in oude kranten. Mannen met donkere, stoffige gezichten verkopen ze; ze kloppen met gekromde vingers op autoruiten en zigzaggen tussen de auto's door. Ze tellen zelden het geld dat in ruil voor de kleine gele bloemen wordt gegeven.

Moeder en kind nemen elkaar over de narcissen heen op, terwijl hun gedachten elders ronddwalen. Hun blik glijdt tussen de fijne bloemblaadjes door en heeft een gele geur wanneer die bij de ander komt.

Maryam praat maar door over het weer, het verkeer van Teheran, de dochter van een vriendin die tot de universiteit is toegelaten, over een andere die een kind krijgt. Ze springt van de hak op de tak, in de hoop Sheida's gedachten van het verleden, van de dreigende brandstapel, van de dood, van het heden af te leiden. Ze is bang voor stilte, bang voor Sheida's gedachten. Ze verandert snel van onderwerp wanneer ze denkt dat ze Sheida's aandacht verliest. Haar woorden zijn zo licht als de regen.

Maryam heeft Sheida nooit het verleden in willen slepen. Ze heeft haar ervan weg willen houden en daar is ze niet in geslaagd. Nu zit Sheida hier en kan Maryam niet doen alsof ze niet weet waarom. Maar ze wil niets vragen, wil niet het initiatief nemen. Ze wil de dood zo lang mogelijk bij zich vandaan houden. Er is veel om over te praten maar niets om te zeggen.

Sheida luistert. Ze lijkt slechts geduldig te wachten op het juiste moment om de bom te laten vallen en alles te laten verbranden, zonder om te kijken, klaar om zich te wreken op tijd en moeder en moederland. Maryam neemt een slok water. Ze ziet de vuurgloed in Sheida's ogen en kijkt de andere kant op.

'Gaat we het niet hebben over waarvoor ik hier ben?' zegt Sheida.

De narcissen staan bewegingloos in de vaas. Er ligt een druppel water op het tafelkleed. Hij weerkaatst het licht van de lamp die boven hun hoofd hangt.

Maryam slaat haar ogen op. Ze kan geen woord uitbrengen. Ze is bijna bang voor haar eigen kind. Beseft dat ze ouder is geworden en Sheida is gegroeid en niets meer is zoals het was.

'Zeg het maar.'

'Je hebt Baba's sterven voor me geheimgehouden.'

Maryam reageert niet en kijkt Sheida ook niet aan. Haar blik is vastgehaakt aan een onbekend punt ergens voor haar. Haar hart brult van pijn. Haar ogen blijven droog. Ze heeft geen tranen meer voor de wereld.

Dit zijn precies de woorden die het kind nooit had mogen uitspreken. Dit zijn de woorden die Maryam haar hele leven vol zorg heeft weggehouden. En nu glijden ze door de lucht als haviken die een prooi zoeken. Ze heeft niets kunnen tegenhouden. Ze heeft pijn geleden, met haar hoofd stevig tussen de krachtige knieën van de geschiedenis geklemd. En nu zitten er overal bloedspatten en hersenresten. Ze is verslagen.

Dit is het eind van de strijd.

'Was je van plan het me ooit te vertellen?'

'Ik had nooit gedacht dat het op deze manier weer bij ons terug zou komen.'

'Ik had het recht te weten wat er met hem gebeurd is.'

'Je zou niets hebben kunnen doen. Het zou je leven alleen maar verwoest hebben.'

Sheida legt haar servet neer. Haar wangen zijn rood. 'Ik zou niets hebben kunnen doen? Waar slaat dat nou op? Je hebt me mijn verleden onthouden. Je hebt me mijn vader onthouden!'

Het glas trilt wanneer Maryam het naar haar lippen brengt en een korte, moeizame slok water neemt. Ergens in haar wordt iets omgesmeten. Ze voelt zich diep vanbinnen gekneusd, waar ogen niet kunnen zien. 'Ik wilde alleen maar dat je een normaal leven had. Ik wilde dat je, dat wij, zouden leven als ieder ander. Ik wilde je beschermen.' Ze zwijgt even. 'Ik was bang.'

Er valt een stilte in de kamer, als een vloek. Maryam drukt haar handen op de tafel om ze niet te laten trillen. Ze sluit haar ogen. Alles op tafel leggen, tot en met het laatste detail. Naakt staan, wachten op de zweep die neer gaat komen, in overgave.

'Je vader werd geëxecuteerd.' Ze opent haar ogen en kijkt haar dochter aan. 'Ze kwamen hierheen en namen hem mee, maar een paar maanden nadat ik had ontdekt dat ik zwanger was. Ze blinddoekten hem en duwden hem in een auto. Ik wist dat het voorbij was. Die dag wist ik dat ik hem kwijt was. Ik wist dat ik hem nooit meer in ons huis zou zien. Hij liet me alleen en ik had niets in de hele wereld wat hem kon vervangen. Is dat wat je wilde weten? Is dat de leugen?' Ze beeft. Ze heeft het gevoel dat de grond onder haar vandaan is gehaald. 'Ik kon niet eens om hem rouwen. Ze belden me op, gaven me zijn spullen en zeiden dat hij overleden was. Dat is alles. Ze zeiden dat ik hem niet kon begraven. Dat heeft hij me aangedaan. Ik was alleen. Ik ben sindsdien altijd alleen geweest. Zie je dat niet? Ik was verlamd.'

Haar stem begeeft het.

Sheida staart haar moeder aan; ze weet geen woord uit te brengen. Het is alsof hij net is overleden, alsof al die jaren niet zijn verstreken. Ze zit nog steeds in dat oude huis, ziet nog steeds haar man geblinddoekt weggevoerd worden. Ze heeft dat huis, dat moment nooit verlaten. Ze heeft zich levend begraven in alles wat mislukte, alles wat in vernietiging eindigde.

'Ik kan niet in beweging komen.' Het wit van Maryams ogen lijkt in roodgloeiende lava veranderd. 'Ik zit hier maar te wachten. Ik weet niet eens waarop. Meer kan ik niet. Ik heb een echtgenoot verloren; ik kon niet leven met de gedachte mijn dochter ook te verliezen. Wat moest ik doen als ze wanneer ze opgroeide in zijn voetsporen wilde treden? Kijk maar naar wat er nu gebeurt. We zijn twintig jaar verder en er is niets veranderd. Ze zijn weer helemaal opnieuw begonnen, stoppen weer iemands kinderen in de gevangenis, vermoorden ze op straat. Heb je het niet gezien? Ik kon dat niet met jou laten gebeuren. Ik kon hen je niet laten afpakken!'

Sheida blijft staren naar de tranen die over haar moeders gezicht stromen, naar haar gezicht dat vertrekt van pijn, van de scherpe littekens van de herinneringen. Ze maken haar doodsbang. Die tranen. Die woorden. Ze verpletteren iets in haar als een leeg frisdrankblikje. Ze had zich willen wreken. Ze had niet gedacht aan de vloedgolf die haar moeders lichaam zou openbreken. Ze had niet gedacht dat ze haar moeder aan flarden zou zien, verscheurd.

Ze wil iets zeggen, maar kan het niet. Ze zou haar nagels in haar dijen willen zetten en het vlees eraf willen rukken.

Buiten is het rumoer van geren en geduw en geschreeuw te horen. Politiesirenes met daardoorheen één enkele schreeuw van een vrouw. Een helikopter ronkt heen en weer door de stille lucht.

Teheran 1983

Hij zei dat ze hun de gelegenheid gaf angst in haar te planten. 'Als we ons bang laten maken, blijft er niets meer over.'

Ze luisterde naar hem, staand bij het raam. Ze keek naar de hospita op de veranda, die steentjes uit de rijst zat te halen, terwijl haar bebloemde chador van haar hoofd gleed. Ze hief een hand op en trok hem naar voren.

'Ze arresteren iedereen,' zei ze zonder zich om te draaien. 'Waarom zou jij een uitzondering zijn?'

'Ze kunnen niet iedereen arresteren. We zijn met zóvelen.'

Hij zat in kleermakerszit op de grond. Naast hem lag een stapel antiregeringspamfletten die hij 's nachts bij de mensen aan huis bezorgde. Waar ze stond kon ze niet lezen wat erop stond, maar ze wist dat dit niet de revolutie was waarvoor hij had gevochten. Hij hield een sigarettenpeuk tussen zijn vingers. De porseleinen asbak die ze in Isfahan hadden gekocht stond naast zijn knie. De as van de sigaret was zo lang dat hij naar binnen krulde. Ze was bang dat hij op het kleed zou vallen.

Hij zag de bezorgdheid in haar ogen. Hij legde de sigaret op de asbak. Maar over haar angst zei hij niets.

Ze legde een hand op haar boller wordende buik. Ze wilde het nog steeds over haar angst hebben, maar in haar voelde ze een beweginkje. Ze glimlachte en keerde zich naar hem toe.

'Ze beweegt.'

Hij krabbelde overeind en sprintte op haar af. Zijn hand op haar buik was warm. Ze voelde de tranen opwellen.

'Ik kan niet alleen zijn wanneer ze komt. Je moet er zijn. Je moet overal zijn.'

Ze wist dat hij er niet van hield wanneer ze zo sprak. Maar ze kon er niets aan doen. De angst vormde doorns in haar keel.

'Ik ga nergens heen.' Hij kuste haar buik, haar handen en haar hals. 'Ik zal er zijn.'

Er werd aangebeld toen ze stapels van de pamfletten aan het maken waren. Maryam keek naar buiten. De lucht was die dag anders blauw – de zon week die dag terug, alsof hij hen niet meer gadesloeg.

Hij had gezegd: 'Als de angst overheerst, blijft er niets over.'

Hij had het mis.

Het enige wat ze nog had was angst.

Teheran, 2009

Een zacht briesje glijdt door de moerbeibladeren achter het raam. Witte wolken zweven als een lachende droom door de blauwe lucht. Maryam wordt wakker. Sheida slaapt op het bed naast haar. Haar mond is een beetje open, haar ogen stevig dicht. Maryam voelt een golf van emoties, van pure vreugde nu ze naar haar dochter kijkt, die hier bij haar is. Eindelijk. Ze voelt zich ook wonderlijk uitgerust; ze is 's nachts niet één keer wakker geworden. Ze kan zich de tijd niet heugen dat ze zo diep heeft geslapen. Er zitten twee rimpels in de huid onder

Sheida's hals, als een ketting. Maryam zou er graag met een vingertop overheen gaan. Wordt dit een nieuw begin? Is dit de eerste dag van een nieuw leven?

Ze staat op en werpt een blik op haar spiegelbeeld. Haar opgezette ogen prikken. Ze tuurt in de spiegel, maar kan haar ogen niet zien vanwege de zware plooien. Ze haalt haar middelvinger over een doorzakkend ooglid en trekt het op. Scènes van de avond ervoor stromen haar gedachten binnen. Ze dacht dat de woede geluwd was, en ook de pijn. Maar er leek niets te zijn veranderd. Ze hadden alleen maar op het juiste moment gewacht om tot uitbarsting te kunnen komen. Ze was niet in staat geweest zich in te houden, de herinneringen binnen te houden, door te blijven bloeden. Amirs dood is de grootste last die Maryam ooit heeft moeten dragen, zijn dood en haar geheim, de leugens die ze Sheida heeft verteld, over gezwellen en ziekenhuizen. Ze had zich soms hevig geschaamd, gewalgd van zichzelf en de manier waarop die leugens uit haar mond kwamen. Zo vaak had ze zich afgevraagd of wat ze deed juist was. Maar ze wist het antwoord niet en naarmate de jaren verstreken had ze het gevoel gekregen dat ze geen keus had. Het geheim had zich hard en meedogenloos om haar heen gewikkeld en zorgde ervoor dat er geen piepje meer uit haar keel kon komen. Het enige waar Maryam vanaf de eerste week aan kon denken, en in alle weken, maanden en jaren die volgden, was dat ze in leven moest blijven en zich erdoorheen moest slaan.

Ze denkt terug aan de dag waarop ze weer bij haar ouders introk. Ze was in één week vijf kilo afgevallen. Ze was nog maar een schim van zichzelf. 'Als je niet aan jezelf denkt, denk dan in ieder geval aan je dochter,' had haar moeder gezegd toen ze Maryams bagage inpakte, terwijl Maryam in een hoek zat toe te kijken. Alles in de woning rook, niet naar Amir, maar naar zijn afwezigheid, en Maryam had niet de kracht om ermee te leven of om het los te laten. Haar moeder stopte alles van Amir in een kartonnen doos, deed er de ene na de andere laag plakband omheen en stuurde hem naar zijn moeder in Hamedan. Daarna zette ze Sheida in de kinderwagen en pakte Maryam bij de hand.

Het was vreemd om terug te keren naar dat oude huis met zijn jacarandaboom met zijn zoete, benauwde geur waarvan Maryam iedere nacht wakker werd, snakkend naar adem. Van de geur van de bloemen had ze als kind nooit last gehad. Maar nu verstopte hij haar longen, drukte haar keel dicht, alsof hij haar wilde laten stikken. 'Maar vroeger hield je er zo van,' zei haar moeder telkens met een klaaglijke stem. Dat was zo, ze wist dat dat zo was. Maar nu niet meer. Wat is er met me aan de hand? dacht Maryam.

Sheida was echter dol op de boom. Ze zat urenlang in de schaduw van de boom met haar poppen te spelen of haar oma te helpen de rijst uit te zoeken. Naarmate de weken en de maanden verstreken leek Sheida steeds minder zin te hebben om bij haar in de kamer te blijven en was ze liever bij haar oma in de tuin. Ze zat niet meer als een slakje op Maryams bed, met haar ellebogen in de matras gedrukt, terwijl ze een prentenboek doorbladerde en hardop de namen zei, bijna riep, van elk personage, in een poging haar moeder te wekken uit een van haar dutjes die met de dag langer werden. Maar Maryam was wel wakker. Ze hoorde Sheida roepen, maar kon zich er gewoon niet toe zetten op te staan. Ze had de kracht niet. Ze had het gevoel dat ze de wereld op haar schouders torste, dat die haar neerdrukte. Het enige wat ze wilde was slapen en nooit meer wakker worden. Ze verscheen alleen maar achter het witte houten sierhekwerk in de gang wanneer ze met Sheida naar de tandarts moest of haar moest laten inenten. Of wanneer het haar beurt was om te koken: dinsdags, woensdags en donderdags. 'Dat geeft je een beetje afleiding,' had haar moeder gezegd. Of met etenstijd, wanneer haar ouders, en haar broer en zijn vrouw die op bezoek waren, allemaal rond de tafel met een lepel in hun hand op haar zaten te wachten. Het scheen Maryam destijds toe dat hun stemmen opzettelijk luider werden zodra zij de eetkamer binnenkwam. Het was hun manier om haar te laten weten dat het leven door moest gaan. Maar ze vond al dat lawaai irritant, alsof ze slechts luide stemmen nodig had om haar pijn te vergeten, te vergeten dat hij er niet meer was, dat ze alleen oud zou worden, dat ze oud zou worden in een leven dat tot stilstand was gekomen. Dus gaf ze er de voorkeur aan in de kamer te blijven om te slapen of naar buiten te kijken of weer een sjaal voor haar dochter te breien, die ze haast nooit droeg.

Maar de dag kwam dat Maryam besefte dat ze een eind moest maken aan die lange slaap die haar en haar dochter levend meezoog. Het kwam door een heel onbeduidend voorval, maar op de een of andere manier pakte het Maryam hevig aan.

Er was een jaar verstreken. Sheida ging voor het eerst naar de lagere school. Het was een koele en winderige ochtend. Maryam kamde keurig Sheida's haar en deed haar pony in een wit, bloemvormig speldje toen ze haar klaarmaakte om naar school te gaan. Maar toen ze in de school waren aangekomen, wilde het hoofd van de school Sheida niet in de klas laten. 'Niet zonder *maghnaeh!*' riep ze schril. Maryam keek om zich heen. Sheida was inderdaad het enige meisje zonder hoofddoek. Ze leek naakt te midden van die bedekte hoofdjes die vanuit een met wit omgeven opening naar haar gluurden. Maryam schaamde zich voor haar onaangepastheid. Ze ging boos, wanhopig in discussie met het hoofd en voerde aan dat haar dochter nog geen negen was en dat je volgens de islam pas je haar moest bedekken als je negen was, de *taklif*-leeftijd. Maar het hoofd wist van geen wijken. Regels zijn regels, hield ze staande, en negen jaar of niet, haar dochter moest net als alle andere meisjes een maghnaeh om wanneer ze op school was.

Maryam hield haar mond. Ze herinnerde zich plotseling dat haar moeder haar op de maghnaeh had gewezen, maar ze had het niet serieus genomen. Op dat moment realiseerde ze zich dat terwijl zij in de lijkwade van haar verdriet gewikkeld was, de wereld doordraaide en dat nu ieder jong meisje op straat een hoofddoek droeg en dat verder iedereen het leek te weten behalve zij. Ze moest ze gezien hebben. Hoe was het mogelijk dat ze er geen aandacht aan had besteed?

Ze keerde zich om om Sheida te zoeken. Ze zag dat ze zich achter de zware ijzeren deur verschuilde, de deurknop vast-houdend. Ze stond stokstijf, zo stijf alsof ze zich extra in-spande om haar lichaam heel te houden. Alsof, als ze zich ook maar íéts ontspande, haar lichaam en alles eromheen uiteen zou vallen. Er stonden geen tranen in Sheida's ogen, maar op de een of andere manier had Maryam de indruk dat haar dochter op het punt stond in huilen uit te barsten, dat er elk moment hete tranen van vernedering over haar wangen kon-den stromen. Maryam vond het onvergeeflijk wat ze Sheida had aangedaan, de vernedering die ze haar had laten onder-gaan. Ze kon zo niet doorgaan. Het was tijd om wakker te worden.

Dat was het moment waarop ze besloot een manier te zoe-ken om het land te verlaten. En terwijl ze op de visums wacht-ten – ze wist destijds nog niet dat dat tien jaar zou duren – vond ze een kleine woning met bakstenen muren en grote ramen en verliet ze het ouderlijk huis. 'Het wordt tijd,' zei ze terwijl ze Sheida in haar armen nam en haar vader met hun bagage achter hen aan liep. Haar moeder zwaaide hen uit, haar tranen afvegend, en goot achter hen een schaal water op de grond. En toen Maryam langs de jacarandaboom liep, ademde ze diep in en vulde haar longen met de geur; ze had niet meer het gevoel dat ze stikte.

Maryam stapt de woning uit en doet stilletjes de deur achter zich dicht. Buiten is het koel en fris. Het is nog vroeg. De lucht is nog niet wazig van de smog. De stad is stil. Deze stilte vreet meer aan Maryams zenuwen dan wat ook. Ze kent haar, hoorde haar dertig jaar geleden. Ze is niet natuurlijk, het is niet de rust van een vroege ochtend. Het is de stilte van een stad die stil geslagen is, snel, abrupt, zonder een moment van aarzeling. En toch staat hij nog overeind. Een stad die, hoewel gewond en gehavend, zich nog niet gewonnen heeft gegeven, een slapende vulkaan die ieder moment kan uitbarsten. Het is dit overeind blijven, dit verzet dat Maryam zorgen baart. Waar ze maar kijkt ziet ze de sporen van de schermutselingen van de afgelopen nacht: een omgegooide, uitgebrande vuilnis-emmer, kapot asfalt – er liggen brokken op de stoep en op de rijweg, met daarop zichtbare sporen van opgedroogd bloed – en een groen opschrift op een muur: WAAR IS MIJN STEM GEBLEVEN? Maryam weet dat er nog meer protesten zullen komen, dat de mensen opnieuw de straat op zullen gaan. En als er meer protesten zijn, zullen er ook meer represailles komen, en meer geweld en arrestaties en doden. Hoeveel slachtoffers moeten er nog komen? Hoeveel doden? Wanneer komt er eens een eind aan al dat bloedvergieten? Maryam ziet de paar mensen die net als zij op straat zijn, langssnellen, een stroom verstoorde, wazige gezichten, ineengedoken ruggen. Zal het hun opnieuw lukken ons uit te putten? denkt Maryam.

Bij de bakker staat een rij. Maryam gaat achter een vrouw staan die een witte hoofddoek met roze bloemen draagt. Ze heeft een mand in haar hand. Er liggen basilicumbladeren in, verpakt in krantenpapier. De vrouw zet haar mand neer en keert zich om om naar de wilde vijgenboom achter hen te kijken en krijgt dan Maryam in het oog. 'Weer een dag,' zegt ze.

'En we zijn er nog steeds,' reageert Maryam.

De vrouw knikt, kijkt nog eens naar de vijgenboom en keert zich dan weer om naar de bakker die, overdekt met meel, de *sangak* met een lange schep uit de oven laat glijden, hem op de toonbank schudt en de stenen uit de kleine gaten wipt. Het brood is heet. De vrouw haalt een zak uit haar tas en stopt het brood erin.

Is Sheida gelukkig? denkt Maryam terwijl ze de vrouw licht schommelend de rij ziet verlaten. Is zij ondanks haar zwakheden, haar tekortkomingen, een goede moeder geweest? Ze weet het niet. Nu ze erop terugkijkt ziet ze dat ze nooit ergens een duidelijk plan voor heeft gehad. Ze heeft zich zo goed en zo kwaad als het ging door Sheida's kinderjaren heen gewerkt, nooit zeker wetend wat de juiste keuzes waren. Amir had er moeten zijn. Maryam was alleen en haar hart was te gehavend om zich goed te kunnen concentreren. En om haar heen leken de andere moeders altijd exact te weten wat ze wilden, wat hun kinderen wilden. Alle andere moeders konden slapen terwijl hun kind in een andere kamer lag – Maryam niet. Ze wisten wanneer ze het haar van hun kind moesten bedekken wanneer ze het huis uit gingen – Maryam niet. Ze wisten hoe ze hun kind moesten geruststellen – Maryam niet. Het leek wel of er twee soorten moeders op aarde waren: zij die alles wisten en zij die niets wisten. Maryam wist niets. Ze wist alleen maar hoe ze haar dochter tegen haar ge-heim moest beschermen. Hoe ze op alles moest toezien, alles moest controleren, van Sheida's lesstof tot haar vaders dood, voordat ze iets tot Sheida's geest toeliet. Maryam hield het ongewenste residu voor zichzelf. Het residu was alles wat in haar leven fout was gegaan. Het was beter Sheida erbij weg te houden, bij de zwaar bebloede handen van de geschiede-nis. Maryam had de fundering gelegd. Zij was de moeder. Zij dacht dat ze het het beste wist. Maar Maryam was haar hou-vast kwijtgeraakt en er was geen tak waaraan ze zich kon vastgrijpen.

Sheida ligt nog steeds met opgetrokken benen te slapen wan-neer Maryam thuiskomt. Maryam gaat op de rand van het bed zitten en streelt het haar van haar dochter. Sheida opent haar ogen. Ze slaapt nog steeds zo licht. Die onveranderde eigenschap voelt voor Maryam als het thuiskomen van haar kind. Ze buigt zich voorover en drukt een kus op haar wang.

'Heb je lekker geslapen?'

Sheida knikt en glimlacht. Haar slaperige ogen glanzen. Ze brengt haar handen bij elkaar en legt ze onder haar kin.

'Ik heb me een paar dagen geleden iets herinnerd,' zegt ze, haar slaperige ogen naar Maryam opslaand. 'Ik herinnerde me Baba ineens. De enige herinnering die ik aan hem heb.'

'Wat herinnerde je je?'

'Ik zag dat hij me in zijn handen in de lucht hield. Ik was erg bang. Dat is het enige. Ik herinner me die angst nog goed. En er was een soort raam.'

'Ik ben tweemaal met je bij hem op bezoek geweest. De tweede keer was je een jaar of drie. Ik mocht je aan hem doorgeven achter het glazen scherm en hij verstopte toen iets in je kleren. Ik zal het je later laten zien.' Maryam legt de deken beter om Sheida's schouders. Terwijl ze praat voelt ze zich onverwacht licht en natuurlijk, alsof ze haar hele leven heeft gewacht op dit moment, waarop ze eindelijk los kan laten. En de overgave is zo licht als een regendruppel.

'Maar de eerste keer was ik er niet bij,' vervolgt ze. 'Ze wilden me geen afspraak geven om hem te spreken. Dus toen ben ik gewoon met jou daarheen gegaan en heb erop gestaan dat hij je zou zien. Toen gaven ze eindelijk toestemming en werd je naar hem toe gebracht, zodat hij je een paar minuten kon zien, maar ik moest buiten wachten. Je arme vader wist niet eens dat je geboren was. Het moet een schok voor hem zijn geweest toen ze hem zomaar dat kleine meisje overhandigden en zeiden dat het zijn kind was.'

Sheida glimlacht, maar haar ogen staan triest. 'Wat voor iemand was hij?'

'Baba? Nou, hij was heel verlegen, een beetje als jij. Maar hij was ook heel vastberaden, misschien een beetje koppig.' Ze probeert te lachen. Er blijft iets in haar keel steken. Er is niets gemakkelijker geworden. De tijd heelt geen wonden. Hij overwint niet eens tranen. Als het om verdriet gaat is de tijd niet meer dan een mislukte poging om te vergeten. 'Maar hij was heel vriendelijk en had een prachtige stem wanneer hij zong.'

Sheida lijkt gespannen terwijl ze daar naar haar moeder ligt te kijken. 'Ik kan me niet voorstellen hoe moeilijk het voor je geweest moet zijn.'

Word ik vergeven? denkt Maryam. Is dit verzoening? Ze weet niet hoe ze moet reageren. 'Ik wilde gewoon dat je een goed leven had.' Ze mompelt bijna, alsof ze niet meer zo goed weet wat dat inhoudt. Ze heeft die woorden in gedachten al zo vaak gezegd dat ze slechts klinken als een zwakke poging te voorkomen dat de muren afbrokkelen.

'Ik heb een goed leven gehad, Maman. Ik heb een prachtig leven gehad.'

Maryam luistert naar haar en denkt: ook in Italië? Maar ze vraagt het niet. Ze wil geen wonden meer openmaken. Ze weet dat ze Sheida in Italië in de steek heeft gelaten. Zij was de moeder. Zij had sterk moeten zijn. Zijn had Sheida moeten beschermen, en niet andersom. Maryam was geen betrouwbare moeder geweest.

'Ik wilde dat je een vol leven had. Dat wil zeggen, ik probeerde je dat leven te geven.'

Sheida glimlacht. 'Nou, met al die cursussen waarvoor je me inschreef – schaken en tennis en schilderen en Engels en kalligrafie en gymnastiek! Zelfs gymnastiek! Ik was zo stijf als een hark en toch schreef je me in voor die vreselijke cursus. Ik kan je dus wel vertellen: mijn leven was vol.' Ze lacht. Haar gezicht gloeit.

Maryam streelt Sheida's haar. Misschien heeft Sheida haar inderdaad vergeven. Misschien is wat er in Italië is gebeurd niet belangrijk meer, doet het geen pijn meer. Of misschien heeft Sheida het er niet over omdat ze haar wil sparen. Maryam voelt een brok in haar keel, een brok van ingehouden dankbaarheid.

'Je was goed in al die dingen,' zegt ze. 'Kom, laten we nu gaan ontbijten.'

De zonnestralen die door het keukenraam in de kopjes vallen geven de thee een goudrode gloed. Sheida zet de kopjes op een blad en neemt ze mee naar de tafel. Maryam loopt naar Sheida toe. Ze heeft een houten doosje in haar hand.

'Dit wilde ik je laten zien,' zegt ze en ze maakt het doosje open. Er lig een armband in die van dadelpitten is gemaakt, gehuld in stukjes witte stof, die ze zorgvuldig openslaat, waarna ze Sheida het doosje toesteekt. 'Dit heeft je vader gemaakt.'

Sheida zet het blad op tafel en kijkt naar de armband. Haar ogen zijn groot, haar wangen rood. 'Had hij die in mijn kleren verstopt?'

'Ja.'

Ze gaan zitten. Maryam haalt de armband uit zijn witte lijkwade, uit zijn houten graf. Ze is er heel voorzichtig mee, alsof hij van kristal is.

'Heb je hem nooit gedragen?'

'Hij is van jou. Ik heb hem alleen maar bewaard.'

'Hij is prachtig,' fluistert Sheida.

Maryam kijkt naar haar dochter. Ze zou willen gaan slapen en wakker worden te midden van groene, sprankelende velden, met zonlicht op haar huid, een lucht die geurt naar wilde bloemen, grassprieten die haar handen kietelen terwijl ze met uitgestrekte armen door de velden loopt. Ze neemt Sheida in haar armen. Ze heeft niet meer het gevoel dat ze verbrokkelt, dat ze uit elkaar valt. Eén lang ogenblik voelt ze niets. Geen woede. Geen verdriet. Geen schaamte. Ze keert zich naar Sheida en legt haar handen om het gezicht van haar dochter. In Sheida's ogen leeft hij, lacht hij, huilt hij, slingert hij hun onuitgesproken woorden de lucht in, als serpentine tijdens carnaval.

'Het spijt me, Sheida,' zegt ze. 'Het spijt me meer dan je je kunt indenken. Het spijt me dat ik al die jaren tegen je heb gelogen, je je vader heb onthouden. Maar je moet me nog een kans geven. Wil je dat doen? We zouden opnieuw kunnen beginnen.'

Sheida knikt; de tranen springen haar in de ogen. Maryam

pakt het armbandje op. Het is licht en glad. De dadelpitten zijn zo netjes met elkaar verbonden dat haar maag samentrekt.

'Laten we eens kijken hoe hij je staat.'

Ze legt de armband om de pols van haar dochter. Ze moet even wachten tot haar handen niet meer trillen en kan hem dan omdoen. Hier is hij, Amir – ik geef hem haar. Je kunt nu rusten. Het is voorbij.

Sheida kijkt toe terwijl haar moeders slanke vingers de armband om haar pols binden. Ze voelt de zwaarte en ergernis in zich langzaam verdwijnen. Ze voelt haar hart zwellen van gevoelens die moeilijk te omschrijven zijn. Vreugde komt in de buurt, maar het is meer. Het geeft een soort lichtheid, als een bries, of gelach. Het is bevrijdend.

Ze kijkt naar de verbleekte, zwijgende armband om haar pols en raakt hem met haar vingertoppen aan. Tranen maken haar zicht wazig.

Het is alsof haar vader haar eindelijk heeft omhelsd.

Teheran, 1983

Ze lagen op een quilt die op het hoge gras was uitgespreid. Ze kon de verende zachtheid van het gras onder haar schouders voelen wanneer het omboog, wijkend voor de druk van hun lichamen. Ze stak een hand uit, tot buiten de mat, en raakte de punten met haar vingertoppen aan. Ergens achter de wilde vijgenbomen en de paardenbloemen vulden de geluiden van een rivier de lucht.

Hij leunde op een elleboog en liet de zijkant van zijn hoofd op zijn geopende hand rusten. Hij hield een wit bloemetje vast. Hij kietelde haar neus ermee terwijl hij een gedicht opzei. Ze lachte en sloeg zijn hand weg.

Hij kietelde haar neus weer. Ze wreef over haar neus. Ze moest niezen. Haar ogen waren waterig. Ze pakte zijn hand beet en nieste en lachte tegelijk. Het krakerige geluid in haar keel zwol aan en steeg op naar de bladeren van de bomen boven hen. Ook zij leken te schudden van het lachen.

Hij lachte en gooide de bloem weg; hij kwam neer naast een geopend pakje sigaretten, twee gebruikte plastic bekers en een opengeslagen boek dat omgekeerd op zijn brede papieren buik lag.

'Laten we iets eten,' zei ze, hartelijk lachend, terwijl ze rechtop ging zitten en haar hand uitstak naar de knapzak. De quilt onder haar schouders kwam iets omhoog doordat het gras zich inspande om overeind te komen.

Ze opende de zak: gekookte eieren, goudgele druiven, fetakaas en olijven.

Hij slaakte een zucht van verrukking. 'Je hebt aan alles gedacht.'

Hij pelde de eieren terwijl zij toekeek. Hij had van die kleine handen. Soms vroeg ze zich af hoe hij iets kon met die handen. Ze waren bijna kleiner dan de hare. Ze waren geschikt voor het vasthouden van pennen, of voor borduurwerk, of het plukken van bloemen, en om haar te strelen, haar vast te houden als een geheim. Ze verlangde ernaar zich voorover te buigen en ze te kussen, die handen die het witte ei vasthielden alsof het een edelsteen was.

Hij overhandigde haar het gepelde ei. Ze nam het aan en beet in de zachtheid. Ze aten in stilte. Af en toe keken ze elkaar aan en lachten naar elkaar. Woorden waren overbodig. Ze konden met hun ogen spreken. Ze hadden de top van de berg bereikt en kenden inmiddels beiden de cadans van de hartslag van de ander.

Een paar zwaluwen naderden hun quilt en streken even

neer, in de uiteinden van het gras pikkend, en in de droge bladeren die overal op de grond en tussen de steentjes in lagen.

Na de lunch besloten ze naar de rivier te lopen. Hij vouwde de quilt op en ging met zijn hand over het gras, alsof hij de sprieten wilde helpen zich weer op te richten. Zij liep voorop. Hij droeg de knapzak en zong terwijl ze over een pad kuierden dat om wilde vijgenbomen en frambozenstruiken heen slingerde. Zijn stem was zo warm als de zonnestralen.

Algauw klonk het donderende geraas van de rivier in hun oren en speelde een frisse bries door hun haar. Hij hield op met zingen en ademde een mondvol lucht in die bezwangerd was van rivierdruppels. Hand in hand liepen ze de rotsachtige helling af. Ze luisterden naar de steentjes die onder hun schoenen knerpten, naar de rivier die maar voortstroomde.

Er waren boomtakken in de rivier, half gebroken, half aan de bomen hangend. Er flitste een libelle van steen naar steen. Hij probeerde hem te vangen. Hij vloog weg en kwam neer op een glanzende steen dicht bij de rivierbedding.

Hij trok haar wandelschoenen uit en waste haar voeten in het koude water. Bij tijd en wijle botste er een stuk hout of een plukje gras tegen haar blote voeten, danste om haar tenen, door het water voortgeduwd en voortgetrokken, pogend zich te bevrijden. Hij wierp ze met zijn vingertop weg. Ze keek hoe ze over de rotsen wegdreven.

De kou van het water maakte haar voeten gevoelloos. Ze haalde ze eruit en zette ze op de gladde huid van een grijsblauwe steen, opgewarmd door de zon. Ze voelde zich jong in haar voeten, herboren.

Ze wierp haar hoofd in haar nek en keek naar de bomen die boven hen zweefden, alsof die hen ergens voor wilden behoeden. Ze legde een hand op haar buik en glimlachte. Ze keek naar hem. Hij trok zijn schoenen uit en stak, zachtjes zingend, zijn voeten in het water. Ze kende het lied. Ze hoefde alleen maar het eerste geneurie uit zijn mond te horen komen om het hele lied in gedachten mee te kunnen zingen. Maar ze zong nooit mee, niet hardop. Ze wilde zich te goed doen aan de intimiteit van zijn stem. Ze streelde zachtjes haar buik. Ze stelde zich voor dat ze streelde wat er binnenin zat.

Toen ze hem het nieuws vertelde, had hij gelachen, bijna gehuild. Zijn ogen fonkelden, als regendruppels in de zonneschijn.

'Jij bent een wonder,' had hij gezegd.

Hij stak gele bloemen tussen haar tenen, een voor een, als een gele kroon.

De wind wakkerde langzaam aan; tilde een paar droge bladeren van de grond en nam ze mee, alsof het zijn kwijtgeraakte, ongeboren kinderen waren.

2010

Teheran, Islamitische Republiek Iran

S ara laat zich behoedzaam op de stoel glijden om de schaakstukken op het bord niet om te gooien. Haar handen geven een zoete kokosgeur af, die Donya het gevoel geeft op een tropisch eiland te zitten in plaats van in Teheran, met zijn spiegelgladde beijzelde straten.

'Wie is aan zet?' vraagt Sara.

'Jij.'

Sara haalt haar vingers door haar haar, legt haar kin op de kom van haar hand en neemt het strijdtoneel in zich op met de onverstoorbaarheid van een ervaren generaal.

Ze zitten midden in de citroengele huiskamer, aan een ronde tafel met glazen blad. Voor alle ramen zijn de olijfgroene fluwelen gordijnen gesloten, op één na. Door de optrekkende mist kan Donya de groezelige muur van de Evin-gevangenis zien, die aan de voet van de stoffige berghelling staat.

Toen ze een paar weken geleden in Teheran aankwam, schrok ze ervan dat Sara's woning zo dicht bij de gevangenis stond; het was ongelooflijk hoe sterk de stad zich had uitgebreid. Overal verrezen nieuwe gebouwen. De stad had zijn ledematen uitgestrekt en krabde al aan de doornige randen van de berg en werd buren met een gevangenis die ooit geïsoleerd was.

'Het is een stad met zeventien miljoen inwoners,' had Sara

gezegd, duidelijk genietend van Donya's verbazing. 'Wat had je dan verwacht?'

Donya had een man gadegeslagen die de weg naar de gevangenisingang beklom; hij had bloemen in zijn hand en droeg een kleine tas. Ze vroeg zich af wat erin zat: warme kleren? Brieven? Sigaretten? Stukjes en beetjes van een gesmoord leven.

Met zijn gebogen gestalte leek hij gedoemd eeuwig het gewicht van de schaduw van de muren te moeten dragen. Hij liep moeilijk, half mank, half strompelend, naar de poort. Zo moest haar opa jaren geleden ook hebben gelopen, over dezelfde weg, met net zo'n tas, gebukt gaand onder de druk van dezelfde doem, hopend achter diezelfde muren zijn dochter Firoozeh te zien.

Toen ze haar moeder door de telefoon vertelde hoe dicht de gevangenis bij de stad was, had Firoozeh voornamelijk gezwegen. Donya wist dat ze ongewenste informatie gaf; haar moeder wilde het niet weten. Sinds hun emigratie naar Amerika, nu bijna vijftien jaar geleden, was Firoozeh nooit meer in Iran geweest en ze had duidelijk gemaakt dat ze dat ook niet van plan was. Firoozehs weigering terug te keren had iets van haat, en Donya vroeg zich weleens af wat er in die gevangenis gebeurd kon zijn dat haar zo getraumatiseerd had. Hadden ze haar bedreigd, gemarteld? Ze vroeg zich dat stilletjes af, want ze durfde het niet te vragen, bang voor het antwoord dat haar moeder zou kunnen geven. Stel dat ze haar inderdaad gemarteld hadden? Of haar misschien hadden gedwongen iets te doen wat ze niet wilde doen? Donya had niet de moed om het uit te zoeken.

Toen ze daar in Sara's woning bij het raam stond, bleef Donya's blik op de man rusten totdat hij verdween in de duisternis die plotseling neerdaalde over de gevangenis, de helling, de doorns en de geesten van mannen en vrouwen die nooit meer van achter die muren waren teruggekeerd. Als ze aandachtig keek kon ze onduidelijke schaduwen voor de ingang zien, die één leken te zijn geworden met de schaduw van de man. Soms leken de schaduwen te bewegen, maar het was te donker om te zien wat of wie het waren.

Dat was het moment geweest waarop Sara haar had verteld over Omids terugkeer van een reis eerst naar Duitsland om Forugh op te zoeken en dan samen naar Italië om bij Forughs nicht Neda langs te gaan. Over Omid en zijn vrouw Elnaz. Donya stond stil terwijl ze luisterde, verdoofd, als een vrouw op een oude foto die niet weet hoe het fototoestel werkt.

'Ik heb hun gevraagd donderdag hier te komen,' zei Sara, terwijl er in haar stem een waarschuwende klank kwam. Ze leek Donya te willen voorbereiden, ongelukken te willen voorkomen. Sara hield ervan als alles volgens plan verliep, als een stroom die niet van baan veranderde, nergens afdwaalde naar onbekend terrein, op zoek naar avontuur. 'Dante komt ook. Je hebt hem de vorige keer dat je hier was ontmoet, weet je nog?'

Donya knikte; ze lette niet meer op wat Sara over Dante zei. Toen ze Omids naam hoorde begon er in haar zachtjes iets te beven. Ze klemde haar handen ineen en zei: 'Ja, inderdaad. Dat is fantastisch.'

Vanbinnen was het of haar hart een tijdlang in een vijver van bevroren licht had gelegen.

Nu, dagen later, legt Sara haar gemanicuurde vingers om een zwarte loper en schuift hem over het bord.

'Schaak,' zegt ze.

Donya drukt haar voeten in het kleed en vouwt haar handen in haar schoot. Haar in wollen kousen gestoken voeten zijn warm. Ze draagt een witte jurk met witte bloemen en een groene rand eromheen, die ruist wanneer ze beweegt. Het duurde even voordat ze had besloten wat ze vanavond zou dragen. Ze nam telkens weer haar kleren door die in Sara's kast hingen, niet in staat zich voor te stellen hoe hij haar graag zou willen zien, hoe ze zelf gezien wilde worden.

Hoe ziet liefde er na zes jaar uit?

Ten slotte koos ze voor deze jurk. Elegant maar neutraal, besloot ze. Het wit van de jurk doet het zwart van haar ogen en haar olijfkleurige huid goed uitkomen. Sieraden besloot ze niet te dragen; ze wil eenvoudig overkomen. Niet alsof ze wil behagen, alsof ze zich wil aanbieden terwijl er een echtgenote in het spel is. Het is vreemd dat ze niet nieuwsgierig is naar zijn echtgenote. Ze beschouwt de vrouw als onbeduidend. Nee, niet onbeduidend. Meer als niet van belang. Niet van belang voor het verhaal van haar en Omid. De echtgenote is degene die daarna kwam. Na het einde van het verhaal. Het territorium is al betreden, verkend en beleefd door Donya. Het territorium van zijn lichaam, zijn liefde. Donya is zijn ware maîtresse. Land kun je niet tweemaal bezitten.

Ze kijkt op de cijferloze klok hoe laat het is terwijl Sara haar met haar volmaakt amandelvormige ogen gadeslaat. Donya glimlacht en wendt haar blik af. Het tikken van de klok galmt na in haar oren. Ze richt haar aandacht weer op het spel; ze weet haar volgende zet. Ze weet dat de overwinning nabij is.

Zelfs na al die jaren kan ze nog steeds niet naar een schaakbord kijken zonder aan die warme zomermiddagen in het benauwde culturele centrum te denken waar haar moeder haar per se mee naartoe wilde nemen. De herinneringen vervullen haar nog steeds met angstgevoelens. De angst voor het plannen, het intrigeren, het lezen van de gedachten van de tegenstander, het doen van een verkeerde zet. Het vroege besef van dat uiterst wrede levensfeit: je wint of je verliest. Er is geen neutraal terrein. Er is geen ruimte waarin je ongestoord kunt rondzweven. Haar angst was die voor de catastrofe.

Ze neemt nog eenmaal de toestand op het schaakbord in zich op. Een zelfgenoegzaam lachje golft zacht over haar lippen. Ze pakt de toren van de andere kant van het bord, laat hem over de zwarte en witte vakjes glijden en stoot Sara's loper om.

'Schaakmat.'

Sara fronst haar voorhoofd. Ze kijkt ingespannen naar haar speelstukken, alsof ze ze met haar blik wil doorboren. De schelle klank van de deurbel doet hen allebei opschrikken.

'Ze zijn er,' zegt Sara en ze staat op.

Hij is er.

Donya kijkt hoe Sara de kamer uit sprint. Ze weet niet wat ze met zichzelf aan moet, terwijl haar hart zich een weg bonkt naar de rand van haar borstkas. Ze beleeft een paar uiterst pijnlijke momenten waarin ze niet weet of ze achter Sara aan naar de deur zal lopen of in de huiskamer zal wachten en staat haar handen te wrijven tot ze rood zijn. Ze loopt naar het raam. Een glanzende ijslaag strekt zich uit over de zwart-blauwe straten en ligt op de lange gebogen halzen van de lantaarnpalen die langzaam, wit en geel, beginnen te gloeien, licht dat zich vermengt met de vuilmistige avondschemering. De bomen lijken te slapen – hun schaarse bladeren zijn omgeven door een wazige lichtkrans. De gevangenis is in duisternis ondergedompeld. Zowel de gevangenis als zijn schaduwen zijn nauwelijks nog te zien.

Tussen de stemmen die de kamer in stromen, probeert ze die van Omid te herkennen, maar ze kan hem niet horen. Sara's hoge stem overstemt de andere. Dan ziet ze hem de kamer in lopen. Haar eerste kennismaking met geluk en verlies. Dezelfde bruine baard, dezelfde warmte in zijn ogen, dezelfde smalle schouders, datzelfde nerveuze lachje. Maar zijn haar is veel korter dan ze het zich herinnert. Zes jaar geleden bedekte zijn haar de zijkanten van zijn nek. Hij ziet er gespannen uit, hij knijpt zijn ogen samen op de manier die Donya zo goed kende, waar ze zo van hield. Er windt zich een trilling om haar borst.

Hij loopt met zijn lange, pezige lichaam met een paar lange, snelle passen de kamer door. Donya kan maar net haar ineengeklemde vingers bevrijden voordat hij haar hand beetpakt en twee haastige kussen op haar wangen drukt en zegt: 'Je kust toch nog wel?'

'Ja.' Haar stem ploetert zich door de angstige knoop in haar keel. Ze begrijpt niet echt wat hij met die vraag bedoelt.

Achter hem staat zijn vrouw. Ze trekt haar smalle wenkbrauwen op wanneer ze Donya de hand schudt en rimpelt even haar volmaakt gecorrigeerde neus. Haar mond opent zich en er komt een traag, loom 'Aangenaam' uit. Met haar andere hand maakt ze haar hoofddoek los, waaronder donkere lokken met zilverkleurige accenten tevoorschijn komen.

Donya is blij dat ze haar blik van Elnaz kan afwenden; ze keert zich naar Dante, die haar in zijn sterke armen neemt. 'Was je van plan ons pas te komen opzoeken wanneer we met zijn allen opa en oma zijn?'

'We zijn allemaal een goed eind op weg.'

Dante lacht terwijl hij de zwarte tas in zijn hand openmaakt, en zich naar Sara wendt. 'Kijk eens wat ik heb meegebracht.' Hij lacht triomfantelijk terwijl hij twee flessen wijn naast het schaakbord op tafel zet.

Donya brengt het schaakbord voorzichtig over naar een kastje en gaat op de bank zitten.

'Ik weet niet hoe je het voor elkaar krijgt, Dante.' Sara zet vijf glazen op tafel. 'Ik zou niet met twee flessen wijn in mijn auto durven rondrijden.'

Omid maakt een van de flessen open. De lucht in de fles komt met een zachte plop vrij.

'Voor wijn zou je nooit bang moeten zijn,' zegt hij.

De wijn klokt zachtjes terwijl hij uit de lange zwarte hals van de fles in de glazen stroomt. Terwijl ze naar hem kijkt wordt Donya bevangen door een onverwachte kalmte. Ze wou dat ze eeuwig zo kon blijven zitten, in het veilige pantser van een intermezzo, terwijl de tijd in een hoek staat te wachten tot zij het teken geeft dat hij verder mag gaan. Het is alsof ze haar hele leven heeft verlangd naar dit vredige moment van niets en nabij, waarop hij bij haar in dezelfde ruimte is, waarop ze geen besluit hoeft te nemen. Waarop alles een hallucinatie lijkt waarover ze zich geen zorgen hoeft te maken, terwijl de aangename verdoving zich door haar ledematen verspreidt. Geen opwinding, geen nervositeit, geen betovering voelen; volmaakt roerloos zijn in een ogenblik van opschorting. Zoals vlak voordat er een onweer losbarst.

Ze zaten dicht op elkaar voor in een taxi; het raampje stond halfopen. De straten waren overvol met auto's en bussen en motoren en hun dieseldampen. De goedbedoelde witte lijnen op het asfalt die de rijbanen aangaven, werden genegeerd; er werd gewoon overheen gereden. Voetgangers en auto's bewogen zich allemaal in dezelfde ruimte, met dezelfde stroom mee, zigzaggend, omcirkelend en ontwijkend. Auto's toeterden, motoren ronkten, mensen riepen boven het verkeer uit. Een allesomvattende, overweldigende, raamrammelende herrie die als een zandstorm de taxi in woei.

Het was warm. De airco deed het niet. Donya strekte haar hand uit om het raampje helemaal open te doen, maar de hendel ontbrak. De chauffeur had hem zeker ergens verstopt. Het was hetzelfde in veel andere taxi's in de eeuwig verstopte straten van Teheran. De chauffeurs verstopten de hendels omdat ze bang waren dat de passagiers ze kapot zouden maken door de raampjes te veel open en dicht te doen. Soms vroeg een passagier met lef of hij de hendel mocht. De chauffeur bromde dan iets over kosten, dat het raampje zo goed stond, dat iedereen van alles wou. Als de passagier volhield, had hij geen keus en maakte hij overdreven geïrriteerd het handschoenenvakje open, haalde er de weggeborgen hendel uit en gaf hem met tegenzin aan zijn veeleisende klant.

Donya durfde er niet om te vragen.

'Er zijn gedichten die veel beter als essay geschreven hadden kunnen worden,' zei Omid, terwijl hij zijn arm achter haar op de stoelleuning uitstrekte en zijn warme handpalm op haar schouder legde. 'Als het iets is wat gemakkelijk vervat kan worden in een artikel, is het een belediging als je diezelfde gedachten en ideeën in poëtische taal verpakt. Het bezoedelt de essentie, want poëzie heeft ten doel te zeggen wat niet gezegd kan worden. Het heeft ten doel te spreken over het verborgene, het geheime, het heilige.'

Hij boog het hoofd een beetje en keek Donya in de ogen. In zijn ogen straalde een eigenaardig licht. Zijn blik had niets te maken met de woorden die uit zijn mond kwamen. Die blik sprak van andere emoties, stilzwijgend, vlammend, verzengend door een verlangen zo overweldigend, een genegenheid zo doordringend, dat Donya het slechts liefde kon noemen.

Ze kenden elkaars 'volwassen versie', zoals ze dat noemden, pas twee weken. De vorige keer dat ze elkaar hadden ontmoet was zij tien en hij elf, ging Donya's familie het land uit en was Omid met zijn moeder en Sara afscheid komen nemen. Nu verbaasde het hun hoe volwassen de ander was geworden. Ze waren nieuwsgierig naar elkaar, wilden graag weten wie de ander geworden was. Sinds ze elkaar bij zijn moeder thuis ontmoet hadden, waar Donya op verzoek van Firoozeh logeerde, waren ze onafscheidelijk geweest. Donya was door hem gehypnotiseerd, door zijn kennis van poëzie, door zijn passie voor politiek, doordat hij het *Manifest* van Karl Marx van voor tot achter gelezen had. Hij sprak en zij luisterde, ieder woord indrinkend, ieder woord zo vurig, zo bewonderend in zich opnemend dat ze er soms van schrok. Hij sprak met dezelfde heftigheid als waarmee zij luisterde, alsof er niets ter wereld zo belangrijk was als tegen haar spreken, alsof hij alles wat hij wist, voelde en was, wilde uitstorten, in haar storten. Ze wist hij indruk op haar wilde maken en dat maakte haar dronken van pure vreugde.

Toen er schril een auto toeterde die op het punt stond tegen de taxi te botsen, schrok Donya hevig. De taxichauffeur mompelde boos iets voor zich heen en schakelde terug. Hij keurde de chauffeur van de toeterende auto, die als een bezetene zijn arm door de lucht zwaaide en de een of andere verwensing schreeuwde, geen blik waardig.

'Poëzie heeft als missie alleen zichzelf,' vervolgde Omid, terwijl de taxi stopte om de passagiers op de achterbank af te zetten en nieuwe op te pikken. 'Luister nooit naar mensen die vragen welke boodschap er in je poëzie zit. Dat is allemaal nonsens. Poëzie is alleen poëzie wanneer ze de diepte van je ziel blootlegt. Dat is alles. Niet die van de lezer, maar die van jou, de ziel van de dichter. De lezer komt op de tweede plaats.' Hij wendde zich tot de chauffeur. 'Hier gaan we eruit.'

De taxi stopte voor een pasgebouwde koopwoningflat met een witte cementen fontein ervoor.

'*Parsi raa paas bedaarim!*' zei de taxichauffeur glimlachend, terwijl hij de verkreukelde rialbankbiljetten uit Omids hand nam. Bescherm de Perzische taal!

Omid knikte. Hij leek geërgerd, alsof hij zich nu pas realiseerde dat er behalve Donya nog iemand naar hem had geluisterd.

In de opstijgende lift trok hij haar tegen zich aan. Ze vond het prettig zijn baard tegen haar huid te voelen en lachte. Haar vingers verstrengelden zich in zijn haar.

'Wat is er?' vroeg hij.

'Het is raar. Ik ben zo gelukkig. Het voelt zo gemakkelijk om gelukkig te zijn.'

De hele avond hielden ze elkaar vast terwijl anderen om hen heen stommelden en dansten, aangeschoten lachend. Sommigen begonnen mee te zingen met het lied dat uit de speakers knalde. Hun stemmen werden gesmoord in de vele dikke lagen gordijnen die dicht waren gedaan om te voorkomen dat het lawaai de straat in sijpelde, waar gewapende mannen patrouilleerden in de nachtelijke stilte van de stad, op zoek naar tekenen van geluk die onderdrukt moesten worden, naar ongewenst revolutiegelach dat hardhandig tot zwijgen moest worden gebracht.

Omid greep Donya's hand en nam haar mee naar de keuken, waar flessen wodka van hand tot hand gingen. Donya keek toe terwijl hij de doorzichtige vloeistof in twee plastic bekers goot en er haar een overhandigde. Zijn lach sprak van groei, van opwindend onontgonnen gebied.

'Ik heb nog nooit alcohol gedronken,' schreeuwde Donya boven de muziek uit.

'O nee? Hebben ze geen wodka in Californië?' schertste hij.

'Jawel.' Donya lachte. 'Ik heb het gewoon nog nooit gedronken.' Ze straalde. Ze wist dat hij haar ongewone onschuld aantrekkelijk vond. 'Ik ben nog geen eenentwintig. Ik moest helemaal naar Iran komen om dronken te worden!'

Hij hief zijn beker op. 'Dan proost ik op je eerste drankje. *Salamati*!'

Ze goten de drank in één keer naar binnen. Een brandend gevoel schoot van de punt van haar tong naar haar maag. Ze stiet een lach uit, vrolijk en los. Hij drukte zijn naar wodka smakende mond op de hare.

'Volgende week wordt Ahmad Shamlous dood herdacht,' zei Omid terwijl hij achteruitging zonder zich los te maken. 'De mensen verzamelen zich elk jaar rond zijn graf om hem te herdenken, om zijn gedichten te lezen.'

'Ga je erheen?'

'Ga je met me mee?'

'Ja.'

Zijn gezicht is volwassener geworden. Sporen van verhalen, haar onbekend, zijn in de lichte huid gegrift. Hij houdt zijn hoofd scheef wanneer hij praat en houdt zijn wijnglas in beide handen, met zijn ellebogen op zijn dijen steunend. Hij draagt zijn overhemd niet meer op die onverschillige, opstandige manier van vroeger. Hij is netter, zelfbewuster, meer afgestemd op de eisen van de wereld.

Ze slaat hem gade, terwijl haar rug zich koestert in de warmte die uit de snorrende kachel zweeft. Haar zenuwen zijn gespannen. De eerste ogenblikken van opwinding ebben weg en de werkelijkheid begint zich op te dringen. De werkelijkheid dat Omid slechts een meter van haar af zit en toch onbereikbaar voor haar is door jaren van scheiding, door een vrouw die een neuscorrectie had ondergaan, door haar eigen sloomheid van jaren geleden, doordat haar geduld zo snel op was en doordat ze de afstand en de tijd heeft laten winnen.

Toen het zes jaar geleden tijd was om terug te gaan naar Amerika, had ze Omid beloofd dat ze de volgende zomer terug zou keren. Hij zou op haar wachten. 'Hoelang het ook duurt,' had hij gezegd. Ze zouden samen in Iran wonen. 'Samen hier een leven opbouwen, in dit land. Waarom zouden we ergens anders heen gaan als dit land ons nodig heeft?' Donya accepteerde het enthousiast. Het waren de mooiste woorden die ze ooit had gehoord. Hun leven en hun land opbouwen en alles afmaken wat hun ouders onaf hadden gelaten.

Ze beloofde over een jaar terug te komen, terug te komen en hem elke zomer te bezoeken, totdat ze was afgestudeerd en voor onbepaalde tijd terug kon keren. Het eerste jaar was ze vol van die belofte. Ze spraken elkaar dagelijks via de telefoon, stuurden brieven en mailtjes. Ze wist dat ze nooit weer iemand als hij zou kunnen vinden; zijn droom was haar droom. Hun leven wachtte op hen. En toch bleek het naarmate de maanden verstreken, steeds moeilijker om zich aan haar belofte te houden. De afstand kreeg vorm, vastheid. Donya voelde zich alleen en ze wist niet wat ze met haar eenzaamheid aan moest. Soms had ze bijna het gevoel dat niemand hebben gemakkelijker was dan iemand zo ver weg hebben. Hoe moest ze dat doen? De ene maand na de andere? Het ene jaar na het andere? Ze was doodmoe, alsof haar leven niet meer was dan een reeks telefoontjes en e-mails. Omid deed wat hij kon om het haar gemakkelijker te maken. Hij regelde het zelfs zo dat hij die zomer haar vliegticket betaalde. Toen werd in het voorjaar Donya's opa ziek. Het was een pijnlijke dag toen ze Omid vertelde dat ze die zomer niet kon komen. Ze moest bij haar opa blijven. Omid protesteerde niet. Zijn stilzwijgen was een vermoeid, berustend stilzwijgen. Ze wist dat hij zijn vertrouwen in haar al had verloren. Na die dag werden hun telefoontjes en mailtjes minder frequent, totdat ze ten slotte helemaal ophielden zonder dat ze ooit afscheid van elkaar namen.

Donya zakt steeds dieper weg in de kussens van de bank. Ze probeert haar rug te rechten, maar kan het niet. Ze voelt zich neergedrukt, door het verleden, door herinneringen, door spijt en andere emoties die ze niet durft te erkennen. Even flitst de gedachte aan Keyvon, haar verloofde, de man met wie ze over een paar weken gaat trouwen, door haar hoofd. Een gladgeschoren gezicht. Sterke aftershave. Zelfverzekerd, gemakkelijk in de omgang, zekerheid biedend, beschikbaar. Maar de gedachte blijft niet hangen. Hij glipt weg en verdwijnt als een stofwolk in de lucht. En in plaats van zijn gezicht krijgt een andere herinnering gestalte. Ooit, herinnert ze zich, nadat Omid en zij gevrijd hadden, droegen ze elkaars kleren en bekeken ze hun spiegelbeeld. Ze giechelden, raakten elkaar aan en ademden op elkaars lichaam.

'Ik vind jou wel een leuke vrouw.'

'Ik vind jou wel een leuke man.'

Het had iets opwindends, dat nieuwe van het lichaam van de ander in jouw vertrouwde kleren. Ze drukten tijdens het vrijen, en weer vrijen, hun handpalm op elkaars mond.

'Ik wil je adem op mijn handpalm met me mee dragen.'

Donya wrijft met haar vingers van boven naar beneden over haar glas, legt ze weer tegen de rand en wrijft met haar vingers over het glas, telkens opnieuw. Ze kijkt naar Omid en neemt hem kwalijk dat zijn gezicht zo kalm blijft, zonder een spoor van terugblikken. Ze neemt zichzelf kwalijk dat ze zo kalm is, dat ze zo naar zijn vrouw lacht. Ze voelt wrok vanwege alle gekunsteldheid en kalmte die de tijdskloof met zich brengt. Ze hebben zich allebei zo goed gedragen dat Sara, die eerst met een bevreesde blik van de een naar de ander keek, nu rustig haar wijn zit te drinken. Ze lijkt gerustgesteld en meent dat Donya en Omid allebei de dingen zijn vergeten zijn die beter niet onthouden kunnen worden.

Maar Donya weet alles nog. Zo helder als de ijslaag die achter het raam vorm aanneemt. Ze wordt ingesloten door herinneringen. Ze wou dat ze naar hem kon kijken zonder iets te zien.

'Ik wou dat je hier was, zodat ik in je hand kon knijpen. Zodat ik zou weten dat er iets echts om me heen is. Je bent ver weg. Vanuit de auto zie ik haast nooit de lucht,' schreef hij ooit in een brief.

'Ik had niet verwacht zoveel Iraniërs in Turijn te zien,' zegt Omid, de anderen om de tafel een voor een aankijkend. Donya verwacht dat zijn ogen op haar blijven rusten, dat zijn blik de hare zal kruisen, maar dat gebeurt niet. Hij gaat verder. 'Neda zegt dat het aantal Iraniërs in één jaar tijd van een handjevol is opgelopen tot ruim vijftienhonderd.'

Verbaasd gemompel aan de tafel. Sara neemt langzaam een slok wijn. Ze kijkt even naar Donya en lacht haar toe. Haar lach heeft iets overdrevens, alsof hij bedoeld is om een betovering te verbreken.

'Het zijn voornamelijk studenten,' zegt Elnaz, haar woorden rekkend.

Waarom moet ze nou zo lijzig praten, waarom spreekt ze niet natuurlijk? denkt Donya geïrriteerd.

'Sinds de represailles en de massale arrestaties van vorig jaar verlaat iedereen het land,' zegt Dante tegen Donya bij wijze van uitleg. 'De toestand is sterk verslechterd.'

'Het is alsof er iets zwaars op ons is gevallen,' mengt Sara zich in het gesprek. 'Veel zwaarder dan eerst. Het verstikt ons stukje bij beetje. We weten niet wie we moeten geloven, wie we moeten vertrouwen. We voelen ons nu zo hulpeloos als we ons vorig jaar machtig voelden.'

Omid zet zijn lege glas naast dat van Elnaz op tafel. 'Maar de tijd vlak voor de verkiezingen was toch wel mooi. Het voelt nu bijna als een droom. De televisiedebatten, het campagne voeren op straat, allemaal openlijk. Het voelde als een ander land, alsof er echt iets aan het veranderen was.'

Sara's gezicht klaart op. 'Ik weet nog dat ik iedere dag iets groens droeg, en ik hield niet eens van groen! Maar in de verkiezingstijd werd het mijn lievelingskleur. Dat is het nog steeds.'

'De mijne ook,' zegt Elnaz. 'Er waren zoveel mensen. We waren net een zee van groen.'

'En de politieacties?' Donya dempt onbewust haar stem, alsof ze bang is om het te vragen. 'Waren jullie niet bang dat je geslagen zou worden?'

Sara lacht. 'Dat is alleen maar de eerste keer. Daarna raak je eraan gewend.'

Donya's adem stokt. Ongelovig knijpt ze haar handen samen. 'Dus je bent geslagen?'

'Dat zijn we allemaal,' zegt Elnaz.

'Wat er voor de verkiezingen gebeurde, was dat ze ons gewoon voor de gek hebben gehouden door zich heel liberaal voor te doen, en daar zijn we in getrapt,' zegt Dante zonder iemand in het bijzonder aan te kijken. 'Ze wilden bereiken dat we tevoorschijn kwamen, zodat ze ons konden identificeren en zien met hoevelen we waren. Het was gewoon een val. Toen we eenmaal ons huis uit waren gekomen met onze groene overhemden en dassen en met vlaggen liepen te zwaaien, was het zo gemakkelijk als wat om ons in elkaar te slaan. Ik snap nog steeds niet dat we hen zo vertrouwd hebben. Juist wij zouden er niet ingetrapt moeten zijn, in die plotselinge liberale sfeer waarvan ze ons voor de verkiezingen wilden laten geloven dat we die ademden. We hadden beter moeten weten.'

Niemand zegt iets. Uit de snelheid waarmee iedereen stilvalt, maakt Donya op dat dit een discussie is die alle aanwezigen al eerder hebben gevoerd, misschien al vele malen, waarbij gefrustreerd dezelfde argumenten worden herhaald, zonder dat er antwoorden worden gevonden.

Ze ziet hoe Elnaz haar benen over elkaar slaat. Ze draagt een korte jurk van spijkerstof en een brede zwarte riem omsluit haar gewelfde lichaam. Een rij zilveren armbanden aan haar zonnebankbruine armen glinstert onder het licht.

'Ze mogen ons dan geïdentificeerd hebben, maar we hebben elkaar ook geïdentificeerd,' zegt Donya zacht. Ze heeft er een beetje moeite mee 'ons' te zeggen terwijl ze er niet bij was, terwijl ze alles alleen maar op het nieuws heeft gezien, duizenden kilometers ver weg. 'Nu weten jullie ook met hoevelen jullie zijn.'

Niemand zegt iets. Elnaz gaat verzitten op de bank. Dante kijkt haar droevig glimlachend aan. Donya zou nooit iets gezegd hebben als Omid er niet bij was geweest. Dan zou ze het niet gedurfd hebben. De toerist die het over 'ons' en 'hoop' heeft terwijl ze hier op vakantie is. Maar dat alles doet er niet toe. Donya wil iets tot leven wekken, putten uit een wereld die verloren is gegaan, de wereld van Omid en haar.

'En met velen waren jullie,' vervolgt ze. 'Jullie waren adembenemend.'

Sara's ogen glinsteren. 'Ja, hè?'

'En we waren op elke televisie in elk land van de wereld te zien,' zegt Omid, die nu voorover leunt en Donya aankijkt. Ze ziet de hand van Elnaz achter zijn rug sluipen en aan zijn overhemd trekken, alsof ze wil dat hij niet verder praat. Donya vraagt zich af of ze iets weet. Ze kan niet de neiging onderdrukken dit te zien als een teken van Elnaz' jaloezie.

Omid lijkt het niet te merken, of lijkt, zoals Donya hoopt, de hand van zijn vrouw die stiekempjes aan zijn overhemd trekt, te negeren. Hij vervolgt: 'We waren een kracht die hen in paniek bracht. Ze hadden niet verwacht dat we met zovelen zouden zijn.'

Donya wil dat hij meer zegt, dat hij zich verder waagt in wat hij in die dagen dacht en beleefde. Dat hij met haar discussieert, naar haar glimlacht. Ze wil zijn ogen zien stralen van dat licht dat erin komt wanneer hij voelt dat hij haar iets leert.

De eerste keer dat ze vrijden had hij zijn hoofd met die wilde haardos boven het hare gehouden en gezegd: 'Je bent nu een vrouw.'

'We mogen hen dan bang hebben gemaakt, maar ze hebben ons vermorzeld,' zegt Dante, boos met zijn hand wuivend. 'Ze hebben niets van ons heel gelaten. De meeste mensen die ik ken zitten in de gevangenis of zijn het land uit gevlucht.'

Omid gaat weer rechtop zitten en reageert niet. Sara lijkt vermoeid. Donya weet niet wat ze moet zeggen. Ze staat op en loopt naar het raam. De schaduwen zijn er nog steeds.

'Wat zijn dat voor schaduwen?' vraagt ze.

'Welke schaduwen?' vraagt Sara.

'Kom maar kijken. Ik heb ze al eens eerder gezien. Ik geloof dat er mensen voor de Evin staan.'

Ze staan allemaal op en komen bij haar voor het raam staan. Ze wijst naar de schaduwen. 'Die daar.'

Er is een flauw licht te zien waar de schaduwen bij elkaar lijken te zijn gekropen.

'Ze zitten er een verjaardag te vieren,' zegt Omid.

'Een verjaardag?'

'Een van de studenten die vorig jaar tijdens de protesten werd gearresteerd is jarig. Zijn familie zit dat daar te vieren.'

'Mogen ze niet naar binnen?'

'Verder dan daar kunnen ze niet komen.'

Ze drukken hun gezicht tegen het raam en sluiten zich af voor het licht van de kamer door hun handen om hun gezicht te leggen. Hun ademhaling verschijnt en verdwijnt ritmisch op het glas van het raam en ze kijken naar de bewegingloze zwarte vlekken die bijna onzichtbaar zijn in de koude nacht. Terwijl Donya naar de bij elkaar gekropen schaduwen kijkt, realiseert ze zich plotseling dat wat haar werkelijk haar belofte aan Omid had doen verbreken niet de afstand was. Ze was toen niet in staat geweest het te bekennen, ook niet aan zichzelf, maar ze kan nu duidelijk zien dat er iets anders was dat haar bang had gemaakt, haar had geïntimideerd. De afstand was niet meer dan een excuus geweest. Wat Donya had afgeschrikt was Omids droom om in Iran te wonen. Het was het vooruitzicht te moeten leven in dit land waar het leven je overweldigt, je volledig overspoelt met zijn onwrikbare, onvoorspelbare, meedogenloze realiteit. Donya was daar niet klaar voor. Ze bezat niet de geestkracht die Omid had om nachtmerries van jeugd en gevangenis en bloed van zo nabij mee te maken. En dicht opeen zittende schaduwen die zoveel trots en troosteloosheid en pijn inhielden. Donya kon het niet hanteren. Ze was er gewoon niet voor in de wieg gelegd.

Ze legt een hand op het raam en voelt een brok in haar keel, alsof de schaduwen in haarzelf beginnen te groeien.

'Wat zal het daarbuiten koud zijn,' zegt ze.

Een poosje heerst er stilte terwijl ze daar staan te kijken naar de schaduwen en het flakkerende kaarslicht.

'Het is vreemd, maar die schaduwen en kaarsvlammen doen me aan de oorlog denken,' zegt Elnaz. 'Wanneer de bommen vielen, trokken we altijd de gordijnen dicht en gingen achter in de kamer zitten, ver bij het raam vandaan, met maar één kaarsje aan.'

Omid kijkt naar zijn vrouw en glimlacht. 'Wij gingen altijd het huis uit. Mijn opa nam ons mee de stad uit, naar het platteland.'

'Dat herinner ik me niet,' zegt Sara.

'Jij was te jong om het je te herinneren. Jij, ik, Forugh, Maman Zinat, Aghajaan en Khaleh Leila. We stapten in Aghajaans auto en reden de stad uit. Als ik het me goed herinner, sliepen we gewoon tussen twee geparkeerde auto's in.' Omid laat zijn schouder tegen het raam rusten. Elnaz kijkt naar haar man terwijl hij spreekt. Donya slaat hen tweeën gade en voelt iets in haar borstkas knijpen.

'Ik herinner me een keer dat Khaleh Leila weg was en niet thuis was gekomen toen de sirenes begonnen te loeien,' vervolgt Omid. 'Ik was zo bang dat ik niet kon praten. Ik keek maar naar de lucht en hoopte dat er niets op ons zou vallen totdat ze terugkwam. Ik huilde zoveel dat ik haast niets meer zag. En toen ik haar door de deur zag komen, was het alsof ik een groot geschenk kreeg. Ik zal dat moment nooit vergeten, dat ze verscheen. Het was een van de gelukkigste momenten van mijn leven.'

Elnaz steekt haar hand uit en streelt de arm van haar man.

'Waar was Khaleh Leila geweest?' vraagt Sara.

'Ik weet het niet. Ze zei dat ze bij haar vriendin was geweest, maar om de een of andere reden geloofde ik haar niet. Ik had het gevoel dat ze loog. Dat was de eerste en de laatste keer dat ik het gevoel had dat ze iets voor me verborg.'

'Wat was je toch een slim jongetje, hè,' plaagt Sara. 'Je wist het zelfs wanneer ze tegen je logen.'

'Ja, echt. Het is waar.'

'Nou, ik denk dat het niet zo onwaarschijnlijk is. Ik stel me zo voor dat Khaleh Leila net zoals wij allemaal nog veel meer geheimen heeft,' zegt Dante.

'Wat bedoel je?' Sara kijkt hem met een onderzoekende blik aan. 'Heeft Forugh je iets verteld?'

Wanneer Forughs naam valt, beginnen Dantes ogen te sprankelen. Een glinstering die Donya nog niet eerder gezien heeft. Ze vraagt zich af of er iets tussen hen is. Ze moet het aan Sara vragen wanneer iedereen weg is.

'Forugh? Nee. Forugh zal minder weten dan wij. En trouwens, ze is nog defensiever dan jij wanneer het om Khaleh Leila gaat. Het lijkt wel of Khaleh Leila beschermd moet worden, weggehouden bij het kwaad van de buitenwereld of zo. Ik weet het niet. Misschien is het voor mij anders dan voor jou. Ik vind gewoon dat er altijd een geheimzinnig waas om Khaleh Leila heeft gehangen.' Hij zwijgt even, dempt zijn stem een beetje, lijkt te proberen zijn emoties weer onder controle te krijgen. 'Vinden jullie ook niet?'

'Ik weet het niet. Ik denk het niet.' Sara lijkt verontrust; dit samenzweerderige gesprek over haar tante staat haar niet aan.

Dante glimlacht, misschien om Sara niet nog meer van haar stuk te brengen. 'Ach, ik weet het niet. Misschien heb ik me altijd maar verbeeld dat ze een ongelooflijk leven buiten dat huis leidde, een leven waar wij helemaal niet aan deelnamen. Ik heb het altijd leuk gevonden zo over haar te denken.'

'Tja, we zullen nooit weten of ze die dag de waarheid sprak,' zegt Omid. 'Ik weet alleen maar dat het toen ik haar weer zag terwijl ik dacht dat ik haar kwijt was, mijn eerste echte geluks-ervaring was.'

Elnaz kijkt op haar horloge en legt een hand op Omids schouder. 'Het is al laat. We moeten ervandoor.'

Iedereen keert zich nu om en loopt langzaam weg van het raam, van de schaduwen en het gewicht van die wanhopige harten en hoopvolle kaarsvlammen. En van de snel opkomende herinneringen.

Omid helpt Elnaz in haar jas en keert zich naar Donya. 'Misschien kunnen we het volgende weekend de bergen in gaan.'

Elnaz kijkt ongeïnteresseerd toe.

'Ik ga over vier dagen weg,' zegt Donya. Ze voelt de warmte van de spijt naar haar wangen stijgen. Vier dagen. Wat zijn vier dagen op een heel leven? Waar het Omid betreft is de tijd nooit haar bondgenoot geweest.

'Vier dagen?' Omids ogen worden groot van ongeloof. Zijn lange wimpers werpen een schaduw over de droefenis in zijn ogen. Donya kan zijn blik niet weerstaan, wat haar het gevoel geeft dat ze iets verraadt. Ze mompelt iets over volgend jaar terugkomen.

Niemand zegt iets. Wanneer hij haar de hand schudt, kan ze zijn blik niet vasthouden. Hij ontvlucht haar.

Wanneer ze weer in de huiskamer zijn, kan Donya niet stilzitten. Ze voelt zich gedesoriënteerd, gaat bij de kachel staan en houdt haar handen erboven; ze kijkt naar de ingelijste foto die erboven hangt. Het is een foto van Sara samen met Omid en Forugh. Ze zitten op een bank, met achter hen een donkergroen scherm. Ze zijn heel jong. Sara en Forugh lijken twee of drie jaar oud. Omid, de oudste, zit in het midden met zijn armen om zijn zus en nicht heen geslagen. In zijn rood-zwart geruite overhemd ziet hij eruit als een kleine volwassene, met zijn grote, onschuldige ogen. Forughs tong lijkt een eindje uit haar iets geopende mond te steken. Op haar witte speelpak staat: MIJN STILLE PLEK. Hun drie kleine gezichtjes staren uitdrukkingloos naar het vogeltje. Geen van hen lacht.

'Is het geen leuke foto?' vraagt Sara terwijl ze naast Donya komt staan. 'Ik heb hem onlangs uit het album van mijn moeder gehaald. Ik vond dat ik hem moest laten inlijsten.'

Donya blijft naar de foto kijken en knikt.

'Khaleh Leila is met ons naar de fotograaf gegaan om hem te laten maken. En toen heeft ze twee afdrukken van deze foto naar onze moeders in de gevangenis gestuurd, zodat ze konden zien hoe gezond en somber we waren.' Sara lacht.

'Wat is er met Forughs haar?' zegt Donya, geforceerd lachend. 'Het lijkt wel of haar hoofd onder stroom is gezet.'

Sara lacht weer. 'Ik weet het. Khaleh Leila zegt dat dat kwam doordat haar haar te fijn was. En moet je zien hoe blond ik was! Nu is mijn haar zwarter dan het jouwe.'

Sara loopt naar de bank en nestelt zich erin.

'Hebben Forugh en Dante iets met elkaar?' vraagt Donya.

Sara trekt een kleine deken om haar schouders. 'Ja en nee. Ze zeggen dat het niet zo is, maar ze schrijven elkaar en bellen elkaar de hele tijd. Drie jaar nu al, sinds de dood van mijn oma. Dus wij denken dat ze wel iets hebben.'

'Waarom zouden ze het ontkennen?'

Sara haalt haar schouders op. 'Ik weet het niet. Misschien omdat ze niet weten wat de toekomst bieden zal.'

'Hoe bedoel je?'

'Nou, Forugh komt hier niet wonen. Dante wil niet in Duitsland gaan wonen. Dus zitten ze vast, en wij mét hen. Hoewel, Omid zei dat Dante van mening begint te veranderen. Hij is aan het informeren geslagen hoe het zit met een visum voor Duitsland.'

Donya loopt terug en laat zich op de bank zakken. 'Heeft Dante meegedemonstreerd?'

'Ja. Hij is zelfs een keer gearresteerd. Ze hebben hem een paar dagen vastgehouden, maar zodra hij vrijkwam is hij weer de straat op gegaan. Misschien is hij daarom zo boos, zo teleurgesteld. Hij dacht echt dat er iets ging veranderen. En nu hij besloten heeft naar Duitsland te gaan, stel ik me zo voor dat hij nog meer lijdt. Het is alsof hij al zijn hoop op verandering voor altijd opgeeft.'

'Geloofde jij niet dat er iets ging veranderen?'

'Misschien niet zo sterk als hij.'

Het duurt even voordat Sara weer spreekt. 'En, vind je hem veranderd?'

'Wie?'

'Je weet wel wie.'

'Hij heeft zijn haar geknipt.'

'Zijn vrouw vindt het kort leuk.'

'Het leek wel of hij zich niets herinnerde.'

'Doe niet zo stom.' Sara's mond vertrekt tot een geeuw. 'Natuurlijk herinnert hij zich iets.'

'Er was niets wat erop wees,' zegt Donya, terwijl ze aan een draadje friemelt dat aan de zoom van haar jurk hangt. 'Hij was zo gewoon. Alles was gewoon. Ik begon er echt aan te twijfelen of hij zich wel iets herinnert.'

'Wat dacht je dan dat er zou gebeuren?'

Donya legt haar hoofd tegen de leuning. Haar blik dwaalt af naar de natte duisternis buiten. 'Ik weet het niet. Ik wou dat er iets was geweest. Een moment van verlegenheid, een blik, een lach. Iets persoonlijks tussen ons tweeën, een soort erkenning van het verleden.'

'En wat had je gedaan als er een blik was? Of een lach?' Sara kijkt haar niet geamuseerd, angstig aan. Soms weet Donya niet of Sara haar beschermt, of haar broer. Donya reageert niet. Ze kijkt naar de weerspiegelingen van de lichten op het raam, als starende ogen van zieke duiven.

'Je trouwt over twee weken, Donya,' zegt Sara na een korte stilte. Ze klinkt afstandelijk. Ze wil geen vertrouwelijkheden meer aanhoren. Ze staat op, de deken meeslepend. 'En je vertrekt over vier dagen. Ik zou me op Keyvon concentreren als ik jou was, op jullie toekomst samen.'

Sara loopt naar de slaapkamer en haar stem gaat met haar mee. Donya luistert naar de laatste restjes die in de lucht hangen.

Sara heeft gelijk. Keyvon wacht op haar. Ze moet leven met het verleden, weggestopt ergens achter in de schatkisten van haar geest. Het verleden is verraderlijk glad, onbetrouwbaar, als smeltende sneeuw op een marmeren trap. Donya sluit haar ogen. Wat is dat toch met haar, dat ze niet eens voor haar eigen geluk kan vechten? Heeft ze in de loop van de tijd de definitie van geluk veranderd, aangepast aan haar wereld, die bestaat uit comfortzones, zekerheden en rust, als een gigantisch kalm blauw meer?

Ze denkt terug aan de dag waarop ze erachter kwam dat Omid ging trouwen. Dat was ongeveer drie jaar geleden. Zijn moeder, Parisa, was naar Amerika gekomen met foto's van familie en vrienden, en Donya zag een foto van Elnaz. Tot dan had ze niets van Elnaz geweten. Ze wist niet eens dat Omid ging trouwen.

'Wie is dat?' vroeg ze Parisa, naar Elnaz wijzend, die er naast Omid magerder en slechter op haar gemak uitzag dan nu.

Parisa zei dat het Omids verloofde was. Parisa sprak zacht, alsof ze niet wilde dat Donya haar hoorde. Maar in Donya's oren klonk een luid gekletter en even kon ze niets anders horen. Ze bleef maar naar Parisa's handen staren, die snel een andere foto pakten. Toen ging ze naar haar kamer, deed de deur op slot en haalde uit de onderste la van haar kledingkast een dikke map, gevuld met de geprinte e-mails van Omid. Ze nam ze een voor een door, ze lezend met grote ogen, zoekend naar iets, ze wist niet wat, totdat het donker werd. Op dat moment drong het tot haar door dat het te laat was om nog iets terug te draaien.

Ze opent haar ogen. Buiten branden de kaarsvlammetjes verder in het nachtelijk duister. Wat zou ze gelukkig zijn geweest als ze voor Omid had gevochten en nu naast hem lag en in slaap viel, omgeven door de warmte van zijn lichaam. Wat zou ze gelukkig zijn geweest als ze hem niet zomaar had laten gaan.

Ze zit onderuitgezakt op de bank en kijkt naar de schaduwen, niet in staat te bewegen.

De betrokken lucht werpt een lijkwade over de huiskamer. Donya zit op een kussen op de vloerbedekking en houdt een kop thee tussen haar handen. De ochtendzon gaat schuil achter askleurige wolken.

Alles doet zeer. Ze heeft geen oog dichtgedaan, moegetobd als ze was door twijfels, angsten en het gewicht van een stemloos verleden. Ze drinkt af en toe van haar lauwwarme thee; aan de binnenkant van de kop zitten bruine vlekken. Ze zet hem op tafel en kijkt om zich heen. Haar blik gaat als vanzelf naar de bank en de siervoorwerpen die Keyvon voor hun zomerhuis heeft besteld. Zoals Michelangelo's *Schepping van Adam* op een handgeweven zijden kleed. God lijkt te fronsen. Voor Adams geslachtsdelen zit een wingerdblad. Donya weet niet of het blad daar zit omdat Keyvon dat zo heeft besteld, of dat het er zit om het gemakkelijker door de Iraanse douane te krijgen; Adam mag niet naakt gezien worden wanneer er een vrouw in de buurt is!

Donya denkt aan de handen die de zijden knopen hebben gelegd, aan het eelt op de vingers. De onbekende kunstenaars van een oud land. Wat vonden zij van dit kleed? Vonden ze het mooi? Beleefden ze er vreugde aan zich over de knopen in Gods afhangende hand te buigen? Giechelden ze achter gesloten deuren om dat wingerdblad?

Bij de bank op de grond ligt een ander kleed met het gezicht van Keyvons lievelingsactrice erop die bekoorlijk lacht. Dat is ook in zijn opdracht gemaakt. Op het kleed ligt, met het gezicht naar beneden, een replica van het hoofd van een Achaemenidische koning, van een materiaal dat eruitziet als brons, maar eigenlijk messing is. Daarnaast ligt een glanzend schilderij van een oude man met een lange, witte baard en een jonge vrouw met lang haar, getuite lippen en een slanke taille die hem een blauwe kan met wijn aanbiedt. Naast de twee is een gekalligrafeerd vers van Rumi afgebeeld. Het maakte Keyvon niet uit welk vers het was, zolang de oude man en de jonge vrouw er maar op stonden.

Wanneer ze ernaar kijkt trekt Donya's gezicht strak van afkeuring en een vreemd gevoel van ergernis. Alles ziet er zo onecht uit, zo genotzuchtig. De schrik slaat haar om het hart bij de gedachte dat ze zich spoedig met deze kitsch zal moeten omringen en moeten doen alsof ze die bewondert. Hoe was het mogelijk dat Keyvon al deze dingen hebben wilde? Hij had nog nooit iets van Rumi gelezen! En toch verbaast het haar niet. Ze weet dat Keyvon iets gemakkelijks wil, iets waarvan hij weet dat anderen het zullen herkennen en bewonderen. Wat kan Donya zeggen? Kan ze het Keyvon kwalijk nemen dat hij zeker wil zijn van zijn plek in de wereld? Kan ze hem zijn behoefte aan geruststelling door middel van een Michelangelo kwalijk nemen?

Donya zet de kop weer op tafel en laat een wanhoopszucht ontsnappen. Plotseling voelt ze zich opgesloten; haar hart knijpt samen in haar borst. Ze moet naar buiten. Maar wanneer ze overeind komt, stoot ze haar knie aan de tafel. Een verlammende pijn schiet met de snelheid van een kogel van haar knieschijf naar haar gewrichten. Ze grijpt haar been vast en steekt snel de andere hand uit om te voorkomen dat de rammelende kop omvalt. Haar gezicht is vertrokken van pijn. De thee in de kop trilt; de bruine vlekken fladderen als modderige vlinders.

Donya ploft terug op de bank, over haar knie wrijvend, vloekend op de tafel, het weer en zichzelf. Aan de andere kant van het raam huiveren de gele bladeren onder een plotselinge stortbui.

Ze hijst haar lichaam omhoog en strompelt naar de slaapkamer, waar ze zich begint aan te kleden, zich goed inpakkend tegen de kou. Wat had Milan Kundera ook alweer over kitsch gezegd? Ze probeert het zich te herinneren terwijl ze haar jas dichtknoopt, maar ze kan niet helder denken. In haar is een onpeilbare woede aan het ontstaan. En verdriet, acuut en dwingend. En pijn, fluisterend.

Terwijl ze haar gezicht in de spiegel bekijkt, smeert ze vochtinbrengende coldcream op de blauwige huid onder haar roodomrande ogen. Haar lange neus is geprononceerder dan ooit, alsof iemand het vlees eromheen 's nachts heeft weggehaald. Ze kijkt naar het plukje haar dat onder haar sjaal uitpiept: zwart, simpel, ongeschonden. Hoe kan hij een vrouw huwen die zulke opvallend geklerde lokken en een gecorrigeerde neus heeft? Ze grist haar handtas en de paraplu van de haak en haast zich de flat uit.

Buiten slaat de ijskoude adem van de winter toe. Ineengedoken in haar jas begint Donya te lopen. De grijswitte gebouwen zien er in de regen treurig uit. Een oude gerimpelde man verkoopt gekookte bieten van een kar en verwarmt zijn hand boven de dampende pan. Een paar vrouwen staan bij de deur van een kruidenier te kletsen. Donya loopt langs hen heen en passeert dan een lange rij kale bomen die langzaam doodgaan, een kledingzaak die nog niet open is en dode bloemen op de stoep, die staan te druipen.

Buiten adem blijft ze staan en kijkt om zich heen. In plaats van het park dat ze verwachtte, staat ze ineens voor de Evin-gevangenis. Ze zet een stap achteruit, terugdeinzend voor de

aanblik van de groezelige muren die dreigend, onoverwinnelijk opdoemen. Ze is er nog nooit zo dichtbij geweest.

Even kan ze zich niet verroeren; kan ze haar blik niet van
die muren afwenden. De regendruppels vallen groot en zwaar
op haar paraplu. Het harde gekletter en de stilte van de gevangenis maken haar nerveus. De kou sluipt door de lagen
van haar kleding en glijdt langs haar lichaam. Ze heeft een
snotneus.

Ze keert zich om en begin zo snel mogelijk weg te lopen; ze
rent bijna, alsof er iemand achter haar aan zit. Ze houdt haar
blik strak op de grond gericht om de plassen op het ongelijke
asfalt te ontwijken, die een oranje glans hebben door de ver-
vuiling. Terwijl ze een plas ontwijkt botst ze tegen een andere
paraplu die zich over de natte straat beweegt. Ze trekt haar
paraplu naar achteren om zich te verontschuldigen.

Het is Omid.

Hij kijkt alsof hij niet weet waar hij is. Zijn wangen en de
punt van zijn neus zijn rood. Hij staart haar stomverbaasd
aan; hij beweegt niet.

'Wat doe jij hier?' vraagt ze met snel kloppend hart.

'Ik moest iets afgeven voor mijn werk,' stamelt hij, naar een
gebouw verderop in de straat wijzend. 'En jij? Waar ga jij
naartoe?'

Donya overweegt te liegen, maar ze weet dat haar ogen haar
zullen verraden.

'Ik weet het niet,' mompelt ze, terwijl ze haar schouders laat
zakken vanwege de plotselinge opluchting hem te hebben gezien, alsof ze zojuist behoed is voor een gevaarlijke val. 'Ik
ging een eindje om. En toen stond ik ineens voor de Evin. Ik
weet niet hoe dat kwam. Het maakte me bang dat ik daar
stond. Ik wilde zo snel mogelijk weg.'

De regen roffelt op hun paraplu's. Haar schoenen en de

onderkant van haar lange broek zijn drijfnat. De kou heeft haar voeten in een ijzeren greep. Zijn blik wordt zacht. Even denkt ze dat hij haar gaat omhelzen.

'Mijn auto staat hier vlakbij. Ik breng je wel even naar huis.' Hij wijst naar haar schoenen. Hij stamelt niet meer. 'Je kunt niet zo in de regen blijven lopen. Je vat nog kou.'

Zijn stem klinkt warm, vertrouwd, onveranderd. Donya moet al haar krachten verzamelen om niet in huilen uit te barsten.

Zijn auto, een rode Peugeot, staat een paar meter verderop. Ze lopen naast elkaar in een met regendruppels gevulde stilte. Een echtpaar van middelbare leeftijd loopt langs hen. De handpalm van de man bevindt zich bij de onderrug van de vrouw, maar hij raakt haar niet aan. Het lijkt alsof hij zijn hand daar houdt voor het geval ze valt.

Omid opent het portier voor haar en Donya stapt in. Een geur van oud leer en sigarettenrook vult haar neusgaten. Ze wist niet dat hij rookte.

Eén vluchtig moment komt de gedachte aan Keyvon haar geweten binnen. Maar die is ver, een gesmoorde fluistering achter een gesloten deur. Omid start de auto en zet de kachel hoog en richt de warmte op haar gezicht en voeten. Hij mijdt haar blik.

'Ik ben daar nog nooit geweest,' zegt Donya, hem aankijkend. Ze zwelgt in de veiligheid van zijn aanwezigheid, in de warmte die haar voeten omarmt en haar gezicht streelt. De abrupte verandering van temperatuur maakt haar enigszins duizelig.

'Het is niet bepaald een mooie aanblik,' zegt Omid.

'Het is heel beangstigend. Ik dacht dat mijn hart zou barsten toen ik bedacht hoe het aan de binnenkant zou zijn.'

Omid lacht droevig en begint achteruit weg te rijden van de stoep.

'Wat doe je voor werk?' vraagt Donya even later, omdat ze zich realiseert dat ze niet weet wat hij doet. Ze heeft Sara er zelfs nooit naar gevraagd. Ze heeft nooit aan Omid gedacht in de zin van wat hij doet, maar meer van wie hij is: zijn woorden, zijn gedachten, zijn kennis van poëzie, zijn passie voor fotografie, zijn droom ooit een theater te kunnen leiden.

'Wat?'

'Wat voor werk doe je? Je zei dat je iets moest afgeven voor je werk.'

'O, ja.' Hij zwijgt even. Hij lijkt afgeleid, nerveus. Zijn onrust heeft een vreemd rustgevend effect op haar. Ze legt haar hoofd tegen de lichte ronding van de stoel.

'Ik werk voor een bedrijf.' Hij klinkt ontwijkend, lijkt er niet over door te willen praten. 'Computerprogrammeren.'

'O, juist.'

Donya maakt de sjaal om haar nek losser. Op de een of andere manier heeft zijn antwoord geen enkel effect op haar; het verbaast haar niet en stelt het haar ook niet teleur. Het is van geen belang.

'Vind je het leuk?'

Hij haalt zijn schouders op. 'Ja, hoor. Ik hou wel van computers.'

Donya kijkt naar de ruitenwissers die de regen wegvegen.

Omid is nooit afscheid komen nemen. Hij heeft in plaats daarvan een notitieboek voor haar in de brievenbus achtergelaten. De foto's van hen samen waren op de bladzijden geplakt. Naast elke foto had hij in een net, zorgvuldig handschrift zijn lievelingsregels van haar gedichten geschreven.

'Zal ik de kachel lager zetten?' vraagt hij.

'Ja, graag. Ik begin geroosterd te worden.'

Hij glimlacht. Hij vond het altijd leuk wanneer ze grapjes maakte. Hij lachte altijd om al haar grapjes. Hij werpt een snelle blik op haar, een blik waarvan ze ooit dacht dat die alleen voor haar was.

Algauw zijn ze in Sara's straat. Hij rijdt langzaam. Ik heb toch niet zo ver gelopen, denkt Donya.

Ze rijden langs de kledingzaak, die nu open is. Op de neus van de kale poppen in de etalage zit een klein stukje plakband, alsof ze pas plastische chirurgie hebben ondergaan. De vrouw binnen worstelt met de kassa.

Omid zet de auto stil voor de zwarte deur van de woning. Donya luistert naar het geluid van de grommende motor en vraag zich af of Omid de motor af gaat zetten. Haar mond is droog.

Ze zucht van opluchting wanneer het geronk van de motor ophoudt.

De stilte om hen heen zwelt aan van de verwarring, van de omzichtige gevoelens. De regendruppels glijden over de ruit en laten gladde, olieachtige sporen achter. Er vliegt een duif langs, moe en nat.

'Ik heb al in geen jaren een gedicht geschreven.' De woorden zijn ineens uit Donya's mond. Ze schrikt van de treurige klank in haar stem. Ze wendt haar gezicht af.

Het duurt even voordat Omid spreekt. 'Je schreef prachtige gedichten.'

Ze hoort de onzekerheid meedeinen op de cadans van zijn stem.

'Maar nu niet meer.' Ze keert zich naar hem toe en kijkt hem aan. Hij zegt niets. Zijn kaken zijn op elkaar geklemd. Hij lijkt van streek, graag bij haar weg te willen. Ze zou hem door elkaar willen rammelen, met haar handen om zijn schouders. Een ruw ontwaken.

Wat zijn we kwijtgeraakt?

'Ik werk voor een bank en ik sta op het punt met een man

te trouwen die genoeg liefde voor ons allebei heeft en een zomerhuis in Saint-Tropez bezit,' ploetert ze voort.

Wat zegt ze nu? Wat wil ze bereiken? Redden? Verpesten? Ze kan zich niet inhouden.

'Het is eigenlijk wel een mooi huis. Vlak aan het strand, en er ligt altijd een boot klaar. We moeten het inrichten en daarom heeft hij me gevraagd souvenirs uit Iran mee te nemen. Maar hij heeft ze allemaal zelf besteld. Ik hoefde ze alleen maar op te halen. Replica's van Achaemenidische koningen, Michelangelo op een kleed, een schilderij met een vers van Rumi erop.' Ze is even stil. Een bruin blad zit vast tussen de wisser en de voorruit. Het trilt in de wind. 'Al heeft hij in zijn hele leven nog nooit een gedicht van Rumi gelezen. Ik vind het allemaal afschuwelijk, die onechtheid, en ik haat mezelf omdat ik niet in staat ben het tegen hem te zeggen. Toen ik ze een voor een ophaalde, had ik het gevoel dat ik iets aan het stukscheuren was.'

Ze probeert te lachen. Haar stem breekt, het midden houdend tussen een gesmoorde snik en een hoog lachje.

De bovenkant van Omids wang wordt lichter door plotselinge, voorzichtige zonnestralen. Maar het licht verdwijnt voordat Donya haar hand ernaar kan uitsteken. Zijn aanhoudende stilzwijgen brengt haar van haar stuk, terwijl ze nerveus doorpraat.

'Vanmorgen probeerde ik te bedenken wat Milan Kundera over kitsch heeft gezegd, maar het lukte me niet.'

'Over kitsch?'

'Hij zegt er toch iets over? Dat kitsch duidt op zelfgenoegzaamheid of zo.'

'Hij zegt van alles over kitsch,' zegt Omid, door de voorruit starend, alsof hij daar in de kou een antwoord zoekt. 'Maar ik herinner me één uitspraak in het bijzonder. Hij zegt dat kitsch de tussenstop tussen zijn en vergetelheid is.'

Een dankbare glimlach trekt over Donya's gezicht. 'Dan heeft het denk ik niets te maken met de geschenken die ik heb gekocht.'

Omid speelt met de sleutelhanger die moedeloos aan het contactsleuteltje hangt. Opnieuw wikkelt de stilte zich om hen heen, steeds strakker, als een slang die op het punt staat hun botten te breken.

'Het spijt me,' zegt Donya. 'Ik had je niet met al die onnozele dingen moeten lastigvallen.'

'Nee, het geeft niet.'

Ze kan zich niet langer inhouden. Haar lichaam breekt open zonder dat ze het aan ziet komen. Ze stort zich naar voren en stopt haar gezicht in de kraag van zijn jas. Als ze het niet zo gemakkelijk had opgegeven, niet zo snel moe was geworden van de afstand, niet zo bang was geweest voor zijn dromen, was er misschien iets veranderd, of beter, niet veranderd, zoals nu is gebeurd. Dan zouden ze elkaar moed hebben ingesproken en samen het hoofd hebben geboden aan alle teleurstellingen, alle valkuilen. Dan zouden ze elkaar hebben kunnen redden.

Ze voelt zijn lichaam verstijven. Hij geurt naar kou, naar ononderbroken aanwezigheid. Hij geurt naar geen oplossingen hebben. Niet meer.

Even later legt hij aarzelend een hand op haar schouder. Ze snuift zijn lieve, ongeparfumeerde geur op en heeft zin om te gillen.

'Ik moet weg,' zegt hij.

Donya tilt haar hoofd op. Zo zwaar als graniet. Een verstikte snik duwt steeds harder tegen haar keel. Ze kijkt hem aan. Het enige wat hij haar te bieden heeft is een glimlach, verlegen en stil.

'Het was heel leuk je weer te zien,' zegt hij.

Ze deinst achteruit, als een uitgerolde golf die zich terugtrekt naar zee, en opent het autoportier. Schaamte, spijt en verdriet schrokken haar tegelijkertijd op. In haar verbrijzelt er iets.

Ze stapt uit met voeten die niet meer bij haar lichaam horen.

Buiten is het enige wat haar wacht de eenzame, natte lucht.

2011

Turijn, Italië

Ze zitten onder de witte parasols van het café tegenover het Verdiconservatorium. Het late middaglicht weerkaatst op de crèmekleurige muren van de gebouwen en strijkt langs de planten op de balkons. De frisse lentewarmte stijgt op van de kinderkopjes in de straten om het plein.

Neda laat haar ogen over de voorbijgangers gaan die snel voortlopen en winkeliers die stilstaan. Om haar nek is losjes een gele sjaal gewikkeld, die haar korte zwarte haar raakt. De geur van versgesneden kaas drijft het café uit en vermengt zich met het tanende zonlicht, met het geluid van iemand die in het conservatorium op de piano oefent en met de altijd aanwezige geur van verstilde geschiedenis. Het maakt in haar mond een aangename speekselvloed los.

Reza zit met zijn rug naar het plein voor haar aan een ronde houten tafel. Zijn vingers liggen om zijn glas bier, alsof hij wil voorkomen dat het ontsnapt. Zijn andere hand ligt op zijn knie en verschijnt af en toe om door zijn donkere haar te strijken, de kraag van zijn overhemd goed te doen of over zijn ovale gezicht te lijden. De blik waarmee hij haar bekijkt komt van ver, is ergens anders. Het is de blik van iemand die het ergste achter zich heeft gelaten en toch niet goed kan begrijpen waarom, niet goed kan vaststellen of het de juiste beslissing was. Alle politieke vluchtelingen die ze via hem heeft ontmoet hebben dezelfde blik, als mensen die een aardbeving hebben overleefd – buiten gevaar, houvastloos, voortslingerend op de onontkoombare rimpelingen van dag en nacht; de blik van dolenden.

'Het gebeurde tijdens de protesten op Studentendag,' zegt Reza. Zijn gezicht heeft een harde uitdrukking gekregen. Neda ziet iets fanatieks, bijna vijandigs in zijn ogen flitsen. 'Mijn zus wilde samen met een vriendin gaan meedemonstreren. Er had zich een menigte verzameld in de Enghelaabstraat. Het was belangrijk je altijd bij de menigte aan te sluiten om het risico dat je klem werd gezet kleiner te maken. Mijn zus en haar vriendin moesten alleen nog maar oversteken om bij de leuzen roepende menigte te komen. Ze waren bijna in het midden van de straat toen ze plotseling klem werden gereden door tien agenten van de oproerpolitie op motorfietsen, die grote knuppels bij zich hadden. Ze omsingelden mijn zus en haar vriendin met brullende motorfietsen en reden volmaakte rondjes om hen heen. Ze leken onoverwinnelijk in hun verstevigde, kogelvrije uniformen, groter dan levensgroot, onaantastbaar, klaar om toe te slaan. Aan de andere kant van de straat raakte de menigte demonstranten die leuzen riep en stenen gooide steeds verder weg. Hun ruggen waren naar mijn zus toegekeerd; geen van hen zag haar.'

Reza's stem stokt, alsof hij buiten adem raakt. Neda houdt haar handen heel stil in haar schoot; haar ogen zijn op Reza gericht en ze hardt zich om het verhaal aan te kunnen horen dat haar overspoelt met een misselijkmakend onheilspellend voorgevoel. Op het plein steekt een koel briesje op; het strijkt langs haar gezicht, het neemt het geroezemoes van de straten mee, van kletsende vrouwen en kinderen die lachen en honden die speels, provocerend blaffen. Reza haalt een nerveuze hand door zijn haar en gaat dan verder.

Eindelijk hield een van de agenten stil. Hij keek dreigend naar zijn zus, nam haar op, alsof hij de beste plaats op haar lichaam zocht om de eerste slag toe te brengen. Hij was jong, misschien nog niet in de twintig – zijn bovenlip was bedekt met zijdeachtig dons. Zijn ogen straalden minachting uit, koude, gretige, berekenende minachting. Het soort dat nog niet de kans had gehad te rijpen – rauw en direct. Het soort dat toesloeg, dat geen kans gaf om te reageren, om terug te slaan. Het soort dat gewoon gebeurde, waar je geen vat op kon krijgen. Hij hief zijn knuppel op en met één krachtige, bewuste uithaal van zijn arm sloeg hij zijn zus op de schouder.

Dat was het groene licht waarop de andere agenten leken te hebben gewacht. Ze begonnen haar in te sluiten, zonder overigens van hun motorfiets te stappen, en haalden naar haar uit met hun knuppels en schopten haar met hun laarzen. Zware laarzen. Laarzen die gemaakt waren om mee te schoppen, te stampen, te vertrappen. Ze schopten haar in de zij, in de buik. Ze grepen naar haar hoofddoek, rukten haar alle kanten op, sloegen haar op de rug, borst, schouders en armen waarmee ze haar hoofd probeerde te beschermen; ze sloegen haar zo hard dat ze op haar benen stond te zwaaien. Haar vriendin begon te schreeuwen, te huilen, de mannen te smeken op te houden. Maar niemand luisterde naar haar. Niemand raakte haar aan. Ze leken alleen geïnteresseerd in zijn zus en bleven maar rondjes rijden, haar in de buik trappen. Haar vriendin slaakte hulpeloze kreten, maar zijn zus gaf geen kik. Er kwam geen woord uit haar mond. Haar vriendin schreeuwde het uit, vloekte, smeekte. Zijn zus kon geen woord uit haar mond krijgen. Haar enige verweer waren haar armen die ze om haar hoofd hield. Nog een zwaai met een knuppel op haar rug, nog een trap in haar zij en ze ging neer.

Reza's hoofd beweegt licht naar voren en naar achteren terwijl hij spreekt. Hij lijkt een waas voor zijn ogen te hebben. Neda's hart bonkt heet in haar borstkas. De rest van haar lichaam is gevoelloos, bewegingloos. Ze voelt een geleidelijke ijzige kilte in zich optrekken. Ze legt haar hand op haar mond. Ze heeft het gevoel dat ze vanbinnen geschopt is en haar maag trekt pijnlijk samen.

Toen zijn zus op de grond lag, hielden de agenten eindelijk op met trappen en slaan en kon haar vriendin haar naar huis brengen. Omdat haar lichaam nog in shock was, voelde zijn zus eerst niet veel pijn. Ze zei zelfs tegen haar man dat iedereen de pijn die knuppels veroorzaakten overdreven had. Het deed helemaal niet zo'n pijn. Zelfs toen de pijn na een paar uur zijn intrede deed en haar lichaam besloop, dat algauw alle kleuren van de regenboog kreeg, nam zijn zus de kneuzingen nog steeds niet serieus. Ze zei dat het niets was, dat ze wel ergere dingen had gezien, dat de kneuzingen snel over zouden zijn.

'Maar de volgende dag begon ze inwendig te bloeden en dat hield niet op. We gingen met haar naar het ziekenhuis. Daar kreeg ze te horen dat ze twee maanden zwanger was geweest. Het kind in haar was gestorven. Ze moest geopereerd worden om de dode foetus weg te halen.'

Zware laarzen. Goed voor schoppen, vertrappen, verpletteren. Goed voor het doden van een kind in de moederschoot.

'Wat vreselijk.' Neda's stem hakkelt, komt als een kreun over haar lippen. Ze legt haar handen voor haar ogen en drukt zo hard ze kan op haar oogballen, denkend aan zijn zus en het dode kind, het bloed. 'Wat vreselijk,' herhaalt ze. Ze is niet in staat iets anders te zeggen. 'En hoe is het nu mer haar? Is ze... is ze daarvan hersteld?'

'Ze maakt het nu goed.' Reza zwijgt even. 'Het was eerst moeilijk. Maar ze is heel sterk. Ze is denk ik wel hersteld.'

Neda merkt dat ze nauwelijks kan ademen; haar hoofd bonst en haar hele lichaam is zo gevoelig dat ze bij de minste aanraking ineen zou krimpen. 'Arme, arme meid.'

Reza peutert aan de rand van de tafel. 'Ik heb nog nooit over dit verhaal, deze... deze nachtmerrie gepraat, met niemand. Ik weet het niet, maar op de een of andere rare manier voelt het misschien als iets persoonlijks. Ook omdat het mijn zus is. Maar ik kan je wel vertellen dat er nooit iets met mij of mensen om mij heen is gebeurd wat me zo geschokt heeft als wat mijn zus overkwam. Het was alsof ze niet alleen ons, onze generatie hadden kunnen raken, maar ook de generatie die na ons kwam. En dat was net iets te veel voor me.'

'Je moet veel geleden hebben.'

'Zij heeft het meest geleden.' Hij is even stil, knikt een paar maal alsof hij probeert een gevoel dat in hem leeft binnen te houden. 'Maar het gaat nu veel beter met haar. Het is nu twee jaar geleden. En wie weet, misschien heelt de tijd inderdaad alle wonden.' Hij leunt achterover. Zijn handen liggen tot vuisten gebald op de tafel, alsof hij niet kan geloven wat hij zojuist heeft gezegd. Zijn blik is strak op een onbekend punt op de tafel gericht. Neda ziet dat hij pijn heeft, dat zijn lichaam zich overgeeft aan de pijn die de herinnering oproept. Ze legt een hand op een vuist.

Op dat moment komt ongenood een gedachte op, de gedachte aan haar eigen moeder. Ook zij had een miskraam kunnen krijgen. Het was gewoon geluk dat dat niet was gebeurd, dat Azar in leven was gebleven, dat Neda in leven was gebleven.

Jaren geleden, in Iran, vertelde Azar verhalen over de gevangenis terwijl ze met zijn allen om een warme *korsi* geschaard zaten, met quilts en dekens over hun knieën. In het begin, toen Neda, haar broer en haar nicht Forugh nog jong waren, vertelde Azar grappige verhalen over de gevangenis: over de spelletjes die zij en haar celgenoten deden, over de grapjes die ze over de Zusters maakten, over het kinderlijke van de nieuwkomers, het brutale van de veteranen, over het gekke kapsel dat ze een van de gevangenen een keer gaf. Neda weet nog dat zij, haar broer en Forugh giechelden wanneer ze die verhaalden hoorden, dat ze omrolden van de pret en deden wie het langst kon lachen, het hardst, en dat hun gierende uithalen door de kamer tolden. Hoe fascinerend hadden ze het allemaal gevonden, hoe amusant. Neda hield vooral van het verhaal over haar geboorte, zoals haar moeder het vertelde, met haar grote handen door de lucht zwaaiend, haar ronde, zachte ogen opensperrend. Wanneer ze Neda vertelde over haar gekke piekhaar, haar grote zwarte ogen die alles nieuwsgierig in zich opnamen, als een schoolhoofd, met haar donkere huidje, 'als een lieveheersbeestje'. Neda stelde zich voor hoe ze, lekker ingepakt, omgeven werd door vrouwen met gretige handen en dorstige harten. 'Je had niet één moeder,' zei Azar altijd, 'maar wel dertig.' En Neda voelde een blijde warmte in haar buik wanneer ze eraan dacht hoe bemind ze was geweest, hoe nodig. Neda vond dat ze als kind geboft had. Zo'n leuk geboorteverhaal!

Maar toen de kinderen groter werden, boetten de gevangenisverhalen geleidelijk aan kleur en warmte in, alsof haar moeder had besloten dat de kinderen nu de waarheid moesten weten, of in ieder geval de keerzijde van de waarheid. 'Want alle andere verhalen zijn ook waar,' zei Azar altijd met klem, 'maar ze zijn niet het hele verhaal.' Haar gezicht glom niet meer wanneer ze deze nieuwe verhalen vertelde; haar handen fladderden niet meer door de lucht. Nu waren het verhalen over vrouwen die krankzinnig waren geworden, vrouwen die tavaab werden of nooit meer terugkwamen. Zelfs de verhalen over Neda's geboorte waren niet leuk meer. Ze gingen allemaal over haar moeders angst haar kwijt te raken, over het verlangen haar te houden, over nachtmerries, schuldgevoel, woede, over de paranoïde gedachte dat sommige vrouwen Neda zouden willen vertrappen terwijl ze sliep, tegen haar hoofd aan zouden schoppen. De Zusters verloren geleidelijk hun karikaturale aard en werden overweldigend echt, dreigend, onvoorspelbaar; de Broeders werden meedogenloos, sadistisch, personen die je zoveel mogelijk uit de weg moest gaan. Tijdens deze verhalen verliet haar opa altijd de kamer, droogde haar oma stilletjes haar tranen, zat haar vader rustig in de hoek van de kamer met een steeds somberder wordend gezicht; zijn hele wezen drukte zo'n droefheid uit dat Neda hem gewoon niet aan durfde te raken, bang als ze was dat hij stuk zou barsten als een kapotte kruik. En de kinderen luisterden alleen maar, lamgeslagen door de kracht van dat verdriet.

Dan was er de dode oom, Behrouz, de jongste broer van haar vader, wiens ingelijste foto in elk huis aan de muur hing en over wie zelden gesproken werd. Niet in het begin en ook niet daarna. Maar dat wilde niet zeggen dat hij werd vergeten. Niets van wat er vroeger gebeurd was werd vergeten. Ze konden het niet eens, al wilden ze het, omwille van de kinderen, omwille van de toekomst. Het bepaalde elke stap van hun leven, elk besluit. Het zat altijd vlak achter hun oogleden. Ze hoefden alleen maar hun ogen te sluiten om het te zien, om het weer mee te maken. Ze hoefden er maar één keer over te spreken, één vraag te stellen, één onschuldige opmerking tijdens het eten te maken, of haar moeder moest weer de hele nacht met nachtmerries vechten, of haar vader rookte weer de ene sigaret na de andere in de achtertuin, goed ingepakt tegen de kou van de late avonduren. En daardoor wisten ze: de toekomst was lang geleden verminkt. Evenals de kinderen.

Zachte schaduwen van de neerdalende schemering glijden over Reza's gezicht terwijl hij achteroverleunt in zijn stoel om een kelner met een klein hoofd en borstelige wenkbrauwen een bord met olijven en kaas en kleine schoteltjes met jam en honing op tafel te laten zetten.

'*Le olive*', zegt Reza glimlachend, terwijl hij een olijf pakt. Hij lijkt het onderwerp van zojuist achter zich te willen laten. 'Dat is een van de eerste Italiaanse woorden die ik leerde. Ze smaken hier anders, niet zo bitter.'

'Het eerste woord?'

'Een van de eerste.'

'Wat grappig.' Neda pakt ook een olijf. 'Bij mij was dat: "*Prendiamo un caffè?*"'

Ze lachen.

'Dat zijn drie woorden. Je lag al een stap op me voor.'

'Twee stappen,' zegt Neda, speels knipogend.

Reza glimlacht; hij spuugt de pit in het kommetje van zijn hand en opent die dan met een elegante draai en laat hem op zijn bord vallen. Zijn kortgeknipte haar doet hem jonger lijken dan hij is, maar geeft zijn gezicht, zijn dunne, gebarsten lippen met de zachte mondhoeken iets strengs. Hij ziet er met zijn donkerblauwe pak formeel uit, alsof hij op weg is naar een zakelijke afspraak. Ze vindt het leuk dat hij zich altijd zo mooi kleedt wanneer ze samen uitgaan. Ze voelt een zekere tederheid telkens wanneer ze hem naar zich toe ziet lopen, altijd netjes, hoffelijk, als een schooljongen. Met die lange, trage stappen van hem, die stevige armen die onhandig langs zijn zij bungelen, die brede, maar aarzelende lach om zijn lippen, alsof hij nooit echt weet of zijn mond zich wel helemaal kan openen. Zijn tred is stevig, zwaar, en toch geeft het haar altijd het gevoel dat hij koorddanst.

Zo was hij toen ze voor het eerst vrijden, die ochtend waarop hij bij haar thuis een paar boeken over Turijn kwam halen die ze hem beloofd had. Hij was toen drie maanden in Italië. Hij zei dat hij meer over de stad te weten wilde komen waarin hij terecht was gekomen, over de mysteriën ervan; hij had gehoord dat het er vele waren. Hij had voor haar deur gestaan, gekleed in een lange, grijze jas, geurend naar zaagsel en verwachting. Hij woonde op kamers achter een timmerbedrijf. Om bij de straat te komen moest hij door de donkere werkplaats lopen, tussen de halfvoltooide kastjes en bedden door, waarbij het zaagsel zich fijn en zacht op zijn huid vastzette. Slechts een paar minuten door de werkplaats en de geur bleef aan hem kleven, zoet en prikkelend.

Hij stond aarzelend midden in de kamer met zijn rug naar de gouden gloed die door het raam naar binnen sijpelde. Ze zag de spanning, de starheid in de wazige contouren van zijn lange, zwaargebouwde lichaam. Hij wachtte tot zij hem zou ontwarren, sloeg haar gade met ogen die schitterden als bladeren in de regen, zijn mondhoeken zenuwachtig vertrekkend. En dat deed ze, langzaam, terwijl het zonlicht haar schouders verwarmde. Nadien lagen ze zij aan zij, zij op het zachte gedeelte van zijn uitgestrekte arm. Bewegingloos lagen ze, woordeloos. Ze vielen in slaap in de geur van elkaars lichaam, sereen, tevreden als kinderen die instorten na een lange dag op het strand.

Sindsdien is iets in haar naar hem uitgegaan, een angstig, complex verlangen, dat wortel in haar schoot zodra ze hem voor het eerst zag. Het was zijn status als politiek vluchteling die haar had geïntrigeerd, die avond waarop ze elkaar ontmoetten; die, én zijn ongehaaste manier van doen en lange wimpers. Het gebeurde op de Shab-e Yalda van vorig jaar. Reza stond voor het Iraanse restaurant waar de bijeenkomst werd gehouden. Neda zag hem door het raam naar haar kijken. Ze zat in een hoek, alleen. Ze kende niemand. In de drie jaar dat ze nu in Turijn was, had ze zelden andere Iraniërs opgezocht. In plaats daarvan bracht ze de meeste tijd door met de andere studenten van de kunstacademie. Maar toen Shab-e Yalda dichterbij kwam, voelde ze onaangekondigd, onverwacht het heimwee in zich groeien. Ze moest een poosje bij andere Iraniërs zijn, zich, al was het maar voor één avond, hullen in het warme, melancholieke, samenzweerdersgevoel dat haar moedertaal haar gaf. Ze informeerde naar Iraanse evenementen en ontdekte dit restaurant. Maar toen ze er eenmaal was en eenzaam in haar hoekje zat, dacht ze er al over te vertrekken. En toen zag ze hem, achter het raam; hij rookte een pijp en de blauwe rook vermengde zich met de mist, met het donker en de sneeuw die in de lucht hing. Ze glimlachte zonder te weten waarom. De pijp leek zo ouderwets. Hij past perfect bij de zwevende wereld van het restaurant, met zijn Perzische kleden overal op de vloer en zijn miniatuurtjes aan de muren; een wereld op zich, een opgeschorte wereld, buiten tijd en ruimte.

Nu zet Reza zijn elleboog op tafel; zijn kin met hier en daar wat zwarte haren is iets naar voren gestoken. Hij laat zijn grote ogen, gevuld met een soort angstige melancholie, op haar rusten. Uit de openstaande ramen van het conservatorium waait muziek naar buiten, de lucht strelend, majestueus, vergezeld van de stem van een sopraan die een knoop in haar borstkas lijkt los te maken.

'Hoor je haar zingen?'

'Ja,' zegt Reza, met zijn lippen smakkend. 'Het is prachtig. Ik vind het fijn om langs het conservatorium te lopen wanneer ik bij je wegga. Je weet nooit wie er daarbinnen aan het oefenen is, maar het barst er altijd van de muziek en de levendigheid.'

Neda houdt haar hoofd een beetje scheef en kijkt naar hem; ze stelt zich voor hoe hij haar woning verlaat in zijn blauwe pak, hoe hij met dat massieve, losse lijf dat nog naar haar geurt, door de smalle, elegante, maar drukke Via Mazzini loopt, langs de antieke boekwinkels, de verfijnde designwinkels en de kleine zaken met lage plafonds van aankomende modeontwerpers. Een vluchteling, met zo'n afwezige, verdwaasde uitdrukking op zijn gezicht, alsof hij niet weet waar hij is.

'Hou je van opera?' vraagt hij.

'Jawel, maar ik ben nog nooit naar een opera geweest.'

'Ik ook niet.'

'We moeten eens gaan. Ons helemaal optutten. Dat zou leuk zijn. Maar dan moeten we eerst geld opzijleggen,' zegt ze plagerig, hem voluit toelachend.

Hij lacht, waarbij hij zijn hoofd een beetje achteroverbuigt. Hij heeft een lach diep in zijn keel en knijpt zijn ogen daarbij een beetje dicht.

In zijn ogen ben ik veilig, denkt ze. Ik ben altijd veilig geweest hier, ver weg van de chaos en verwoesting.

Ze zet haar elleboog op de tafel en legt haar kin op haar gekromde hand. 'Ik maak je aan het lachen.'

'Ja, inderdaad. Je maakt me altijd aan het lachen.'

'Vind je het leuk dat ik je zo aan het lachen maak?'

Hij laat zijn lichaam iets vooroverhellen. Zijn knie botst onder de tafel tegen de hare. 'Ja, heel leuk.'

'Waarom?'

'Waarom wat?'

'Waarom maak ik je aan het lachen?'

Hij slaat haar gade. 'Omdat het gemakkelijk is om te lachen wanneer ik bij jou ben.'

Ze neemt zijn gezicht aandachtig op en denkt: dat is waar. Wanneer hij bij haar is lijkt zijn strakke kaak losser te worden, lichten zijn ogen op en wordt zijn lach luider. Hij lijkt bijna te graag te willen ontspannen, te willen glimlachen; hij kijkt haar verwachtingsvol aan, alsof hij wacht tot ze iets zegt of doet wat hem laat lachen, laat vergeten, hem zich nieuw laat voelen. Hij zoekt troost bij haar, weet ze. Hij ademt haar heelheid in, doet zich te goed aan haar rust, zodat hij zijn eigen pijn kan vergeten, zijn geweifel, de verschrikkingen die nog aan zijn huid kleven, het afschuwelijke geweld dat hij heeft zien bedrijven tegen gewone mensen op straat, zijn dagen van eenzame opsluiting, zijn angst voor de dood die hij alleen moest verwerken, in de gevangenis, niet wetend hoe het met hem zou aflopen. Ze heeft zijn ogen vele malen zien glanzen van vreugde, van opluchting bijna wanneer hij haar ziet, alsof zijzelf, met haar sierlijke Italiaanse kleren waarvoor hij haar altijd een compliment geeft, met haar zelfverzekerde optreden, haar glimlach, bewijst dat het mogelijk is uit puinhopen iets moois op te bouwen. En net zag ze het weer, nog maar een paar minuten geleden, toen ze het had over naar de opera gaan. Die glans van opluchting, die drang om te geloven dat het leven inderdaad gemakkelijk kan zijn. Dat het kan gaan om de beslissing of je wel of niet naar de opera gaat, wel of niet geld opzijlegt; dat het leuk kan zijn, zonder angst, zonder terreur, zonder altijd te moeten vechten, verzet te moeten plegen, te moeten worstelen, zonder altijd de grenzen van je dapperheid of lafheid te moeten opzoeken. Dat het leven gewoon kan bestaan uit een lentemiddag waarop je bier drinkt in een café en een sopraan hoort oefenen voor een optreden.

Ik ben zijn beschermer geworden, denkt ze, zijn amulet. En ze heeft het gevoel dat ze sterke, onvermoeibare armen heeft gekweekt die hem uit de onderstroom kunnen trekken en hem door die onontkoombare wereld kunnen voeren van doorleven, van opnieuw beginnen. Hij kan al zijn verdriet in haar storten en als een vrij man wegwandelen.

'En is dat goed?' vraagt ze.

Hij raakt met zijn vingertoppen haar wang aan. 'Natuurlijk. Dat is heel goed.'

Vanuit een kerk in de buurt stort de echo van kerkklokken zich over het plein. Het gelach van kinderen vult de lucht. Er loopt een vrouw langs die een kinderwagentje voortduwt. Er klinkt een hysterisch geklapper van vleugels en gekrijs wanneer een paar duiven vechten om het grootste aandeel in de zaden die een bejaarde man op de grond heeft gestrooid.

Reza kijkt met zijn donkere ogen naar Neda. Hij glimlacht, maar er hangt iets naargeestigs boven zijn oogleden, als een man die zich van een last wil bevrijden en rechtop wil kunnen staan. Ze is inmiddels gewend geraakt aan deze abrupte aanvallen van somberheid, wanneer hij er plotseling uitziet alsof hij verdrinkt in een meer dat zij niet kan zien, waar ze niet bij kan komen. Het is een meer van herinneringen, aan vrienden die hij heeft achtergelaten, aan beloften waaraan hij zich niet heeft gehouden, aan strijd die hij op een bepaald moment heeft gestaakt. Hierover spreekt hij zelden tegen Neda, alsof hij haar niet wil bezoedelen met zulke zelfverwijten, die naar zijn idee in een ander land, een andere tijd thuishoren. Alleen wanneer hij dronken is, huilt hij, en dan weet ze het. Ze is met die tranen vertrouwd. Ze heeft haar vader dezelfde tranen zien plengen wanneer de alcohol iets in hem had losgemaakt en hij niet kon ophouden.

'In het begin, toen de protesten begonnen, was er heel wat enthousiasme,' zegt Reza, zijn verhaal weer oppakkend. Neda weet dat zijn gedachten nooit afdwalen. Dat hoewel hij ook bij haar is op dit prachtige, rustige plein, hij ook daar is, in die andere wereld van kogels en knuppels. 'We wisten niet of we het regime omver konden werpen of niet. In zekere zin ging het daar ook niet om. Het ging om iets groters. We wilden dat de hele wereld wist dat we er waren, dat we wakker waren en dat we niet bang waren. We wilden iedereen laten zien dat onze generatie volwassen was geworden, dat we een stem hadden en dat we beslissingen wilden en konden nemen.' Hij zwijgt even, verstrengelt zijn vingers. Zijn stem is een en al vuur. 'Het mooiste waren de stille protesten. Die waren niet van tevoren gepland. Het gebeurde gewoon. Zoveel harmonie was er onder ons.'

Neda weet nog dat ze naar de beelden keek van een enorme mensenmassa die stil over een brede brug liep. Zo stil dat ze even meende hun harten te kunnen horen kloppen. Er waren vrouwen met sjaals, mannen met groene banden om hun voorhoofd, jong en oud, voor het geïmponeerde oog van de camera langslopend. Er wapperde een lange, groene vlag bovenuit, in de lucht gehouden door de menigte. Even later klonk er een donderslag toen de demonstranten hun stilte verbraken door tegelijkertijd in hun handen te klappen. Er werd gelachen toen mensen die vreemden voor elkaar waren zich verenigden in deze hartverwarmende uitbarsting. Algauw werd het geklap sneller en luider, het spatte van het scherm, de kamer in, als regendruppels die op het dak kletteren.

'Op een van die video's van de stille protesten zag ik mijn nicht en neef, Sara en Omid, onder de demonstranten. Heb ik je dat weleens verteld? Of eigenlijk zijn ze een aangetrouwde nicht en neef,' zegt ze stralend. 'Het is een moment dat ik nooit zal vergeten. Eerst zag ik Sara. Ze maakte steeds het overwinningsteken en keek lachend en triomfantelijk om zich heen. Het leek net of al die mannen en vrouwen daar waren om haar te vergezellen. Toen keerde ze zich om en riep iemand. Even later zag ik haar broer Omid haar inhalen en haar hand beetpakken en samen stapten ze toen het camerabeeld uit. Ik kon het niet geloven. Ik heb de opnamen vele malen moeten bekijken om te geloven dat zij tweeën het echt waren.'

Reza glimlacht en leunt achterover met een uitdrukking van voldoening op zijn gezicht.

'Ze vertelden me dat er die dag alleen al honderdduizenden mensen op straat waren,' zegt Neda, haar handen samenklemmend. 'Ze konden het zelf niet geloven; de enorme aantallen schokten hen.'

'Het regime was ook geschokt,' zegt Reza. Zijn schouders gaan naar voren en zijn kaken trekken strak terwijl hij spreekt. 'Het leek wel of ze zich plotseling realiseerden dat wij, onze generatie, niet waren geworden zoals ze hadden gewenst, dat al het hersenspoelen niet had gewerkt. En toen begonnen de represailles. En die waren niet alleen bedoeld om ons bang te maken en weer het huis in te jagen. De ordediensten hadden de intentie ons te doden, duizenden, zo niet miljoenen, te doden.' Reza is even stil. De spieren van zijn gezicht zijn strakgespannen van emotie. Hij lijkt verbijsterd, nog steeds diep geschokt. Zijn donkere ogen worden groot, alsof hij de terreur opnieuw beleeft. Neda krijgt kippenvel tot aan haar haarwortels. 'Overal werd geschoten, overal hoorde je angstkreten, overal brandden auto's en steeg zwarte rook op, overal zag je bebloede gezichten en lichamen. Het was geen spel. Ze waren bereid zoveel mogelijk demonstranten te doden, zonder één aarzeling. Destijds achtte niemand van ons het regime tot zo'n wreedheid in staat. Tot zoveel geweld, tot zo'n koelbloedige wil om te doden. Nog niet in onze akeligste nachtmerries.'

Reza valt stil. Neda staart hem aan zonder te kunnen spreken. Ze herinnert zich de video's die ze bekeek. De scènes van het geweld van de overheidsdiensten en het verzet van de demon-

stranten hadden haar een vreemde, overweldigende energie gegeven. Ze weet nog dat ze wel een metalen staaf had willen pakken en alle ramen kapot had willen slaan, had willen rennen tot
ze in elkaar zakte, alles om haar heen in brand had willen steken, van een rots had willen springen. Maar nu ze naar Reza
luistert en de verbijstering, de geschoktheid op zijn gezicht ziet,
keert haar maag om. Ze voelt een huivering van woede, van af-
keer nu ze hem zo verbaasd, zo verbluft ziet, alsof alles wat er
is gebeurd niet altijd al zo is gegaan. Wat was het verschil, behalve dat het doden nu op straat was gebeurd, dat het nu allemaal gedurfder was, meer in het openbaar, dat het bloed nu bij
daglicht glinsterde en niet achter gevangenismuren, massaal,
midden in de nacht? Of was het ook bij dag gebeurd, had de zon
de geblinddoekte gevangenen vol in het gezicht getroffen?

Nee, ze was niet geschokt geweest. Ze hebben er al duizenden
gedood, Reza, zou ze hem willen toeschreeuwen. Je akeligste
nachtmerries zijn drieëntwintig jaar geleden al werkelijkheid
geworden.

De kelner die de lege bierglazen komt weghalen onder-
breekt het gesprek.

'*Altre due?*' vraagt hij, haar aansprekend.

Neda en Reza kijken elkaar aan en leunen achterover in hun
stoelen.

'*Si, grazie,*' zegt Neda tegen de kelner.

Daarna zitten ze zwijgend om zich heen te kijken, alsof ze
beiden een ogenblik nodig hebben voor hun emoties, om ze in
bedwang te houden door hun toevlucht te zoeken in het leven
dat zich om hen heen ontrolt, op het plein dat zich langzaam
vult met blauwe avondschemering, in de treuzelende schaduwen
die zich verspreiden over de lichtgroene luiken van het conservatorium. Ze zien hoe het café volloopt. Groepjes vrienden
verzamelen zich om tafels. Stelletjes doen hun best de stem van

de ander te horen boven de herrie van tinkelende glazen, ijs dat versplinterd wordt en het gekletter van de martinishaker. Aan de andere kant staan een man en een vrouw voor de etalage van een parfumerie de elegante flessen te bewonderen. Midden op het plein hangt een groepje tieners rond op de treden van het bronzen beeld van La Màrmora, een van de generaals uit de Italiaanse onafhankelijkheidsoorlog, die iets voorover op zijn paard zit.

De relaxte schoonheid van de plek vult Neda met rusteloosheid en verwondering. Wat doen we hier, in deze stad, in dit land? Zo-even leek het decor nog de perfecte omgeving voor hun intieme gesprek, zodat de woorden gemakkelijker uit hen stroomden, maar nu lijkt dit broeiende, borrelende leven om hen heen ineens wezensvreemd, los van hen te staan, wazig te worden net nu het tot leven komt, als in een droom. Even weet ze niet wat onwezenlijker voelt: de muur van geroezemoes om hen heen of het gesprek met Reza. Het is alsof ze in luttele seconden van de ene naar de andere wereld is overgebracht. Van de last van het verleden en heden op een plek waar een dolk die druipt van het bloed diep in het hart van het land wordt gestoken en rondgedraaid, naar een andere wereld waar een meisje op een fiets over het plein rijdt, terwijl haar roze-met-gele sjaal achter haar aan wappert in de wind. Het voelt alsof ze twee lichamen in één is. Het ene kronkelt en draait en het andere ligt stil. Elk van beide werelden doet de andere onmogelijk ver weg, een andere realiteit lijken.

Aan een tafel achter hen hoort ze flarden van een gesprek over een kat die uit huis is ontsnapt na een bezoek aan de dierenarts. De eigenares van de kat spreekt op klaaglijke toon. Ze is bang dat de kat nooit meer terugkomt. Hij heeft zijn vertrouwen in haar verloren, zegt ze, en associeert haar niet meer met eten en onderdak, maar met de traumatiserende ervaring bij de dierenarts. Het gesprek wordt afgebroken wanneer er een mobieltje gaat.

Neda's blik gaat weer naar Reza, wiens grote lijf onderuitzakt in de stoel, alsof een onzichtbare kracht hem neerdrukt. Hij ziet er vreemd kinderlijk, dociel uit. Neda voelt de aandrang hem in haar armen te nemen. Ze hebben immers alleen elkaar? Ze strekt een hand uit en strijkt de paar grijze haren bij zijn slapen glad. Hij neemt haar hand en houdt hem tussen zijn beide handen.

'Wat heb je kleine handen.' Hij onderzoekt ze niet-begrijpend. 'Ik zou ze in mijn zak kunnen stoppen en overal mee naartoe kunnen nemen zonder dat iemand het zou merken.'

Zijn ogen glanzen zacht in de hare. Neda glimlacht; ze houdt van het gevoel beschermd te zijn tussen zijn handen, die zoveel groter dan de hare zijn. Zijn vingers zijn lang en slank, de huid enigszins ruw, warm. Ze kromt haar vingers in de omhulling van zijn handen, duwt ze open en kromt ze weer, speels. Ze voelt een dringende impuls om hem meer te vertellen over wat ze tijdens die dagen na de verkiezingen beleefde, zittend achter haar computer, toeziend hoe alles zich voor haar ogen voltrok. Het voelt allemaal nog zo recent, denkt ze, ook al gebeurde het ruim twee jaar geleden. Ze voelt een huivering van afgunst bij de gedachte dat hij erbij is geweest, dat hij deel heeft gehad aan dat omslagmoment in de geschiedenis. Hij heeft door die straten gerend, stenen gegooid, strijdkreten geroepen, hij is gearresteerd, vrijgelaten en opnieuw gearresteerd totdat hij uiteindelijk ontsnapte. Hij heeft zijn leven op het spel gezet. Daar kan ze niet tegenop. Ze kan geen verhaal vertellen, geen herinnering te berde brengen die groter is dan dat. Voor hem is het allemaal direct, dichtbij geweest; hij heeft de kruitdamp, het traangas en het bloed geroken waarmee de straten verzadigd waren. Hij heeft gedaan wat haar eigen ouders der-

tig jaar daarvoor hadden gedaan. Hij herinnert haar constant
aan haar ouders, aan hoe haar ouders zouden zijn geweest als
ze hen had kunnen zien. Maar in haar voorstelling zijn haar
ouders veel ouder. Zó had Neda zich alle politieke activisten
en vluchtelingen voorgesteld voordat ze Reza ontmoette, met
dezelfde gestalte, hetzelfde kalme, volwassen, middelbare gezicht als haar ouders toen Neda wat ouder was, en ze bij haar
waren en ze zich hen kon herinneren. Niet de tijd waarin ze er
niet waren en zij bij haar oma sliep, die haar in haar armen
sloot, haar adem warm op haar gezicht, haar bijna verstikkend.
Over dat beeld van haar ouders had ze nooit echt nagedacht
en pas toen Neda Reza ontmoette kwam plotseling de gedachte
bij haar op dat haar ouders ook ooit jong waren geweest, net
zo jong als Reza, toen ze werden gearresteerd. Deze simpele
ontdekking had haar in al zijn banaliteit geschokt, toen ze zich
voorstelde hoe haar ouders door die vijandige straten renden
en antiregeringspamfletten in de huizen gooiden, hoe ze geheime
bijeenkomsten bezochten, net als Reza, hoe hun jonge, gretige
gezichten een doelbewust, vurig licht uitstraalden, hoe alles wat
ze deden gewijd was aan dat ideaal dat al het andere heel onbeduidend maakte. Het benam haar bijna de adem toen ze bedacht dat haar moeder, opgesloten achter bakstenen muren,
zelfs jonger was geweest dan zij toen ze haar baarde. Toen
schoot haar te binnen dat Azar over een aantal celgenoten had
gesproken als heel jong. 'Te jong,' zei ze altijd, 'om voor hun
halfbakken politieke idealen te lijden.' Haar moeder vertelde
dan hoe die gevangenen altijd zwarte en grijze kleding droegen
en in rijen langs de lage muren zaten en deden alsof ze sterk
waren. Maar wanneer zij haar witte blouse met zijn gele en
roze bloemen droeg, konden ze hun vreugde niet verhelen. Dan
vergaten ze dat ze deden alsof ze sterk waren, alsof ze plotseling weer wisten dat ze niet bij die kale muren en dat versleten

tapijt hoorden, dat het geen deel van hen was, dat er iets helemaal fout was gegaan. Die bekentenissen van haar moeder
hadden bij Neda destijds ontsteltenis teweeggebracht, niet zo-
zeer om Azar, als wel om die andere 'heel jonge' gevangenen.
Maar nu ze naar Reza kijkt, bedenkt ze dat haar eigen moeder zelf een van die jonge gevangenen is geweest, zonder het
er ooit over te hebben gehad.

Even later komt de ober met twee beslagen glazen bier met
een dikke schuimlaag erop. Ze maken hun handen los om hem
de glazen op tafel te laten zetten en het bonnetje onder de zwarte
plastic asbak te stoppen. Even kijken ze naar de glazen, dan
naar elkaar; een mat lachje trekt over hun gezicht terwijl ze de
glazen tegen elkaar tikken en een slok nemen.

'Het is lekker bier,' zegt Reza.

'Ja.'

Reza buigt zich iets voorover en inspecteert het bord met de
kaas, die ze nauwelijks hebben aangeraakt. 'En wat kun je me
over de kaas vertellen?'

Ook Neda leunt voorover, drukt haar borst tegen haar in
elkaar geklemde handen op de tafelrand en kijkt naar het
bord.

'Eens even kijken,' zegt ze, haar handen losmakend en een
voor een de kaassoorten aanwijzend. 'Er is parmigiano, ra-
schera en fontina.'

Reza lacht geamuseerd. 'Hoe herken je die? Wanneer ik in
de supermarkt ben en kaas wil kopen, pak ik gewoon maar
wat en dan weet ik nooit hoe het heet.'

'Zo verging het mij in het begin ook. Daarna heb ik het
langzaam maar zeker geleerd.'

Reza scheurt een stuk brood in tweeën, legt de kaas erop en
reikt het haar aan. Net als haar moeder een paar jaar geleden,
toen ze stukjes brood met beleg voor Neda maakte terwijl ze

haar vroeg hoe het met haar schilderlessen ging. Azar, die naar Neda wist haar weer bij zich in Iran wilde hebben, maar zichzelf nooit toestond dat te zeggen.

Neda sprak slechts eenmaal tegen Reza over haar moeder en het verhaal van haar geboorte. Ze waren na een avondje uit thuisgekomen. Het daglicht moest nog boven de heuvels van Turijn uit komen. Ze stonden op het balkon, waar ze een mooi uitzicht hadden op de spits van La Mole Antonelliana die de spaarzame witte wolken kietelde en op de vegen vuurrood en goud in de boomtoppen die de straat afsloten.

'Ik ben een gelukkig man.' Reza nam haar in zijn armen; zijn mond was ergens bij haar oren.

Ze draaide zich om in zijn stevige omarming. Ze glimlachte, maar was al de juiste woorden aan het zoeken voor haar verhaal. Hij hield zijn gezicht heel dicht bij het hare, alsof hij uit haar mond wilde ademen. Ze vroeg zich af of hij het kloppen van haar hart kon voelen, zo wild dat ze dacht dat het zou kunnen imploderen.

Toen vertelde ze het hem, eerst met een aarzelende stem, die langzaam kracht begon te krijgen terwijl ze de verwikkelingen een voor een onthulde. Reza luisterde naar haar. De hele tijd lag er een zwakke, gepijnigde glimlach op zijn lippen, alsof die in zijn gezicht was gegrift. Ze voelde een bepaald ongemak van hem af komen terwijl hij naar haar luisterde; hij had de onzekere gezichtsuitdrukking van een man die niet wist wat hij met een bepaalde emotie aan moest. Zijn gezicht, verlicht door de zachte gloed van de opkomende zon, leek ongrijpbaar, onvoorspelbaar.

Hij onderbrak haar niet één keer terwijl ze sprak, stelde geen enkele vraag, maakte geen enkele opmerking. Later, toen ze uitgesproken was, sloeg hij zijn armen opnieuw om haar heen en hield haar stevig vast en liefkoosde haar stil. Het was de stilste vrijpartij die ze ooit had meegemaakt, alsof de lucht op hen was neergedaald.

Daarna sprak Reza er nooit meer over.

'Er is iets wat ik je nooit heb verteld.' Reza's stem doorsnijdt Neda's gedachtestroom.

Neda kijkt enigszins geschrokken op, alsof ze bruusk uit een droom wordt gewekt. 'Wat dan?'

Van de gebouwen waar de duisternis, verdund met kunstlicht, van af druipt, komt de verborgen roep van vogels, misschien waarschuwend voor intuïtief aangevoelde bedreigingen, misschien elkaar goedenacht wensend. Je gaat me een verhaal vertellen, denkt ze. Weer een verhaal. Maar ik ben de verhalen beu. Wanneer komt er eens een eind aan?

'Mijn vader was lid van de Revolutionaire Garde,' zegt hij. 'Een van de oprichters, zelfs.'

Neda kijkt hem aan; er loopt een rilling over haar rug, alsof ze het plotseling kou heeft. Het schijnt haar toe dat zijn stem iets zachter is geworden, alsof hij niet zeker is van wat hij zegt, of niet wil dat niemand anders dan Neda hem hoort.

'Maar hij hoort er niet meer bij. Hij is vertrokken zodra hij in de gaten kreeg dat ze zich niet meer aan hun principes hielden.'

Neda knikt en blijft hem aanstaren, niet in staat haar mond open te doen. Ze is te geschokt om helder te denken, om te verwerken wat hij haar zojuist verteld heeft. Hoewel zijn ogen in het begin wegkeken van de hare, lijkt hij nu zijn kalmte te hebben hervonden. Hij kijkt haar recht in de ogen terwijl hij spreekt, alsof hij haar wil laten zien dat hij niets te verbergen heeft, dat hij een rein geweten heeft.

'De Revolutionaire Garde is niet wat het zou moeten zijn, datgene waarvoor hij opgericht is. Mijn vader voelde zich verraden. Zijn idealen werden met voeten getreden.'

Terwijl Neda naar Reza luistert, doemt er een herinnering

voor haar geestesoog op. Ze probeert er niet aan te denken, zich in plaats daarvan te concentreren op wat hij haar vertelt, maar de herinnering blijft maar door haar afweer heen dringen.

Het was een zonnige dag. Neda en Forugh speelden in de achtertuin, bij het huis van Forughs oma, waar Neda iedere vrijdag heen ging om een paar uur bij de nichtjes en de neef door te brengen, toen Forughs moeder, Simin, hen binnenriep en zei dat ze hun iets moest vertellen. Haar lange, smalle gezicht zag er sereen maar grauw uit. Ze zat op de grond en leunde tegen een rood kussen. Ze sloeg hen met haar ogen met de zware oogleden gade toen ze binnenkwamen, haar vingers steeds verstrengelend en losmakend. Forugh ging op haar moeders schoot zitten. Neda ging naast haar zitten, haar knieën in de stevige knopen van het geel-blauwe kleed drukkend.

Neda weet niet meer precies wat Simin zei. Ze weet nog dat ze niet huilde; ze glimlachte misschien zelfs, een trieste, glansloze lach, als winterzonlicht. De huid van haar gezicht was droog, met blauwige schaduwen onder haar gezwollen ogen; haar hoge jukbeenderen staken scherp uit.

Forugh zat heel stil naar haar moeder te staren toen haar werd verteld dat haar vader dood was. Haar levendige bruine ogen werden wazig en er steeg een blos naar haar gezicht, maar ze verroerde zich niet. Het was Neda die begon te snikken en de kamer uit rende, de kelder in, waar ze zich verstopte in een oude kledingkast waarvan Forugh haar ooit had verteld dat die de beste schuilplaats in het huis was.

Ze wisten dat Forughs vader in de gevangenis zat, maar verder was iedereen teruggekomen, dus waarom hij niet? Het was niet eerlijk, had Neda gedacht, dat zij haar vader terugkreeg en Forugh niet. Later pas kwam ze erachter dat er duizenden kinderen waren wier moeder en vader nooit terugkwamen. Dat was in 1988, het laatste jaar van de oorlog, de heilige oorlog, de heilige landsverdediging, de beste tijd om alle dissidenten uit de weg te ruimen zonder een spoor na te laten.

De gevangenispoorten werden gesloten, alle bezoeken afgelast en de zuivering begon.

Er werden processen gevoerd waarin een Bijzondere Commissie iedere gevangene vragen stelde, die uiteenliepen van: 'Ben je moslim?' tot: 'Zul je publiekelijk het historisch materialisme afzweren?' Op basis van de antwoorden verdeelde de Commissie de gevangenen in hen wier antwoorden hen bevredigden en hen wier antwoorden hen niet bevredigden. Duizenden 'afvalligen', 'vijanden van God' werden onmiddellijk geëxecuteerd. Volgens sommigen met tienduizenden tegelijk. Niemand weet het precieze aantal. Forughs vader keerde, net als duizenden andere vaders, moeders, dochters en zoons, nooit terug naar huis. En de enige reden dat Neda's ouders terugkwamen was dat ze het geluk hadden hun straf te hebben uitgezeten en te zijn vrijgelaten voordat de afslachting begon.

Neda weet niet hoe lang ze die dag in de kelder heeft gezeten, maar op een gegeven moment kwamen Forugh en Simin haar halen; ze spraken met haar, troostten haar, veegden haar tranen weg. Om haar op te beuren speelde Forugh op de kleine, kleurige xylofoon die haar opa voor haar had gekocht. Toen liet ze Neda op de xylofoon spelen en sloeg haar moeder hen gade, bemoedigend glimlachend, voor hen klappend.

Neda heeft het gevoel dat ze flauw zal vallen. Het dringt tot haar door dat ze onbewust haar adem heeft ingehouden. Haar handen onder de tafel zijn koud. Het geweld van dit regime heeft Reza geschokt, omdat hij het niet kent. Zijn vader heeft hem misschien nooit verteld dat er kinderen zijn die nooit hebben kunnen rouwen, die zijn opgegroeid tot grote, zelfverzekerde volwassenen, en toch diep vanbinnen kleine kinderen zijn gebleven, zittend op hun moeders schoot, niet in staat zich te verroeren.

Neda drukt haar handpalmen op haar dijen. Haar keel is droog. Haar ogen fonkelen van de boze, niet-vergoten tranen.

Wist Reza's vader wat er gebeurde? Hoeveel wist hij? In welke mate was hij erbij betrokken? Was hij er wel bij betrokken? Misschien niet. Ze hoopt van niet.

Kleeft er bloed aan je vaders handen?

Het zou alles bederven als ze het wist.

Ze haalt een hand door haar haar en kijkt Reza aan, wiens grote ogen op haar rusten. Hij stelt me op de proef, denkt ze, hij wil mijn reactie zien, kijken of ik het aankan de rest te horen, kijken of hij me zijn verhaal kan toevertrouwen. Ze moet alles horen wat hij te zeggen heeft. Hem schoon schip laten maken. En toch wou ze bijna dat hij haar niet over zijn vader had verteld, dat hij het niet nu probeerde uit te leggen, het niet allemaal op tafel legde en van haar verwachtte dat ze standvastig bleef. Ze denkt: wat wil je van me? Even besluit ze het allemaal te vergeten, hem en zijn vader en zijn herinneringen. Ik hoef hier niet te zitten luisteren, denkt ze. En toch kan ze er niet mee ophouden, met daar zitten, met naar hem luisteren, ze kan niet ophouden met hem inademen alsof ze hem voor altijd in zich wil houden.

'Wat er gebeurde, daar had mijn vader niet voor gevochten,' vervolgt Reza. 'Hij had de revolutie willen beschermen. Er waren toen namelijk bedreigingen. Mogelijke buitenlandse interventie, de oorlog met Irak. Maar alles nam een andere wending. De Garde trok te veel macht naar zich toe, en te veel rijkdom. Mijn vader voelde zich er niet meer thuis.'

Hij kan er niets aan doen, denkt Neda. Hoe zou de wereld ooit kunnen blijven draaien als ieder kind de schuld kreeg van de zonden van de vader? Ze mag niet in de valkuilen trappen die de geschiedenis overal plaatst. Ze moet ze mijden. Ze moet naar hem, naar zijn uitleg, luisteren.

Maar zal dit ooit wat worden? Is een relatie met een man die van de andere kant komt van meet af aan verdoemd?

Neda haalt haar schouders op, alsof ze de spanning wil afschudden. Ze kijkt naar Reza en zijn vingers die om het glas liggen. Ze verwondert zich over hem, over de werkelijkheid van zijn bestaan. Ze vraagt zich af of ze met Reza aan dezelfde tafel zou hebben gezeten, of hun parallelle, maar ver van elkaar verwijderde werelden elkaar zouden hebben ontmoet, als ze in Iran waren. Ze weet niet zeker of dat zo zou zijn, of ze ooit de kans zou hebben gekregen. Ze weet dat hij in een ander leven, op een andere plek, haar vijand had kunnen zijn. Hij zou zo ver van haar kunnen zijn als hij in Italië dichtbij is, want hier, duizenden kilometers ver weg, is de geschiedenis niet meer zo vernietigend persoonlijk. Zij wordt iets wat je op het journaal ziet; zij is minder fysiek, tastbaar, werkelijk. Woorden worden gemakkelijker, lichter om te uiten. Gebaren worden minder geremd, blikken minder instinctief behoedzaam, gevoelens minder slopend, minder vervlochten met schuld en blaam, met wraak en verlossing van een heel volk. Elk woord is niet meer een allegorie van iets hogers, edelers, of van iets laags en ellendigs; elke daad is niet meer een symbool van verzet of conformisme, elk zwijgen niet meer een gelegenheid om te begrijpen aan welke kant iemand staat, en elke strijd voor het eigen geluk niet meer een ongewenst afwijken van de strijd voor het lot van het land. Nu ze uit dat land weg zijn, lijken hun ogen niet meer constant alle kanten op te schieten, bedacht op mogelijke gevaren, lijken hun oren weer teruggebracht tot hun normale grootte – niet meer die grote, gevoelige oren die zich steeds spitsen omdat ze alleen maar gefluister opvangen. Hier kunnen ze allemaal een stap achteruitgaan, observeren en nadenken en conclusies trekken, en liefhebben, liefhebben zonder het ergste te vrezen, zonder wijzende vingers, zonder onophoudelijk te moeten vechten tegen de geur van bloed die vastgekoekt zit in de neusgaten.

Maar houd ik van hem? vraagt Neda zich af. Is het mogelijk?

'Sindsdien heeft mijn vader zich altijd stilletjes afzijdig gehouden van het regime,' zegt Reza. 'Hij heeft het er nooit echt over gehad. Hij leek alle belangstelling voor politiek te hebben verloren. Ook bij de verkiezingen van 2009, toen de verkiezingscampagne in volle gang was en iedereen zo opgewonden was en het steeds maar over de presidentsdebatten en zo had, leek vader nog steeds onaangedaan. Maar toen na de verkiezingen de protesten begonnen, vooral toen de represailles op gang kwamen, was het alsof er plotseling iets in hem was opengebarsten, alsof het de laatste druppel was. Echt, hij sloeg niet één demonstratie over.'

Hij glimlacht wanneer hij aan deze eigenaardigheid van zijn vader terugdenkt. De moedige vader, in zijn ogen een man met lef. Ze ziet zijn ogen warm gloeien van trots. Neda glimlacht met hem mee, maar ze kan alleen aan tijd denken. Wanneer heeft zijn vader de Garde verlaten? Er is ruim dertig jaar verstreken sinds de revolutie. Dertig jaar is een lange tijd. Wanneer kwam zijn vader tot de conclusie dat het allemaal verkeerd was? Wanneer stelde zijn vader vast dat er genoeg bloed was vergoten? Vóór het bloedvergieten, of erna?

Hoewel ze probeert er greep op te krijgen, het te negeren, voelt Neda iets in haar borstkas knijpen terwijl ze Reza aanhoort, gekweld door een onpeilbaar gevoel van schuld en woede. Haar hele leven heeft ze van de gardisten gewalgd, is ze bang voor hen geweest. Ze kan zich er niet toe zetten nu over hen te praten, vragen over hen te stellen, alsof ze gewoon een interessant verschijnsel zijn dat je kunt onderzoeken, begrijpen. Jarenlang leefden mensen als zij en haar familieleden in Iran een apart leven, vastgeklonken aan een wereld van herinneringen waarin iedereen wist welke angst het geklepper van plastic slippers kon veroorzaken. Neda kan nog haar moeders waarschuwing op de eerste schooldag horen: 'Zeg nooit tegen iemand waar je ouders zijn geweest!' Er gaapte een diepe kloof tussen datgene waar je thuis over kon praten en datgene wat buitenshuis gezegd kon worden, aan de andere kant van de gesloten deur. Er waren parallelle werelden: de ene waarin niets verborgen was, noch de herinneringen, noch de minachting van haar familie voor het regime, en de andere waarin alles verboden was, waarin stemmen werden gedempt en kinderen een alertheid erfden jegens alles wat de familie in gevaar kon brengen, waarin ze de geheimen van hun ouders met zich meedroegen, zo zwaar als een zak stenen die ze nooit neer konden leggen. Het was gaan horen bij hoe Neda zichzelf en haar familie bezag: een familie met geheimen, een familie die zich verzet had, een familie die verslagen was.

'Dat is wat wij zijn,' had Azar ooit tegen haar gezegd. 'En jij moet dat weten omdat je moet weten dat je ouders hebben gevochten voor een beter leven voor jou. Maar daarbuiten is niemand te vertrouwen – niemand. Je lievelingsdocent niet, de buurvrouw niet, zelfs je beste vriendin niet.' Azar was bang dat ze het weer op hen gemunt zouden hebben, dat haar kinderen het doelwit zouden worden, of dat ze hun iets zouden ontzeggen wat andere kinderen wel hadden, of hen zouden mishandelen. Ze meende dat ze nog steeds gestraft zouden kunnen worden, dat een gevangenisstraf uitzitten niets afsloot, dat het hen niet immuun maakte voor nog meer leed. Ze meende dat 'die anderen', de bewakers van de revolutie, misschien nog niet klaar waren met hen. Zo leefden ze dus jarenlang, bevreesd voor nog meer straf, voor een wraakoefening die nog niet af was.

Toen begonnen de protesten en werden alle verschillen minder duidelijk. Nu was iedereen op straat. Zowel de kinderen van de slachtoffers als die van de daders. Iedereen zinderde van hoop, verwachting, vertrouwen. De kinderen van alle gevangenisvrienden van haar ouders gingen de straat op. Het was onmogelijk voor hen te blijven zitten, alleen maar toe te kijken. Het was onmogelijk voor hen hun ouders als de enige makers van geschiedenis te aanvaarden. Het was nu hun strijd geworden, allesomvattend, grenzeloos, waarin ze allemaal samen waren in die niet-verkende wateren en waarbij niemand achterbleef. Dezelfde wateren die Reza nu bij haar hadden gebracht, met een kapot lichaam en een gehavende ziel, met handen die even leeg waren als de hare, naar dit land kilometers ver weg, waar terugkijken op de geschiedenis zoveel gemakkelijker leek.

Dan daagt het haar en beneemt de gedachte haar de adem. Reza had haar moeders verhaal niet willen horen. Zijn glimlach was er een geweest van een man die niet wil weten. Ze had hem haar verhaal opgedrongen. Hij had het met tegenzin aangehoord. Ze voelt het bloed naar haar hoofd stijgen. Logisch dat hij er nooit meer op was teruggekomen, nooit vragen had gesteld. Hij had niet zo ver willen terugkijken. Hij was bang. Hij wilde geen schuld krijgen. Hij verzette zich ertegen. Ze had het gezien in dat glanzende, uitdagende gordijn dat over zijn ogen viel toen ze sprak. Heel kort, maar ze had het gezien. Maar ze legde de schuld niet bij hem, een vluchteling die alles kwijt was. Ze gaf hem nergens de schuld van. En ook zijn vader niet. Ze wilde alleen maar dat hij wist dat de gevangenissen al vol zaten voordat zijn protest begon, dat er onder de grond verstomde stemmen lagen.

En toch, misschien probeerde hij zich alleen maar dingen te herinneren. Maar wat kon hij zich herinneren als hij niets wist? Hoe kon hij het niet geweten hebben? Haar hoofd bonst. Ze legt haar handen op de tafel, drukt er haar gewicht op, vanbinnen sidderend. Ze zal hem alles vertellen. Ze zal zich niet meer houden aan de belofte die ze haar moeder gedaan heeft. Het wordt tijd dat de kluwen wordt ontward. Geen geheimen meer, geen terughoudendheid meer. Nu moet iedereen het weten. Weten, weten, weten! Reza en al zijn vrienden die de kwestie ook hebben gemeden, stilzwijgend, net als hij, want de kwestie is opgerakeld, niet door haar, maar door anderen, door nieuwsartikelen, interviews, brieven. Het bloed dat op straat vloeide heeft bij de mensen zaken naar boven gebracht die ze vergeten dachten te zijn. Reza moet het weten. Juist Reza. Want ze kunnen niet samen verder als hij het niet weet.

'Hoe heet je vader?' vraagt ze plotseling.

Reza neemt een slok bier. 'Meysam.'

Zouden haar ouders die naam herkennen? Kenden ze de namen van hun gevangennemers, of noemden ze hen alleen maar 'Broeder' en 'Zuster', zonder ooit hun naam te zeggen, of riepen ze hen gewoon nooit? Ze weet dat ze haar ouders nooit naar die naam zou vragen. Een naam heeft een gewicht, een realiteit die moeilijk te negeren is. Meysam – ze herhaalt in gedachten de naam. Achter Reza, op het balkon van het conservatorium, bolt de Italiaanse vlag zacht op in de bries.

'Mijn vader was de eerste in de familie die mee ging doen met de straatprotesten,' zegt Reza. Hij gaat rechtop zitten en tikt licht op de bodem van zijn glas. 'Hij ging vóór ons allemaal het huis uit en kwam later dan alle anderen 's avonds terug, en dan zat zijn hele lichaam onder de blauwe plekken. Hij werd altijd aangevallen. Ze sloegen hem met hun wapenstokken. Op een keer kwam hij met een bebloed gezicht thuis. Zijn rechterwang was ingeslagen.'

Reza trekt zijn wenkbrauwen op; zijn gezicht vertrekt tot een niet-begrijpende, verbijsterde spotlach. 'In het begin probeerde mijn vader te praten met degenen die hem sloegen; hij vroeg hun waarom ze hem sloegen, hij zei dat hij hun vader had kunnen zijn. Ik vond het niet te geloven dat hij dat soort dingen zei. Het was zó ontzettend naïef! Maar zo is hij altijd geweest. Hij leek de ernst van de situatie niet te begrijpen, hij leek niet te begrijpen hoever ze konden gaan.'

Neda knoeit met de olijven. De olijf die ze op wil pakken glipt uit haar hand en valt op de grond. De intensiteit in Reza's stem stoort haar, de heftigheid waarmee hij namens zijn vader lijdt. Er zit een koud gevoel in haar maag dat snel in een razende hitte verandert die in haar lichaam opstijgt. Terwijl ze haar gele sjaal afdoet komt de gedachte bij haar op dat Reza's vader hen misschien tot rede probeert te brengen omdat hij een van de mensen is die hun dienst heeft opgericht. Hij probeert hen tot rede te brengen omdat hij denkt dat hij dat kan; ze zijn zijn eigen creatie. Maar dan slaan ze hem en hij beseft dat hij er geen greep meer op heeft. Ze hebben zich tegen hem gekeerd, hebben hem achter zich gelaten, zijn buiten zijn bereik. Ze slaan ook hem, net als alle anderen. Ze zijn er niet bang voor zonodig zijn bloed te vergieten. Hun opleiding zegt niets over mensen die van mening veranderen.

De gedachten stromen even gladjes en snel Neda's hoofd in als water uit een omgegooid glas stroomt. Ze schaamt zich voor deze gedachten, maar vindt ze toch verleidelijk. Ontzet maar ook bekoord door het gemak waarmee ze in haar vrijkomen. Ze kijkt naar Reza en hoopt dat hij de blik in haar ogen niet kan duiden.

'Ik zei dan tegen hem: probeer je hen echt tot rede te brengen?' vervolgt Reza, terwijl hij geagiteerd met een hand over zijn gezicht strijkt. 'Ze zijn niet in staat iets te begrijpen. Het zijn gewoon gewelddadige wolven. Erger nog dan wolven: ze zien alleen maar bloed.'

'Hij probeerde hen op andere gedachten te brengen,' hoort Neda zichzelf zeggen.

'Maar dat zou nooit gebeuren. Ze wilden van ons af. We waren met te veel, Neda. We waren te sterk, misschien. Of dat dachten ze.'

Neda laat haar handen langs haar zij vallen; haar lichaam verslapt. Ze heeft het gevoel dat ze steeds dieper in de poel van haar wanhoop wordt getrokken. Kan ze haar familie, haar broer, haar nicht Forugh, juist Forugh, vertellen over de man met wie ze omgaat? Zou het helpen dat Reza nu ook aan dezelfde kant staat, dat hij in verzet is gekomen tegen het regime, dat hij alles kwijt is, dat zijn vader bont en blauw is geslagen, dat zijn gezicht met een knuppel werd bewerkt? Zou Forugh daar iets van accepteren? Zou ze zeggen: daar komt mijn vader niet mee terug?

Neda kijkt naar Reza en stelt zich zijn zus voor, met zijn ogen, zijn kleine tanden wanneer ze lacht. Ze denkt aan haar moeder, aan hoe haar buikje zichtbaar moest zijn geweest toen de leden van de Revolutionaire Garde haar kwamen halen, zwaar als de zee, haar buik en borsten vol van de voorbereiding op het moederschap.

Dat waren de leden van de Revolutionaire Garde die je vader heeft helpen oprichten. De monsters die op ons zijn losgelaten. De Frankensteins die gevangennamen, folterden, doodden en massagraven vulden. De gardisten wier nog meedogenlozere beschermelingen inmiddels de straat op gingen en mensen afranselden, in elkaar sloegen en doodden. Die tegen de buik van zijn zus hadden geschopt, het kind erin trappen hadden gegeven. Zijn vader had eerst de Garde opgericht en er toen zijn handen van afgetrokken. Hij meende dat ze niet meer de idealen verdedigden waarvoor hij had gevochten. Maar de monsters waren niet in te tomen geweest. Het was al veel te laat.

Als het niet voor mijn moeder is, dan voor jouw zuster.

Neda heeft een nijpend gevoel in haar borstkas. Ze zou willen huilen. Ze wou dat haar moeder er was, zodat ze haar gezicht tegen haar borst kan leggen en haar warmte kan voelen en haar hart kan horen slaan en zichzelf kan vergeten en slapen en wakker worden met de zoete geur van de jacarandabloesem en het geluid van haar moeders zachte voetstappen op de binnenplaats. Er is niets wat Neda zo'n vredig gevoel geeft als de onwrikbare zekerheid van die voetstappen, als de nabijheid van de geur van de jacarandaboom.

Even zitten ze zwijgend bijeen. Er is een vermoeide, lege uitdrukking op hun gezicht gekomen. Ze zitten allebei heel stil, alsof al hun herinneringen inwendig op hen drukken. Het duurt een poosje voordat ze eindelijk hun ogen naar elkaar opheffen. Reza maakt zijn handen los, neemt haar hand in de zijne en knijpt er zachtjes in. 'Laten we een eindje gaan wandelen,' zegt hij en hij lacht haar vriendelijk toe. 'Ik ga binnen even betalen. Dit rondje is voor mij.'

Neda knikt en slaat hem gade terwijl hij wegloopt. Ze kijkt om zich heen naar het plein. Het schijnsel van de lantaarnpalen valt op de voorgevel van het conservatorium en de omringende gebouwen en werpt onregelmatige schaduwen op de planten op de balkons. Twee kleine meisjes met roze jurkjes aan zitten elkaar achterna om het standbeeld. Het is nu stil in het conservatorium, de ramen zijn dicht. Een groep jonge mannen en vrouwen staat voor de deuren die dichtgaan te kletsen, een paar van hen met sigaretten tussen de vingers; ze blazen rookwolken over hun schouders en hebben muziek-instrumenten bij zich in grote, zwarte foedralen. Neda slaat haar armen over elkaar en drukt ze tegen haar borst. Ze voelt zich vanbinnen gewond, geschokt, doodmoe. Haar oren zitten dicht, alsof er een gordijn van stilte is gevallen dat alle geluiden smoort.

Toen Neda eens tegenover haar vader haar bezorgdheid uitte over de gevangenen die wegkwijnden in de gevangenissen van het regime, terwijl hun namen en de foto's van hun jonge ge-zichten op Facebook rondgingen, zei Ismaël: 'Nu zijn in ieder geval hun gezichten bekend, en noemt iedereen hun namen. Wij stierven allemaal in stilte.'

Even later gaat de deur van het café open en komt Reza naar buiten. Zijn blauwe pak lijkt een beetje te groot voor hem; het verhult zijn rechte rug, zijn brede schouders. Hij glimlacht terwijl hij op haar toe loopt, zijn gezicht klaart op alsof hij haar voor het eerst ziet. Ze voelt iets heftigs in haar buik opwellen, haar adem stokt bijna vanwege de tedere, uit-nodigende, maar ook weerbarstige kant van zijn schoonheid. Ze stelt zich haar eigen ouders in zijn plaats voor. Ze kan hen naast elkaar zien lopen in het stralende licht van de banket-bakkerijen en winkels met gedroogd fruit en noten waarin de stoep baadt. Haar vader met zijn handen op zijn rug, haar moeder iets kleiner, één hand op haar handtas, de andere bijna tot een vuist gebald. Haar ouders waren geen vluchtelingen. Ze bleven en werden gevangengenomen en vrijgelaten en voedden alles trotserend hun kinderen op in hetzelfde land waarin hun eigen hoop en toekomst waren beknot.

Neda wou dat haar ouders hun eigen beschermers hadden gevonden, hun eigen amuletten. Ze wou dat ze niet zoveel hadden geleden, niet ineens in een andere werkelijkheid terecht waren gekomen waarin ze zich plotseling realiseerden dat hun strijd hun ontnomen was. Soms wou ze dat ze terug kon gaan in de tijd, zodat ze haar ouders een handje kon helpen; hen helpen die gammele brug over te steken die de twee werelden bijeenhield, die vol verschrikkingen en die vol hoop. Het is misschien te laat voor haar ouders, maar zij heeft Reza nog. In zijn ogen ziet ze dezelfde fundamentele angst die ze ooit in de ogen van haar ouders zag en ze hoopt dat ze bij machte zal zijn die te wissen. En daarom kan ze hem niet laten gaan, waar hij ook vandaan komt, van welke kant ook. Ze staat op.

'Ben je moe?' vraagt hij.

Ze schudt haar hoofd. Haar mond vertrekt in een beverig lachje. Ze kan de intensiteit van zijn blik niet weerstaan. Ze legt haar handen op zijn ogen; zijn wimpers kriebelen op haar handen wanneer hij ze sluit.

Neda's mond is droog. Ze moet hevig slikken voordat ze kan spreken. 'Ik vind het heel naar voor je zus.' Haar stem die van heel ver lijkt te komen, begeeft het. Haar ogen staan vol hete tranen.

Reza laat haar handen van zijn gezicht glijden. Zijn beschaduwde ogen glanzen vriendelijk, triest, vol ronkend verdriet. Hij trekt haar in zijn armen en houdt haar stevig vast, zo stevig dat het bijna pijn doet. Maar ze vindt de pijn prettig, het gevoel dat haar botten tussen zijn stevige armen en zijn borstkas geklemd worden. Ze drukt zich tegen hem aan en er trekt een rilling door haar lichaam. Dan buigt hij zich voorover en drukt voorzichtig een kus op haar natte lippen. Ze ademt op hem, warm, aarzelend, als iemand die een teen in het water steekt voordat ze zich erin begeeft. Ze kust hem terug. Iets in haar binnenste vloeit in hem over.

Er gaan een paar momenten voorbij waarna ze zich zachtjes losmaakt en in haar handtas naar een zakdoekje zoekt. Ze voelt zijn blik op haar rusten terwijl ze haar ogen droogt en haar neus snuit en hem krachtig schoonveegt. Ze kijkt hem niet aan maar is zich scherp bewust van zijn aanwezigheid terwijl hij zo voor haar staat, boven haar uittorenend als een reus, alsof hij haar volledig wil beschermen. Ze ruikt het zaagsel op zijn warme huid.

'Ik wilde je niet aan het huilen maken,' zegt hij.

Ze wuift met haar hand. Ze kan zich er niet toe zetten hem aan te kijken, niet helemaal, want anders gaat ze misschien weer huilen. 'O, je kunt er niets aan doen. Het geeft niet.'

'Was het om mijn zus?'

Neda blijft in haar handtas rommelen. 'Jouw zus, mijn moeder.' Haar stem daalt, zakt diep in haar borstkas. De dreigende knoop is er weer, klimt haar keel in; de tranen liggen achter de warme oogleden op de loer. Ze wappert met haar hand voor haar gezicht om aan te geven dat ze niet kan spreken.

'We gaan een eindje wandelen, oké? We hebben allebei behoefte aan frisse lucht.'

Ze lacht; haar lach is schor door een onvolledige, ingehouden snik. 'Hier is frisse lucht.'

Hij lacht ook. 'Ja, maar die is anders wanneer we lopen. We kunnen naar de rivier gaan.'

'Goed.' Ze stopt een haarlok achter haar oor, recht haar rug en neemt de straat met de kinderkopjes met één weidse blik in zich op. Ze begint haar kalmte te herwinnen. In de zachte bries die door haar haar speelt, hangt de geur van langsrijdende auto's en heerlijk eten dat ergens bereid wordt.

'Ik heb eigenlijk honger,' zegt Reza. 'Dat komt zeker door het bier, en misschien ook door de kaas. Hoe heette die kaas ook alweer?'

Neda laat het zakdoekje in haar zak glijden. Ze voelt nog steeds een prikkeling in haar neus en in haar ogen. 'Welke?'

'Die we met honing aten.'

Ze denkt na. 'Fontina.'

'Die was erg lekker.'

Neda glimlacht. 'Ja.'

Hij biedt haar zijn arm. Er is nog zoveel dat ze hem niet heeft verteld, zoveel verhalen die ze binnen heeft gehouden. Maar er is geen haast. Er is tijd.

Ze neemt zijn arm, die hard, onwankelbaar in haar greep ligt. Samen stappen ze uit de bescherming van de witte parasol de heldere nacht in. Ze steken het plein over, lopen langs het standbeeld van de generaal op het paard, langs de bejaarden die uitrusten op de banken, langs de rij mensen die wachten op hun beurt voor een geldautomaat. Plotseling slaat Reza uitbundig zijn arm om Neda's middel, geeft een ruk en tilt haar in de lucht. Hij laat haar op zijn schouder ronddraaien. Neda slaakt een verraste gil en barst dan in lachen uit; ze voelt zich gewichtloos in zijn armen, de lichten van het plein tollen om haar heen als levendige, fonkelende vlinders. Ze blijft lachen en slaat speels naar zijn armen en vraagt hem haar neer te zetten.

Haar hart bonkt in haar borstkas wanneer haar voeten weer vaste grond voelen. Hij is net een kind, denkt ze lachend, terwijl ze met haar handen over haar jurk en door haar zwarte, zijdeachtige haar strijkt; zijn lach klinkt nog na in haar oren wanneer hij weg begint te lopen met een lichte, zelfverzekerde tred, waarbij zijn stevige, robuuste lichaam de glanzende gloed van het plein in schrijdt. Meer kind dan zij ooit geweest is, dan haar broer, haar nicht ooit geweest zijn. Want geheimen beroven je van je kinderjaren. Doodsverhalen waren het, over mannen en vrouwen die aan galgen hingen. Je jeugd glipt weg wanneer de dood binnenkomt. Reza weet dat niet. Er is zoveel dat hij niet weet. Reza weet misschien niet hoe jacarandabloesem ruikt.

Op een dag neem ik je mee naar de jacarandaboom, denkt ze, haar tred afstemmend op de zijne, haar hand omsloten door de zijne. Of misschien, denkt ze glimlachend, zijn we al op weg.

Dankwoord

Ik ben voor eeuwig dank verschuldigd aan:

– mijn moeder, voor de avond waarop je mijn kamer in kwam en zei: 'Ik zal je alles vertellen.'

– mijn vader, voor de brieven die je schreef, al die maanden, al die jaren, zodat het voelde alsof je bij me was in die zeven jaren waarin je dat niet kon zijn; voor het ingaan op al mijn twijfels.

– mijn broer Navid, mijn beste criticus en vriend, omdat je altijd de juiste vragen stelt, omdat je aan één blik genoeg hebt en woorden overbodig zijn.

– mijn oma, Aba, omdat je me blijft vullen met je liefde, ook aan de andere kant van de tijd. Mijn opa, Agha, en mijn oom, Ebrahim, omdat ze er altijd zijn.

– mijn neef Siavash, mijn eerste speelmakkertje en school-kameraadje, omdat je naar Italië reisde en de foto van ons drieën voor me meebracht.

– mijn wapenzuster, Mehrnoush Aliaghaei, omdat je de ideale lezer bent; dank voor je vriendschap, je gedrevenheid en je toewijding.

– Tania Jenkin, Tijana Mamula, Soheila Vahdati Bana, Marjan Esmatyar, Joy Lynch en Maria Elena Spagnola, voor jullie steun en bemoediging in de loop der jaren.

– Fateme Fanaeian en Sadegh Shojaii, omdat jullie de groene adem van Iran voor me meebrachten.

– Victoria Sanders, mijn briljante agente, omdat je het aandurfde met mij en dit boek. En ook mijn welgemeende dank aan Chandler Crawford omdat je in dit project geloofde.

– Benee Knauer, voor je nauwgezette begeleiding, omdat je me hielp af en toe even te stoppen om na te denken.

– Sarah Branham en Arzu Tahsin, mijn geweldige redacteuren, voor jullie visie, jullie inzicht en enthousiasme, voor jullie geloof in mij.

– mijn oom, Mohsen, voor de genadige kracht van de herinnering aan jou in ons leven.

– mijn man Massimo, voor je liefde en kracht; omdat je naar me hebt geluisterd, omdat je vanaf die eerste gênante verhalen alles hebt gelezen, omdat je altijd in me hebt geloofd. Zonder jou zou niets van dit alles mogelijk zijn geweest.

Verklaring Iraanse termen

Allah Akbar	God is de grootste
Azan	oproep tot gebed
Azizam	liefje
Banoo	dame
Baradaar	broeder
Chador	een capeachtige mantel, doorgaans zwart, die om de kleren heen wordt geslagen, van voren open, in de vorm van een halve cirkel. Hij wordt om het hoofd heen gelegd en aan de voorkant bij elkaar gehouden. Er zijn geen openingen voor handen, geen knopen, gespen, enz. Hij wordt dus met de handen dichtgehouden of onder de armen geklemd
Dokhtaram	dochter
Eid-Ghorban	feest waarbij herdacht wordt dat Abraham zijn zoon wilde offeren aan God, maar dat vervolgens niet hoefde
Insjallah	zo God wil
Jaan	lieve
Jaanam	lieverd

Khaleh	tante
Korsi	lage tafel met elektrische verwarming of een stoof eronder en een kleed en/of dekens eroverheen. Men schaart zich tijdens maaltijden of feesten om de tafel en legt eventueel het kleed of de dekens over de benen om warm te blijven
Lezgi	volksdans
Maghnaeh	hoofddoek
Pedar	vader
Prendiamo un caffè?	(It.) Nemen we koffie?
Salaam	dag (begroeting)
Salamati	proost
Sangak	langwerpig of driehoekig dun bruin desembrood van zo'n 60 cm lang, gebakken op hete steentjes; het nationale brood in Iran. Wordt veel met kebab gegeten
Shab-e Yalda	feest van de winterzonnewende en de langste nacht van het jaar
Shomal	naar het noorden
Tavaab	collaborateur
Taklif-leeftijd	leeftijd waarop een meisje volgens de islam volwassen wordt